Lux, Antc

Von Loanda nach Kimbundu

Lux, Anton E.

Von Loanda nach Kimbundu

Inktank publishing, 2018

www.inktank-publishing.com

ISBN/EAN: 9783747797570

VON LOANDA
NACH KIMBUNDU.

ERGEBNISSE

der

Forschungsreise im äquatorialen West-Afrika (1875—1876)

von

A. E. LUX

K. K. ARTILLERIE-OBERLIEUTENANT, LEHRER AN DER K. K. MILITÄR-UNTERREALSCHULE
ZU EISENSTADT.

Mit 34 Holzschnitten, 5 lithogr. Bildern, 3 Karten und einem Plane.

WIEN

VERLAG VON EDUARD HÖLZEL

1880.

4

VORWORT.

Gross ist die Zahl der Opfer der Wissenschaft, welche die Erforschung des „schwarzen Continentes" bereits forderte, und diese Zahl ist in steter Zunahme begriffen; doch rastlos sind die Bemühungen, die Bewohner dieses herrlichen Landes den Segnungen der Civilisation und seine reichen Schätze der Verwerthung zuzuführen. Misserfolge können dieses Streben wohl in's Stocken bringen, doch hindern sie die endliche Erreichung des vorgesteckten Zieles nicht, und immer enger schliesst sich der Kreis um den noch völlig unbekannten Theil im Herzen Afrikas, welcher aber noch immer circa 60.000 geographische Quadrat-Meilen umfasst, eine Fläche — fünfmal so gross als die österreichisch-ungarische Monarchie.

Der „Gesellschaft zur Erforschung Aequatorial-Afrikas" in Berlin, welche gegenwärtig in die „Afrikanische Gesellschaft in Deutschland" übergegangen ist, und ganz besonders Herrn Professor Adolf Bastian, dem berühmten Reisenden, gebührt unstreitig das Verdienst, die planmässige Erforschung Central-Afrikas angeregt und bedeutende Summen behufs Aussendung von Expeditionen aufgebracht zu haben.

Mir wurde Gelegenheit geboten, an einer dieser Expeditionen Theil zu nehmen und ich fühle mich veranlasst, dem obgenannten Herrn Professor, als Demjenigen, der mir dies ermöglichte, meinen besten Dank hiefür auszusprechen.

Desgleichen danke ich auch herzlichst den Herren: Dr. Georg Neumeyer, Director der deutschen Seewarte in Hamburg, Dr. Ferdinand Freiherrn v. Richthofen, Dr. Georg Schweinfurth, Dr. Max Boehr und Dr. W. Koner in Berlin, sowie Dr. Johann Holetschek der k. k. Universitäts-Sternwarte in Wien, welche Alle so gütig waren, mir vor Antritt meiner Reise mit ihren bewährten Rathschlägen und Unterweisungen hilfreich an die Hand zu gehen.

Inwieweit ich es vermochte, den in mich gesetzten Erwartungen zu entsprechen und die erhaltenen Lehren zu befolgen, mögen theilweise die folgenden Zeilen bezeugen, welche ich hiemit als Bericht über meine Thätigkeit während der Expedition der Oeffentlichkeit mit der Bitte um nachsichtige Beurtheilung übergebe.

Leider konnte diese Arbeit nicht so umfangreich werden, wie ich es selbst für wünschenswerth hielt.

Im Juni 1879.

A. E. Lux,
k. k. Oberlieutenant.

INHALT.

Einleitung.

Siebentes Capitel.

Achtes Capitel.

Neuntes Capitel.

Anhang.

Karten und Pläne.

Illustrationen.

zed by Google

St. Paulo do Loanda

EINLEITUNG.

Gesellschaft zur Erforschung Aequatorial-Afrikas, Expeditionen des Dr. Güssfeldt, des Dr. Lenz und des Hauptmanns v. Homeyer.

n unserer Zeit des rastlosen Vorwärtsschreitens auf allen Gebieten der Wissenschaften hat sich das Interesse des für geographisches Wissen eingenommenen Publicums ganz besonders der Erforschung der Continente zugewendet.

Das grösste Augenmerk war in dieser Beziehung auf den Continent Afrika gerichtet, der von jeher allen Versuchen, sein mysteriöses Innere zu erschliessen, durch sein tückisches Klima, sowie durch die Feindseligkeit seiner Bewohner den Weissen gegenüber die grössten, anscheinend unüberwindlichsten Hindernisse entgegenstellte.

Immer aber fanden sich beherzte Männer genug, welche, keine Gefahren scheuend, bereit waren, ihr Scherflein für die Wissenschaft beizutragen, und unterstützt von Seite der Glücksbegüterten, ausgerüstet mit allem Nöthigen unternahmen sie ihre Reisen, um der Wissenschaft werthvolle Dienste zu leisten·

An diesen Forschungsreisen Einzelner betheiligten sich fast alle Nationen, und die Namen: Livingstone, Schweinfurth, Nachtigal, Barth, v. Heuglin, Rohlfs, Vogel, v. Beuermann, Cameron, Speke, Grant, Fritsch, Hartmann, Overweg, de Compiègne, du Chaillu, Marche, Mauch, Ascherson, Piaggia, Magyar, Mohr, Burton, Graça,

de Lacerda, Duveyrier, Pruyssenaere, Fräulein Tinné
und viele andere beweisen dies zur Genüge.

Erst in neuerer Zeit jedoch wurden Stimmen laut, welche
die planmässige Erforschung Afrikas durch grössere Expeditionen,
und zwar besonders des centralen, noch am wenigsten erforschten
Theiles anregten, und sie blieben bei dem allgemeinen Interesse
für die Sache nicht vereinzelt. Die geographischen Gesellschaften,
die Stützen geographischen Wissens, ergriffen die Initiative und
voran stand da die „Gesellschaft für Erdkunde" in Berlin, aus
welcher sich ein Kreis von Freunden der Afrika-Erforschung
zusammenfand, welche unter dem Namen: „Gesellschaft zur
Erforschung Aequatorial-Afrikas" oder kurzweg: „Afrikanische Gesellschaft" die Beschaffung von Geldmitteln zu Afrika-
Reisen in erster Linie, in zweiter aber die Aussendung von, aus
wissenschaftlich gebildeten Männern zusammengesetzten Expeditionen anstrebte.

Als Basis für alle von Seite dieser Gesellschaft zu unter-
nehmenden Reisen wurde, ganz entgegen der bis dahin immer
als Ausgangslinie genommenen Ostküste, die — Westküste vom
Congoflusse bis Benguella gewählt.

Die Gesellschaft, an welcher sich in grossmüthigster Weise
Ihre Majestäten die Könige von Preussen, Baiern, Sach-
sen, Württemberg und Ihre königl. Hoheiten die Gross-
herzoge von Baden und Sachsen-Weimar mit grösseren
Geldbeiträgen betheiligten, war Dank der vorhandenen Mittel
schon im Jahre 1873 in der günstigen Lage, die erste Expedition
unter Führung des Herrn Dr. Paul Güssfeldt an die Westküste Afrikas mit der Aufgabe senden zu können, einen an der
Küste gelegenen Punkt zur Errichtung einer Station auszuwählen
und von dieser aus, nach genügender Vorbereitung, den Vorstoss durch die Congoländer gegen das Innere des Continentes
zu versuchen.

Als Station wurde Tschintschoscho (portugiesisch:
Chinchoxo) gewählt, circa 2·5 Stunden von Landana entfernt,
welcher Ort in regelmässiger Verbindung mit Europa einerseits,
St. Paulo do Loanda andererseits steht. Eine englische Dampfschifffahrts-Gesellschaft, die „African Steam-Ship Company",
zugleich „royal mail", vermittelt diese Verbindung.

Die Küste, auf welcher die Station errichtet wurde, hatte, bevor die deutsche Flagge gehisst wurde, keinen Besitzer.

Der ersten Expedition waren beigegeben die Herren Dr. Falkenstein (k. preussischer Militärarzt), Soyaux (Botaniker), Lindner (Mechaniker), denen später noch der k. preussische Major v. Mechov und der durch seine sonstigen Reisen bereits vortheilhaft bekannte Dr. Pechuel-Lösche nachfolgten.

Schon von Anbeginn hatte die Expedition grosse Missgeschicke zu erleiden und Hindernisse zu bewältigen.

Das Schiff, die „Nigritia", welche die Reisenden an die Westküste bringen sollte, scheiterte an der Sierra Leone-Küste (ich hatte noch bei meiner Rückkehr von Afrika gegen Ende des Jahres 1875, als ich an der erwähnten Küste vorbeifuhr, Gelegenheit das Wrack zu sehen) und es konnten nur wenige von den der Gesellschaft gehörigen Ausrüstungsgegenständen gerettet werden.

Ein zweites Schiff, die „Liberia", welches ebenfalls Ausrüstungsgegenstände und Proviant aus der Heimat brachte, ging mit Mann und Maus zu Grunde — es ist verschollen.

Unverdrossen jedoch oblagen die Herren, eingedenk der Wichtigkeit ihrer Arbeiten, mit allem Eifer ihrer Bestimmung; es ist wahrlich nicht ihnen zuzuschreiben, wenn trotz alledem und mehrjährigem Aufenthalte an der Küste und trotz wiederholten Versuchen, durch die Gebiete der Congo-Neger vorzudringen, es nicht gelang, in's Innere des Continentes zu gelangen, also den Hauptzweck zu erreichen.

Die in dieser Richtung erzielten Erfolge standen mit den bedeutenden Kosten, welche die Erhaltung der Station erforderten, wohl in sehr ungleichem Verhältnisse, wenn auch andererseits den vielseitigen wissenschaftlichen Arbeiten, sowie dem Sammeleifer aller Herren und den gelungenen photographischen Aufnahmen des Herrn Dr. Falkenstein alles Lob gerechterweise zuerkannt werden muss.

Als grösster Erfolg der Bemühungen des genannten Herrn muss übrigens angesehen werden, dass es ihm durch überaus sorgfältige Beobachtung und Pflege gelang, den ersten lebenden Gorilla nach Europa zu bringen.

Der Afrika-Reisende muss trachten, so viel als möglich auf friedliche Weise sein Unternehmen zu fördern, wenn auch

1*

andererseits zugegeben werden muss, dass im entscheidenden Momente angewandte Strenge, auch Härte, im Umgange mit dem Neger ebenso wie in Europa mit unseren weissen Mitbrüdern angezeigt, ja dringend geboten ist, wenn der Reisende sein Ansehen aufrecht erhalten will.

Geht der Reisende jedoch mit Gewalt vor oder trifft er blos nur Vorbereitungen, welche auf eine solche Absicht schliessen lassen, so hat er bereits den Argwohn der Schwarzen gegen sich und es schwindet die Aussicht auf grosse Erfolge.

Mit Gewalt könnte übrigens ja nur mit Massen von Europäern vorgegangen werden. Abgesehen nun davon, dass es sehr grossen Schwierigkeiten unterliegen würde, bei einer grösseren Menge europäischer Soldaten das Wichtigste, den Gesundheitszustand, günstig zu erhalten, ist die Kriegführung der Neger eine, von europäischen Truppen, und seien es auch die besten, sehr schwer nachzuahmende und nicht leicht könnte behauptet werden, dass die Europäer siegen würden.

Negersoldaten würden sich mit Aussicht auf Erfolg aus den „Eingebornen" des Landes nicht heranbilden lassen, denn sie würden sich zwar vom Weissen mit Gewehren, Munition, Kleidern und allem Zweckdienlichen ausrüsten lassen, sie würden sich vielleicht auch gefügig zeigen, im entscheidenden Augenblicke aber würden sie, was man ihnen theilweise wohl auch nicht verargen könnte, zu ihren Stammesbrüdern übergehen.

Wenn nun die erste Expedition aber sich mit Bewilligung des Gouverneurs in St. Paulo do Loanda aus der südlichsten portugiesischen Provinz Mossamedes hundert Neger und Negerinnen besorgte, welch' erstere von dem nachgesendeten k. preussischen Major v. Mechov in der Handhabung und im Gebrauche des Zündnadelgewehres, sowie in der afrikanischen Verhältnissen etwas angepassten zerstreuten Fechtart ausgebildet, die letzteren zur Anlage von Plantagen verwendet wurden, so zeigt dies, dass man von Hause aus die Absicht hatte, die geographischen Forschungen eventuell mit Waffengewalt zu unterstützen, jedoch vollkommen der Nachtheile eingedenk war, welche sich durch die Anwerbung Eingeborner aus der Umgebung von Tschintschoscho zweifellos ergeben hätte.

Vergessen wurde jedoch, worauf man später durch traurige Erfahrungen kam. Die Leute aus Mossamedes, an ein gesundes Klima gewöhnt, erlagen zur Mehrzahl dem tückischen Küstenfieber und die übrigen desertirten aus Furcht vor dem Tode oder aus Heimweh, so dass zum Schlusse 17 Personen übrig blieben.

In eine wiederholte Besorgung neuer Zuzüge liess sich trotz gemachtem Vorschlage der Gesellschafts-Vorstand in Berlin nicht mehr ein, obwohl die Resultate in der militärischen Ausbildung die Herren in Afrika über die Massen befriedigt haben sollen.

Der Vorstand war wohl gewitzigt durch das erste Experiment und es hätte vielleicht auch ein diesbezügliches wiederholtes Ansuchen beim Gouverneur bezüglich der Neger aus Mossamedes nicht das entsprechende Entgegenkommen gefunden; so erfolgte, nachdem die einstweilige Unmöglichkeit eines Vordringens von dieser Küste gegen das Innere eingesehen wurde, im Herbste des Jahres 1875 die Beschlussfassung auf Auflösung der Expedition, sohin auch der Station; die Mitglieder wurden zurückberufen und es langten auch die letzten derselben zu Beginn des Jahres 1876 wieder in Europa ein.

Als zweite Expedition sandte die Gesellschaft den Geologen der k. k. geologischen Reichsanstalt, Herrn Dr. Oscar Lenz im Jahre 1874 an den Golf von Guinea und der Reisende langte nach einer Reise von acht Wochen und drei Tagen auf den Elobi-Inseln in der Bai von Corisco an. Seine Aufgabe war, am Gaboon oder am Ogowé stromaufwärts, so weit als möglich, gegen das Innere vorzudringen.

Dr. Lenz ist ebenfalls bereits wieder nach Europa zurückgekehrt, nachdem er durch seine unermüdliche Ausdauer der Wissenschaft grosse Dienste geleistet hat.

Seine Forschungen bilden theilweise eine Controle für seine Vorgänger auf dieser Route (Marquis de Compiègne und Marche im Januar bis März 1874 und du Chaillu) und sind von grossem Werthe.

Er durchstreifte die Gebiete der Akele, Okota, Apingi, Okande, Fan, Asimba, Osyeba und leistete in seinen geologischen, statistischen und meteorologischen Arbeiten sehr Bedeutendes.

Lebhaft muss bedauert werden, dass dieser Reisende durch die Ungunst der Verhältnisse zur Umkehr auf seiner Wanderung gezwungen wurde.

Dank der vorhandenen Geldmittel konnte die „Afrikanische Gesellschaft" im Sommer des Jahres 1874 schon daran denken, noch eine dritte Expedition nach Afrika zu entsenden, welche in St. Paulo do Loanda landen und von dort aus auf der Marschlinie Dondo-Cassandsche in das Innere des Continents vorzudringen die Aufgabe erhielt.

Zum Führer dieser Expedition wurde der k. preussische Infanterie-Hauptmann Alexander v. Homeyer gewählt, welchem zugleich die Besorgung der zoologischen Arbeiten übertragen wurde. Der Ruf, den der genannte Herr als Ornithologe geniesst, mag wohl die letztere Verfügung rechtfertigen.

Mir wurde der sehr schmeichelhafte und ehrenvolle Antrag gestellt, an der Expedition als Geograph, sowie zur Besorgung der astronomischen und meteorologischen Beobachtungen, ferner der geographischen Ortsbestimmungen und der photographischen Aufnahmen (nachdem der der Expedition beigegebene Photograph gleich nach seiner Ankunft in Loanda wieder mit dem nächsten Dampfer nach Europa zurückkehrte) theilzunehmen und sollte ich eventuell die Führung der Expedition übernehmen.

Hocherfreut über den Umstand, die Gelegenheit gefunden zu haben, auch mein Scherflein zur Bereicherung unserer Kenntnisse über den tückischen Continent beitragen zu können, nahm ich mit Allerhöchster Bewilligung Sr. Majestät unseres allergnädigsten Kaisers den Antrag an. In Loanda sollte noch der erste Botaniker der ersten Expedition zu uns stossen.

Herr Jur. Dr. Paul Pogge, Gutsbesitzer in Mecklenburg, erhielt auf sein Ersuchen vom Vorstande der Gesellschaft die Erlaubniss, auf eigene Kosten an der Expedition theilzunehmen. Er wollte die Reise unternehmen, um seiner Jagdlust Genüge zu leisten und hielt sich zu selbem Zwecke bereits vor einigen Jahren an der Ostküste bei Port Natal durch neun Monate auf.

Die nun erwähnten Herren (ausser mir) verliessen bereits im December 1874 Europa, um an der afrikanischen Küste die Vorbereitungen zur Reise zu treffen, während ich erst zu Anfang des Jahres 1875 nachfolgen konnte.

ERSTES CAPITEL.

Ich schiffte mich in Hamburg auf dem Dampfer „Rio" der „Hamburg-Südamerikanischen Dampfschifffahrts-Gesellschaft" ein, um denselben bis Lissabon zu benützen.

Der damals ungewöhnlich lange anhaltende Ostwind hatte den Wasserstand der Elbe bedeutend vermindert und so kam es, dass der 17 Fuss tiefgehende „Rio" in der Elbemündung vor Wedel auffuhr. Täglich zu beiden Fluthzeiten wurden Versuche gemacht, das Schiff wieder flott zu machen, doch alle Bemühungen waren vergebens, wir sassen zwölf Tage auf einem Fleck.

Als endlich der Wind umschlug und wieder mehr Wassermassen in den Fluss kamen, hob sich der „Rio" von selbst und die weitere Fahrt nach Lissabon ging in sechs Tagen ganz normal von statten.

Durch die Verzögerung aber hatte ich den, am 5. März von Lissabon abgebenden portugiesischen Steamer versäumt und musste nun bis 5. April dort warten.

Nach dreiundzwanzigtägigem Aufenthalte schiffte ich mich auf dem Dampfer „Don Pedro" der „Empreza Lusitana" zur Weiterreise nach St. Paulo do Loanda ein. Die Schiffe dieser Gesellschaft befördern zugleich die königlich portugiesische Post und berühren bis Loanda noch Funchal auf Madeira, St. Vincente und Porto Praya der capverdischen Inseln, St. Antaõ auf der Ilha do Principe, St. Thomé auf der gleichnamigen Insel und Ambriz, welch' letztere Ansiedlung bereits auf afrikanischem Festlande liegt.

Die Reise ging schnell und ohne Unfall von statten. Am 8. April um 5 Uhr 3o Minuten Früh langten wir vor Funchal an und warfen die Anker. Die Rhede dieser Stadt, der wichtigsten der ganzen Insel Madeira, ist sehr unsicher und bietet nur wenig Schutz. Bei nahendem Sturme verlassen daher die Schiffe auch meistens ihre Ankerplätze und suchen die offene See zu erreichen, um nicht der Gefahr ausgesetzt zu bleiben, von der Galemma (Brandung) an die Küste geworfen und zerschellt zu werden. Nichtsdestoweniger ereignen sich dennoch zeitweise derlei Unglücksfälle.

Die Rhede ist sehr flach und müssen grössere Schiffe selbst bis zu zwei Seemeilen vom Lande entfernt ihre Anker werfen. Der günstigste Ankerplatz befindet sich bei dem vor dem westlichen Ende der Stadt sich steil aus dem Meere emporhebenden Felsen Loo Rock (wahrscheinlich von Look-Rock abgeleitet), wo eine Tiefe von 25 bis 3o Faden vorherrscht.

Die „Bahia do Funchal" ist befestigt. Auf dem eben erwähnten Felsen befindet sich ein nicht zu unterschätzendes Fort mit 28 Kanonen und vor dem Wohngebäude des Gouverneurs, sowie vor der „alfandega" (Zollhaus), welche beide am Strande liegen, sind gemauerte Brustwehren zur Deckung von Geschützen erbaut. Ueber die systemisirte Armirung konnte ich nichts Näheres erfahren. Es wäre jedoch genug Raum für wenigstens 4o Geschütze.

Funchal hat eine herrliche Lage und ist amphitheatralisch auf den Lehnen des Gebirges erbaut. Das Innere der Stadt entspricht aber keineswegs dem prächtigen Aeusseren.

Die Insel Madeira (14·8 Quadratmeilen = 815 Quadrat-Kilometer mit 90.000 Einwohnern) wurde 1419 von den Portugiesen Zargo und Teixeira entdeckt und erhielt ihren Namen wegen ihres überaus grossen Holzreichthums, denn „madeira" heisst im Portugiesischen „Holz".

Gleich nachdem der „Don Pedro" die üblichen Flaggensignale abgegeben hatte und der Anker gefallen war, welche Verrichtung stets durch einen aus der Schiffskanone abgegebenen

Schuss den Hafenaufsichtsorganen zur Kenntniss gebracht wird, kamen Polizei- und Sanitäts-Beamte zu den vorgeschriebenen Visitationen an Bord, nach deren Beendigung erst den Passagieren die Fahrt an's Land bewilligt wurde. Mittlerweile sammelten sich bereits zahlreiche Boote mit Lebensmitteln oder zum Transport der Ankömmlinge zur Stadt auf der Fallreep-Seite des Schiffes.

Der Capitän bestimmte, dass der „Don Pedro" schon um 12 Uhr Mittags wieder in See zu gehen habe. Die Wenigen, welchen es daher daran gelegen war, die Stadt zu besuchen, mussten sich beeilen an Land zu kommen, um die spärlich zugemessene Zeit so gut als möglich benützen zu können. In Anbetracht dieses letzteren Umstandes war auch ich sehr schnell mit einem der Bootführer handeleins geworden und schwamm bald darauf in der kleinen Nussschale dem Strande zu.

Wenn die Passagiere ein Schiff verlassen, um „längere" Zeit in Funchal zu bleiben, wenn sie daher auch ihr ganzes Gepäck mit sich zu nehmen genöthigt sind, so sind die Plackereien von Seite der Zollbehörde sehr gross. Das ganze Gepäck wird auf die „alfandega" gebracht, dort Alles auf die rigoroseste Weise durchstöbert und einige Artikel müssen sogar während des ganzen Aufenthaltes des Fremden auf der Insel im Zollhause deponirt bleiben, ausser man holt sich beim Gouverneur die Bewilligung zur ausnahmsweisen Ausfolgung ein. Waffen werden jedoch unter keiner Bedingung herausgegeben.

Am besten thut man daher, stets das Allernöthigste in einen kleinen Koffer zu verpacken, welchen man untersuchen lässt und mit sich nehmen kann, während die grösseren Gepäcksstücke gleich wohlverschlossen in der „alfandega" deponirt werden. Der Lagerzins ist sehr gering und die langwierigen Visitationen sind dann ganz vermieden.

Kommt man jedoch ohne alles Gepäck an's Land, so wird man nicht im geringsten aufgehalten. Die Boote fahren directe an den Strand neben das Gouverneursgebäude, wo sich auch die grosse, steinerne Landungstreppe befindet, welche jedoch nur beim Empfange hoher Persönlichkeiten benützt wird.

Die Landung am Strande ist übrigens, wie bei anderen Rheden, nicht leicht und oft von Unfällen, wenn nicht gar Unglücksfällen begleitet.

Das Boot muss durch die Galemma (Brandung) an's Land geworfen werden. Um dies zu erreichen, warten die Bootsleute wenn sie auf 5o bis 6o Schritte vom Strande angelangt sind, auf die nächste Brandungswelle. Kommt diese näher, so rudern sie aus vollen Kräften gegen den Strand, um annähernd die Geschwindigkeit der Welle zu erreichen, bis letztere endlich das Boot erreicht und mit sich fortreisst. Wenn der Kiel den Sand berührt, so ist der gefährlichste und schwierigste Moment gekommen. Die Bootsleute springen mit vieler Behendigkeit in das bis an's Knie, manchmal noch höher reichende Wasser und müssen das Boot festhalten, bis die Welle ruhig und gebrochen wieder vom Sande abläuft.

Bis die nächste Welle kommt, muss das Boot bereits ganz auf's Trockene gezogen sein, zu welcher Verrichtung sich stets alle am Strande herumlungernden, nicht anderwärts beschäftigten Bootsleute herandrängen.

Sehen jedoch die Ruderer, dass sie, vielleicht aus Saumseligkeit oder wegen Mangel verfügbarer Kräfte, dennoch von der nächsten Welle erreicht werden, so springen sie wieder in's Boot zurück und erwarten mit eingelegten Riemen die brandende Woge, um mit ihrer Hilfe wieder in's Meer hinaus zu kommen und den Landungsversuch von Neuem zu unternehmen.

Für diesen Fall ist wohl keine, oder doch nur geringe Gefahr vorhanden; immerhin ist aber der missglückte Versuch meistens mit einem durch die über das Boot schlagenden Wellen veranlassten unfreiwilligen Sturzbade verbunden.

Gefährlich aber ist es für den der Bootfahrt unkundigen Passagier, wenn die Ruderer nicht mehr die Zeit finden, in's Boot zu springen und letzteres daher der Willkür der Wogen preisgegeben ist.

Ich kam ohne Unfall glücklich an's Land und eilte, das k. k. österreichische Consulat zu suchen, was mir begreiflicher Weise nicht schwer wurde.

Der österreichische Consul, Herr Carlo v. Bianchi, an welchen ich ein Empfehlungsschreiben des k. k. Gesandten am portugiesischen Hofe zu Lissabon, Herrn Baron v. Dumreicher, zu übergeben hatte, empfing mich mit der allerorts in Portugal anzutreffenden grössten Freundlichkeit und Zuvorkommenheit und proponirte mir in Ansehung meines diesmaligen kurzen Aufenthaltes auf Madeira einen kleinen Ausflug nach der „Igreja de Nossa Senhora do Monte", der lohnendsten Partie in der nächsten Umgebung von Funchal.

In kurzer Zeit standen auch schon drei wohlgesattelte Pferde der einheimischen Race zu unserer weiteren Verfügung. Der Sohn des Consuls begleitete uns.

Wenn man in Funchal ein Pferd in Miethe nimmt, geht stets der Besitzer oder ein Treiber mit. Er bleibt hinter dem Thiere und folgt in allen Gangarten. Dabei trägt er einen an einem kurzen Stiel befestigten Rossschweif, mit welchem er fortwährend die dem Thiere so lästigen Fliegen vertreibt. Bergauf ermuntert er überdies das Pferd durch Zurufe, bergab hält er es am Schweife zurück.

Nach einem einstündigen, sehr angenehmen Ritte durch Weingärten und Zuckerplantagen erreichten wir, fortwährend bergan, die kurzweg genannte „Igreja do Monte".

Sie liegt 597 Meter über dem Meer auf den südlichen Abdachungen des 1394 Meter hohen „Pico do Poiso", über welchen ein von Funchal nach dem an der Nordostküste der Insel gelegenen Orte Porto da Cruz führender, durchwegs mit runden Kieselsteinen gepflasterter Karrenweg führt. Diese Pflasterung kommt überhaupt auf allen mehr benützten Communicationen der Insel vor und selbst die Strassen und Gassen von Funchal sind durchaus mit diesen kleinen Katzenköpfen belegt.

Von der Plattform vor der Kirche geniesst man einen prächtigen Anblick über die Stadt, die Rhede und weithin über das Meer. Die Kirche selbst ist ein sehr altes, aber sehr gut erhaltenes Gebäude, in welchem zeitweise auch Messen gelesen und wohin zahlreiche Processionen unternommen werden, nachdem das Gnadenbild der Kirche ganz besondere Kräfte besitzen soll.

Zum Rückwege benützt man in der Regel nicht die Reitpferde, da das Ausgleiten der Thiere auf den spiegelglatten Steinen beim Bergabgehen schon grosse Unglücksfälle hervorgerufen hat. Um schnell wieder in die Stadt hinabzukommen, bedient man sich daher ganz eigener Schlitten.

Zwei Männer, welche rück- und seitwärts des Fahrzeuges laufen, dirigiren dasselbe mit Stricken und selbst bei den schärfsten Biegungen des Weges fährt man mit einer staunenerregenden Sicherheit; dabei ist die Schnelligkeit eine bedeutende, denn in längstens 12 bis 15 Minuten trifft man in Funchal ein. Zeitweise, wenn die Reibung und die dadurch erfolgte Erhitzung der hölzernen Kufen zu bedeutend wird, läuft einer der Männer etwas voraus, legt ein in Wasser oder Fett getränktes Tau-Ende auf den Boden und lässt den Schlitten darüber laufen.

Nach unserer Rückkehr in die Stadt besah ich mir noch eine im Betrieb stehende Zuckerfabrik.

Die Zuckerplantagen liefern gegenwärtig die grössten Einkünfte der Insel. Der früher so bedeutende und hervorragende Weinbau geht immer mehr und mehr zurück. Getreide wird zu wenig gebaut und es muss daher eingeführt werden. Das Holz nimmt der forstlichen Missverhältnisse halber fortwährend ab und speciell Oelbäume gibt es verhältnissmässig nur mehr wenig.

Obst ist auf der ganzen Insel reichlich und in besonderer Güte vorhanden, insbesondere wären zu erwähnen: Feigen, Aepfel, Apfelsinen und Limonien, Aprikosen, Ananas, Melonen, Guaven, Granatäpfel, Bananen und Kastanien. Die ausserordentlich guten, durch die Lage der Insel und durch das vorzügliche Klima bedingten Vegetationsverhältnisse bringen es mit sich, dass Madeira über eine paradiesische Flora verfügt und dass die niederen Feldfrüchte sehr gut gedeihen. Ganz besonders verdienen die prachtvollen Tulpenbäume, Rosen- und Camelienstöcke erwähnt zu werden.

Nach einer kurzen Wanderung durch die Stadt, wobei mir ganz besonders die dort übliche Fahrgelegenheit mittelst Schlitten, sowie die als Transportmittel einzelner Personen dienende „Tipoia" auffiel, kehrten wir in das Haus des Consuls zurück, wo ich bei einem in grosser Eile eingenommenen Imbiss noch Einiges über die Stadt erfuhr, was ich hier folgen lasse:

Funchal ist der Sitz' des Gouverneurs und eines Bischofs, hat verhältnissmässig viele grössere Gebäude und besonders viele Spitäler (fünf an der Zahl), welche alle sehr gut eingerichtet und geleitet sind. Die Einwohnerzahl beträgt nicht ganz 20.000

Seelen und ist, abgesehen von dem gegenwärtig verminderten
Fremdenverkehr in der Abnahme begriffen. Nachdem bekannter-
massen Madeira in den letzten Jahren in den klimatischen Verhältnissen starke Veränderungen erlitten hat, denen zufolge
die mittlere Jahrestemperatur bedeutend gesunken ist, ziehen
es die wirklich brustkranken Fremden vor, ihre Heilung am
„Cap" zu versuchen, daher die fühlbare Fremdenabnahme er-
klärlich erscheint. Die wenigen eingebildeten oder wirklich
Kranken aber, welche nach Madeira kommen, finden in den
verschiedenen Clubs und in einem Sommertheater, wo aber nur
selten gespielt wird, genügende geistige Zerstreuung, ohne welche
eine körperliche Heilung selbst unter den günstigsten Klimaten
wohl nicht gedacht werden kann.

Mittlerweile rückte unter fröhlichen Fragen und Antworten
die Stunde der Abfahrt des „Don Pedro" immer näher und ich
nahm daher Abschied von der Familie unseres Consuls. Letzterer
begleitete mich noch an Bord und blieb bis zum letzten
Glockenschlage.

Punkt 12 Uhr Mittags verkündete ein Schuss der Schiffskanone, dass der „Don Pedro" die Anker gelichtet habe und
bald darauf verliessen wir unter Hüte- und Tücherschwenken
der, auf den uns umkreisenden Booten befindlichen Freunde in
der Richtung nach Süden die Rhede von Funchal.

Die Weiterreise ging bei herrlichem Wetter frisch von
statten.

Bereits am 9. April um 8 Uhr Morgens, also nach zwanzig-
stündiger Fahrt, bekamen wir die canarischen Inseln, speciell
Palma und des Abends die Insel Ferro in Sicht, dampften
jedoch vorüber.

Am 13. April kamen wir bei den capverdischen Inseln
an und gingen um 6 Uhr Früh vor St. Vincente vor Anker.
Unser Aufenthalt war blos zum Zwecke der Ergänzung unseres
Kohlenvorrathes. St. Vincente bietet nur wenig des Interessanten.
Wie alle anderen Inseln der capverdischen Gruppe ist auch
diese vulcanischen Ursprungs und von karger Vegetation. Die
Stadt selbst besteht aus etlichen 30 bis 40 Häusern der Weissen,
aus den Kohlendepôts und etlichen Negerhütten festerer Construction. Des Abends um 7 Uhr setzten wir die Reise wieder

fort und trafen schon am 14. April um 5 Uhr Morgens in Porto Praya, der Rhede der ebenfalls zur früher genannten Gruppe gehörigen Insel St. Jago ein.

Porto Praya, der Sitz des Gouverneurs der Inselgruppe, liegt circa 3oo Fuss über dem Meeresspiegel und ist befestigt. Ich zählte hinter den Brustwehren 42 Kanonenrohre verschiedenen Kalibers. Die Laffetten hiezu dürften wohl ebenfalls vorhanden sein.

Die Stadt ist überaus nett und reinlich; die einzelnen Häuser, sämmtlich weiss getüncht, machen einen sehr freundlichen Eindruck.

Die Insel St. Jago ist die fruchtbarste der capverdischen Gruppe und besitzt gutes Trinkwasser, zu dessen Bezug von der Quelle bis zur Stadt eine eigene Wasserleitung gebaut ist.

Bereits am Abend gingen wir wieder in See, umschifften in den nächsten Tagen das Cap Palmas, um nach 9·5tägiger, durch das herrlichste Wetter begünstigter Reise am 24. April um 11 Uhr Vormittags die Rhede von Saõ Antaõ auf der Ilha do Principe zu erreichen.

Die Insel ist trotz ihrer schönen Lage sehr ungesund und Saõ Antaõ besteht blos aus etlichen 10 bis 15 Häusern. Um 7 Uhr Abends verliessen wir wieder die Rhede und lagen schon Tags darauf um 6 Uhr Früh vor Saõ Thomé auf der gleichnamigen Insel.

Der Ort hat bei 8ooo bis 10.000 Einwohner. Die Insel liegt gerade am Aequator und hat reizende Partien. Der äussere Anblick ist viel einnehmender als jener der Insel Madeira, wobei ich natürlich ganz von der unvergleichlichen Lage Funchals absehe.

Das Klima von Saõ Thomé ist verhältnissmässig gesund und die Lufttemperatur, der Lage der Insel entsprechend, sehr hoch; die Vegetation ist überaus üppig und kommen in erster Linie die grossartigen Kaffeepflanzungen zu erwähnen. Der hier geerntete Kaffee erfreut sich in Folge seines sehr angenehmen Aromas grosser Beliebtheit und wird an die Westküste Afrikas, hauptsächlich aber nach Portugal ausgeführt. Er bildet die Haupteinnahmsquelle der Inselbewohner.

Als zweiter Ausfuhrartikel gilt das Palmöl.

Der „Don Pedro" blieb 2·5 Tage vor Saõ Thomé und wir Passagiere benützten daher die uns gebotene Gelegenheit, um soviel als möglich von der Insel kennen zu lernen. Wir waren daher den ganzen Tag über an Land und machten zu Pferde Ausflüge in die Umgebung. Auch fanden wir im Hause eines hier angesiedelten Europäers, welcher nach viermonatlichem Aufenthalte in Europa mit uns hieher zurückkehrte, die beste Aufnahme. Zum Ueberflusse hat Saõ Thomé noch ausser einigen Tavernen — ein Kaffeehaus, in welchem sich sogar zwei Billards befinden — Annehmlichkeiten, von welchen von Seite der Weissen und Mulatten der umfassendste Gebrauch gemacht wird.

Am 27. April um 2 Uhr Mittags verliessen wir die Insel und erreichten unter beinahe stets stürmischem Regenwetter die Rhede von Ambriz am 29. April um 9 Uhr Vormittags.

Mit Ambriz hatten wir bereits die Westküste des Continentes erreicht.

Ambriz ist, obwohl nur aus einigen Häusern bestehend, dennoch ein sehr wichtiger Handelsplatz. Von hier aus wird der ganze Handel mit den circa 3o geographische Meilen entfernt liegenden Orten Saõ Salvador, Bembe und Encoge vermittelt, in welchen Orten wieder kleinere Factoreien den Handel mit den Eingebornen des Innern unterhalten.

Nach Ambriz kommen daher immer grosse Quantitäten von Waaren mit jedem Dampfer aus Europa; auch der „Don Pedro" lag über 2·5 Tage auf der Rhede, um die Sendungen auszuschiffen.

Ganz nahe nördlich von Ambriz mündet der Logefluss in den atlantischen Ocean. Dieser Fluss bildet zugeich die Nordgrenze der portugiesischen Besitzungen in Westafrika. Nördlich des Loge und desto mehr noch nördlich des Congo befinden sich keine portugiesischen Militärposten mehr und die Kaufleute, welche dort Factoreien besitzen, behandeln, als auf unabhängigem Boden wohnend, die Schwarzen, ohne sich an irgend ein Gesetz zu kehren, nach eigenem Willen.

Am 2. Mai um 2 Uhr Morgens verliessen wir Ambriz und langten nach·siebenstündiger Fahrt vor St. Paulo do Loanda, dem Endziele meiner Seereise, an.

Ich hatte somit die Reise von Lissabon hieher in 27 Tagen, also unter sehr günstigen Verhältnissen, zurückgelegt. Andere Dampfer brauchen zu derselben 30 bis 32, ja sogar 35 Tage. Der Dampfer, welcher die regelmässige Verbindung zwischen Loanda und dem circa 90 englische Meilen von der Küste entfernten Orte Dondo auf dem Quanzaflusse vermittelt, ging Tags vor meiner Ankunft von Loanda ab und wurde erst in 8 bis 10 Tagen zurück erwartet. Ich bereute übrigens den unfreiwilligen Aufenthalt in der Hauptstadt Angolas durchaus nicht; hatte ich doch Gelegenheit, als zweckmässige Vorbereitung zu meiner Reise, Land und Leute, Sitten und Gebräuche genauer kennen zu lernen.

Dank meiner Empfehlungsbriefe wurde mir dies auch recht leicht gemacht.

Loanda ist die Hauptstadt der Provinz Angola, Residenz des General-Gouverneurs der drei portugiesischen Besitzungen Angola, Benguella und Mossamedes und hat circa 18.000 bis 20.000 Einwohner, grösstentheils Schwarze, während die ganze Provinz bei ihrer dichten Bevölkerung zwei Millionen, nach anderen Mittheilungen sogar neun Millionen haben dürfte.

Eine Volkszählung im Lande vorzunehmen, ist übrigens bei den zum grössten Theile stets in Bewegung befindlichen Negern ganz unmöglich.

Die Stadt besteht aus dem unteren, am Strande gelegenen Theile und jenem auf einem kleinen Höhenrücken befindlichen, wo der Palast des Gouverneurs, ein kleines Fort, das Spital, die Kasernen nebst einigen Häusern von Weissen stehen.

Unmittelbar am Strande liegen in der unteren Stadt die Häuser der weissen Kaufleute. Man sieht da Engländer, Franzosen, Italiener, Holländer, Purtugiesen, kurz alle Nationen, auch einen Oesterreicher traf ich an.

Nur der, welcher in solcher Lage war, weiss das freudige Gefühl zu ermessen, welches man empfindet, wenn man fern von der Heimat Landsleute trifft.

Die Stadt hat ihre eigene Markthalle, eine Münze und Bank und ein Theater, in welchem jedoch blos im Monate einmal von Dilettanten gespielt wird.

Sie macht im Ganzen einen recht günstigen Eindruck, und sieht man alle diese Kaufläden, worin man, Dank dem Unternehmungsgeist der Eigenthümer, wohl Alles bekommen kann, so wähnt man sich bedeutend näher der Heimat, als dies in Wirklichkeit der Fall ist. Die Häuser sind alle nach europäischer Art gebaut, meistens aus Stein und stockhoch, erst am äusseren Rande der Stadt liegen Negerhütten. Die Gastfreundschaft der Kaufleute aller Nationen, besonders aber der Portugiesen und Holländer, ist überall in Angola so gross, wie sie in Europa nirgends zu treffen ist.

˙ Die grössten Handelsniederlassungen besitzen in der Provinz und nördlich des Logeflusses, welcher die Nordgrenze bildet, die Holländer.

Die „Africaansche Handelsvereeniging" in Rotterdam hat die Hauptfactorei in Banana und ihr unterstehen kleinere Factoreien nicht nur an der Küste in Ambriz, Ambrizette, Kinsembo, Landana, Cabinda, Punta negra, Loanda, sondern auch hie und da an günstig gelegenen Orten landeinwärts, ja es machte sich, wie aus den neuerbauten Häusern am unteren Quanzafluss ersichtlich war, das Streben bemerkbar, an der erwähnten Wasserader entlang immer weiter gegen das Innere Stationen vorzuschieben, von welcher Absicht man aber, wie ich neuerdings hörte, abging.

Dieses Fortschreiten in's Innere seitens der Kaufleute könnte von Allen, denen an der Erschliessung des Continentes gelegen ist, nur mit Freude begrüsst werden, besonders aber müsste dies von Seite der Portugiesen der Fall sein.

Die Provinz Angola ist reich an den verschiedensten Producten, als da sind: Eisen, Kupfer, Silber, Steinkohle, Palmöl, Kautschuk, Gummi, Kaffee, Zuckerrohr, feine Nutz- und Farbhölzer u. s. f., und es bedürfte blos der kräftigen Unterstützung höheren Ortes, es fänden sich genug Gesellschaften, welche sich an's Werk machen würden, eine oder die andere Quelle auszubeuten.

Loanda, der Hauptstapelplatz sowohl für den Export als Import, würde dadurch ganz speciell bedeutend gewinnen.

Um aber alle Aussicht auf ein günstiges Gelingen dieser Absichten zu haben, müssten vor allem Anderen die Communi-

cationen Loandas mit dem Innern entsprechend ausgebessert,
d. h. practicable Strassen angelegt werden, wo jetzt noch mit
dem Namen „caminho real" die schlechtesten Fusssteige bezeichnet werden.

Die Anlage von guten Strassen würde keiner besonderen
Schwierigkeit unterliegen, da das Material zum Baue massenhaft
vorhanden ist und keine nennenswerthen Terrainhindernisse
zu überwinden wären. Auch würde sich der Verwendung der
einheimischen Rinderrace, welche schon jetzt als Reitthiere in
Verwendung kommt, zum Zuge im grössten Theile der Provinz
nichts entgegenstellen. Blos in einigen kleinen Districten, wo
die gefürchtete Tsetsefliege vorkommen soll, wäre dies unthunlich
und müsste man auf eine andere Zugkraft bedacht sein. Casengo
soll ein solcher District sein.

Die bisherige schnellste Verbindung zwischen Loanda und
Dondo wird durch eine Dampfschifffahrts-Gesellschaft vermittelt,
welche aber wenig Aussicht hat, in der Zukunft zu gedeihen,
was Alles, wie mir einer der Agenten mittheilte, die Folge des
seit einigen Jahren stockenden Handels sein soll.

Die Gesellschaft wurde im Jahre 1866 von einem gewissen
Senhor Archer Silva unter der Firma „Augostinho Archer
Silva & Comp." (jetzt „Newton & Carnegie") gegründet, und
es ist der Genannte dadurch gleichsam als Gründer aller am
Quanzaflusse gelegenen Ansiedlungen der Weissen zu betrachten,
welche sich ohne eine so bequeme Verbindung mit Loanda wahr-
scheinlich nicht herbeigelassen hätten, diese einsamen Orte zum
Aufenthalte zu wählen, um auf's Ungewisse Handel zu treiben.

Silva starb nach zweiundzwanzigjährigem Aufenthalte in
Afrika im Juni 1874 als amerikanischer Consul in Loanda.

Gerade während meiner Anwesenheit in Angola wurde von
Seite der portugiesischen Regierung eine Commission hinab-
gesandt, welche den Bau einer im Projecte bereits genehmigten
Eisenbahn vorzubereiten und zu beginnen hatte.

Die projectirte Bahn sollte Loanda mit Massangano am
Quanzaflusse in directe Verbindung bringen und man würde
dann diese Strecke in „einem" Tage zurückzulegen im Stande
sein, während man jetzt noch mit dem Dampfer volle 3 bis
5 Tage braucht, da der Umweg, den die Schiffe vom Passiren

der Flussbarre bis zur Rhede von Loanda machen müssen,
in grossem Bogen um die Ilha do Loanda führt.

Massangano liegt im Lande des Soba's (Häuptling) von
Casengo, wo vorzüglicher Kaffee wächst, welcher einen grossen
Export-Artikel bildet.

Der Nutzen, welchen die früher erwähnte Anlage von
practicablen Communicationen, besonders für den Waaren-
transport, hätte, ist wohl einleuchtend. Die Eisenbahn von Loanda
nach Massangano wäre wohl der Anfang zur Durchführung
dieses Gedankens, da die Provinz Angola gewiss bedeutend
aufblühen und deren Werth von den Portugiesen erst richtig
geschätzt werden würde.

Die socialen Verhältnisse von Loanda und auch der südlich gelegenen Küstenstädte Benguella und Mossamedes, sowie
im Allgemeinen der ganzen Provinzen sind nicht der erfreu-
lichsten Art.

Mit jedem Dampfer, welcher die Verbindung zwischen
der Colonie und dem Mutterlande herstellt, kommen 20 bis 30
Verbrecher (degradados), welche verurtheilt sind, eine bestimmte
Anzahl Jahre, ja manche auch lebenslänglich in der Colonie zu
bleiben. Nachdem nun aber der Dampfer von Lissabon bis
Loanda auch die ebenfalls in portugiesischem Besitz befindlichen
Inseln St. Vincente, St. Jago, St. Thomé und Principe
anläuft und stets auch an diesen Orten einige dieser Unglücklichen ausgeschifft werden, so kann die monatliche Ausfuhr an
schweren Verbrechern aus dem Mutterlande wohl auf durchschnittlich 40 Personen gerechnet werden und nicht selten ist
es der Fall, dass ganze Familien (Frauen und Kinder) freiwillig das Loos ihres Oberhauptes theilen, um fern von der
Heimat sich eine neue Zukunft zu gründen.

Die jüngeren Verbrecher erhalten als Verschärfung der
Strafe meistens noch die Verpflichtung, eine fallweise bestimmte
Zeit im Militär an der Küste zu dienen. Dann erst sind sie
frei, dürfen und können jedoch die Colonie vor Ablauf ihrer
Strafzeit nicht verlassen und müssen sich ihren Lebensunter-
halt selbst erwerben.

Dies ist nun allerdings in Angola nicht schwer, da die
Ankömmlinge von den bereits dort Ansässigen reichlich unter-

2*

stützt werden. Auch arbeiten die dortigen Handelsleute mit sehr hohen Procenten, daher sie sich in kurzer Zeit ein bedeutendes Vermögen erwerben können.

Eine theilweise Rechtfertigung der hohen Preise, welche für die Waaren verlangt werden, liegt wohl in dem Umstande, dass alle europäischen Erzeugnisse, welche an die Küste kommen, einer zweimaligen Zolleinhebung, nämlich in Lissabon, und ein zweites Mal in Loanda unterliegen. Bei Schiffen, welche, ohne Lissabon zu berühren, an die Küste kommen, unterliegen die Waaren einem erhöhten Zolle. Auch der Grund für diese Massregel ist leicht zu finden. Es ist für die Regierung unmöglich, von den schwarzen Einwohnern irgend eine Steuer einzuheben. Nachdem nun die Waaren dazu bestimmt sind, um mit den Negern Handel zu treiben oder zur Erhaltung Derjenigen gehören, welche das Handelsinteresse an die Provinz fesselt, so besteuert man am besten die Artikel recht hoch und überlässt es den Kaufleuten, in friedlicher Weise die als Zoll ausgelegten Steuern hereinzubringen.

Bei diesen Vorgängen verliert begreiflicherweise Niemand als der Neger.

Nicht selten kommt man in die Lage, mit einem ganz angesehenen und wohlhabenden Kaufmann zu Tische zu sitzen, man trinkt mit ihm auf das Wohl seiner Familie und auf das seine; nachträglich hört man dann, er habe daheim im Mutterlande einen, vielleicht auch zwei Morde begangen und habe sich sein Vermögen als „Degradado" gesammelt.

Rückfällige Verbrecher werden von Angola aus an die des noch gefährlicheren Klimas wegen mehr gefürchtete Küste von Mozambique gebracht.

Bei dem Umstande nun, als sich die portugiesische weisse Bevölkerung zumeist aus „Degradados" ergänzt, können begreiflicherweise die socialen Verhältnisse nicht gewinnen.

Die Schwarzen spielen in den Städten nur eine sehr untergeordnete Rolle. Die Einheimischen werden blos zu den niedersten Diensten verwendet, während als Diener oder zum Rudern vorzüglich Croo- oder Cabinda-Neger in Dienst genommen werden.

Wegen ihrer bedeutenden Stärke eignen sich diese auch
ganz besonders zum Tragen der „Maxila" (sprich Maschila).
Es ist dies das ausschliessliche Transportmittel für den Weissen
„in der Stadt" oder auf „kurze" Entfernungen ausserhalb derselben. Ich werde später auf die nähere Erklärung zurückkommen.

Die Crooboys und die Cabinda-Neger kommen, und zwar
erstere von der bei Cap Palmas nach ihnen benannten Crooküste,
letztere aus dem nördlich von Angola an der Küste liegenden
„Königreich" Cabinda, dessen Herrscher, ein sehr civilisirter
Neger, von Sr. Majestät dem Könige von Portugal vor einigen
Jahren zum „barão do Cabinda" ernannt wurde.

„Manu Puna", „rei do Cabinda", hat das Christenthum
angenommen und seine beiden Söhne befanden sich im Jahre
1875 noch in Lissabon in der Erziehung; auch lebte er in
steter Feindschaft mit den weiter gegen das Innere seines
Landes lebenden Unterthanen, welche gerne den „Xico Franco"
zu ihrem Oberhaupte haben möchten. Seit einigen Jahren ist
jedoch Ruhe geworden zwischen den beiden Parteien, ja, wenn
es sich bewahrheiten sollte, dass Xico Franco gestorben sei,
so dürfte es auch Manu Puna vergönnt bleiben, in der Zukunft
in Ruhe und Frieden den Cabindas vorzustehen.

Es sei mir erlaubt nach dieser kleinen Abschweifung wieder
auf die Verwendung der Neger in der Provinz Angola zurück-
zukommen. Wohl finden sich auch einzelne Schwarze als „clerks"
in den Kaufhäusern. Dies sind aber immerhin Ausnahmsfälle.
In ihrer Jugend waren diese Begünstigten wohl die Sklaven des
Hausherrn, der gelegentlich ihre geistigen Eigenschaften als
genügend erkannte, um die Jungen, nicht aus Menschenfreund-
lichkeit, sondern für sein eigenes Interesse ausbilden zu lassen.

Sehr häufig findet man dagegen sowohl als „clerks" in den
Städten, als auch als „empregados" der Kaufleute im Innern
der Colonie die — Mulatten. Als Mischlinge zwischen einem
Weissen und einer Negerin haben sie „alle" Eigenschaften der
Mutter und vom Vater blos die — „schlechten". Sie sind daher
der Auswurf der Bevölkerung.

Ich bin im Verlaufe meiner Reise zu verschiedenen Malen
mit Mulatten zusammengekommen, habe aber jedesmal meine
obige Ansicht als richtig zu erkennen Gelegenheit gehabt.

Besonders in der meistens sehr isolirten Stellung eines „empregados" (Vertreter eines Hauses oder Vorsteher einer Factorei) im Innern behandelt er seine schwarzen Verwandten auf das Unbarmherzigste und Grausamste. Züchtigungen der Sklaven in dem höchsten Ausmasse wird nur der Mulatte anordnen und mit schadenfrohem Lächeln stets der Execution beiwohnen. Ja, nicht selten wird er über das dem Herrn gegenüber dem Sklaven überhaupt zustehende Recht hinausgehen und die grässlichsten Strafen ersinnen.

Abgesehen von den Jurisdictions-Einrichtungen in den grösseren Städten, liegt die oberste Disciplinargewalt in den kleineren Orten stets in den Händen des „chefe", das heisst des als solchen angestellten Officiers der portugiesisch-afrikanischen Armee, welcher mit Unterstützung einer kleinen Zahl meistens schwarzer Soldaten berufen ist, die Ordnung aufrecht zu erhalten und den ihm untergeordneten District zu verwalten.

Fälle von grösserer Strafbarkeit, die sich in der Umgebung seines Sitzes ereigneten, müssen ihm zur weiteren Amtshandlung abgetreten werden, und da hat man denn sehr häufig den Anblick einer im Gänsemarsche vorbeiziehenden Sträflingscolonne, welche zum Wasserholen, Erdetragen, Wegreinigung u. s. w. verwendet wird.

Die Sträflinge gehen an der Kette, welche ihnen um den Hals geschlossen wird und ihnen ermöglicht, sich gegenseitig auf höchstens drei Schritte von einander zu entfernen und leichtere Arbeiten verrichten zu können. Der Sträfling behält während der ganzen Strafzeit die Kette um den Hals. Eine solche Sträflingscolonne von 10 bis 12 Menschen, wird bei der Arbeit von einem, höchstens zwei schwarzen, mit dem Bajonnet bewaffneten Soldaten beaufsichtigt. Zu den Strafen gehören Arrest- und Körperstrafen.

In jedem Hause, und zwar nicht blos in Loanda, sondern an allen Orten der Provinz, in welchem Schwarze, sei es als Sklaven oder als freie Leute, im Dienste stehen, wird auch ein Instrument zu finden sein, welches unter dem Namen „Palmatoria" allgemein bekannt und besonders unter den jungen, kleinen Sklaven in der Regel sehr gefürchtet ist.

Dieses Instrument besteht aus einer circa 15 Centimeter im Durchmesser habenden durchlöcherten, 3 Centimeter starken Scheibe, an welche ein Stiel derart angebracht ist, dass das Ganze das Aussehen eines grossen Kochlöffels erhält.

Es wird ähnlich dem Lineal bei dem, früher in Schulen in Europa üblichen Patzen, jedoch mit dem Unterschiede gehandhabt, dass der Hieb mit „vollen" Kräften gegen die innere Handfläche des zu Strafenden geführt wird. Der Sträfling streckt hiezu abwechselnd eine Hand vor, und thut er dies nicht gutwillig, so finden sich zwei andere Sklaven, welche auf Befehl seine Hände mit Gewalt in die richtige Lage bringen. Bei Anordnung dieser Strafe kennt man kein Alter, noch Geschlecht, und weder männliche noch weibliche Sklaven sind vor einer derartigen Züchtigung sicher.

Das Palmatoria.

Das „Ausmass" der Schläge richtet sich wohl nach dem Alter des Delinquenten, nicht selten aber kommt es vor, dass, bald am Ende der ursprünglich andictirten Strafe angelangt, eine Zugabe von 10, eventuell auch bis 20 Hieben erfolgt, wenn über wiederholte Aufforderung der Gezüchtigte nicht aufhört, vor Schmerz zu heulen. 40 bis 50 Hiebe bei kleineren, respective jungen, 100 bis 150 bei erwachsenen Individuen gehören nicht zu den Seltenheiten, wozu ich noch bemerke, dass dieses Ausmass je eine Hand betrifft. Nach der Execution bekommt der Gezüchtigte gewöhnlich ein mit Oel oder Wasser gefülltes Gefäss, um seine Hände darin zu baden. Es soll dadurch das fürchterliche Brennen, sowie das starke Anschwellen der Handfläche verhindert werden, denn der Sklave muss baldigst wieder arbeitsfähig werden.

Ich kaufte in Loanda einen Sklaven um den Preis von 30.000 Reis (132 Mark) und benannte ihn „Manu", als Abkürzung für Emanuel, einem an der Küste sehr häufig vorkommenden Namen.

Unbewandert mit den Kniffen der Sklavenhändler, schloss ich also den Kauf ab, bezahlte den Betrag und ersah erst später, dass der Junge, wenigstens für die nächsten Wochen, arbeitsunfähig war.

Die inneren Handflächen waren bedeutend angeschwollen, die natürlichen Falten aufgesprungen und durch den angesammelten Schmutz in Eiterung begriffen, so dass der Knabe nicht im Stande war, einen Gegenstand fest zu erfassen, geschweige

„Manu".

die Faust zu schliessen und daher nicht die einfachsten Verrichtungen vollführen konnte.

Manu wurde aus Novo Redondo auf einem Segelboote mit anderen Sklaven nach Loanda transportirt und entwendete, was bei der mageren Kost bei solcher Gelegenheit überhaupt und in zweiter Linie durch den Hang eines jeden Negers zum

Stehlen zu begreifen ist, ein Stückchen Schiffszwieback, wofür er vom Sklavenhändler, einem Mulatten, mit 60 Palmatoriahieben per Hand gezüchtigt wurde. Weil ihm jedoch die Begünstigung, seine Hände sodann in einem Oel- oder Süsswasserbade zu stärken, nicht zu Theil wurde, so badete er in seiner Unwissenheit seine bereits aufgesprungenen Hände im Meerwasser, was natürlich eine Verschlimmerung seiner Leiden zur Folge hatte. Die Wunden waren bei 2 Centimeter tief, die oberen Wundränder sowohl als die nicht aufgesprungenen Stellen waren stark verschwollen und mit dicker Haut bedeckt, von der ich oft ganze Scheiben abschnitt. Durch fortgesetzte Reinlichkeit, tägliches Auswaschen der Wunden und Einspritzen verdünnter Carbolsäure gelang es mir, nach drei Wochen den Knaben zu heilen.

Manu war, wie aus dem in meinen Händen befindlichen, vom „chefe do concelho" zu Novo Redondo ausgestellten Certificate ersichtlich ist, aus Guipollo (Magyar's Kibalha) am linken Ufer des Quanzaflusses und im Westen von Amboino gebürtig und 11 Jahre alt, was übrigens sehr schwer anzugeben ist, da man eine bestimmte Altersangabe bei einem Neger nur dann als richtig annehmen kann, wenn man ihn seit seiner frühesten Jugend kennt.

Mit derselben Unbarmherzigkeit, wie der Palmatoria, bedient man sich in zweiter Linie der aus Flusspferdhaut circa 3 Centimeter breit geschnittenen und getrockneten Riemen, jedoch in der Art, dass man damit den Rücken des Sträflings peitscht, das heisst zerfleischt, und sicher würde mancher der „Degradados" den Tod einer solchen grausamen Peitschung (300 bis 400 und mehr Hiebe) vorziehen.

Dieses Strafmittels bedienen sich blos die isolirt wohnenden Kaufleute, da grosse Executionen anzuordnen nur das ordentliche Gericht berechtigt ist.

Dass diese „Isolirten" nun auch häufig Strafen ersinnen, die an teuflische Bosheit grenzen, ist wohl zu begreifen, wenn auch zu verdammen. Es sei mir gestattet, hier eines Falles zu erwähnen, den ich in Erfahrung brachte und an dessen Wahrheit ich mit Bezug auf die Autorität meines Gewährsmannes nicht zweifle.

Ein Sklave liess sich etwas zu Schulden kommen, was in den Augen seines Herrn strafwürdig schien. Welcher Art das Vergehen war, konnte man mir nicht sagen, keinesfalls aber war es derart, dass der Herr eine so grausame Strafe folgen zu lassen berechtigt gewesen wäre, wie es wirklich geschah. Am Fusse eines Baumes war ein grosser Termitenhaufen. Dieser wurde aufgewühlt, der Sklave hineingestellt und an den Baum gebunden; im Nu war der Körper des Unglücklichen von Hunderten aus ihrem Bau vertriebener und gestörter Termiten (Termes) bedeckt, welche versuchten, bei Mund, Nase, Augen und Ohren einzudringen.

Der Herr des Sklaven sah dem fürchterlichen Schauspiele mit der grössten Ruhe zu.

Dass die ebenfalls anwesenden anderen Sklaven nicht für ihren Genossen Partei nahmen, um ihn von seinen fürchterlichen Qualen zu befreien, gibt einen Beweis von der Unterwürfigkeit des Negers gegen den Weissen.

Als endlich die Marter selbst dem Herrn genug erschien, liess er ein Fass — Rum bringen, in welches der Gemarterte, noch über und über mit Termiten bedeckt, hineingeworfen wurde.

Es war jedenfalls das beste und rationellste Mittel, um mit einemmale alle Thiere zum Loslassen zu zwingen; der in die aufgebissenen Stellen des Körpers eindringende Rum bereitete aber dem Sklaven neue fürchterliche Qualen.

Zum Schlusse schenkte der Herr den, von Termitenleichen wimmelnden Rum den Sklaven, welche ihn mit dem grössten Wohlbehagen austranken. Nebenher bemerke ich noch, dass der Herr ein Mulatte war.

Ich habe bei den landesüblichen Strafen absichtlich länger verweilt, weil sie in der ganzen Provinz, ja noch nördlich an der Guineaküste in dieser Art vollzogen werden und charakteristisch für die socialen Zustände des Landes sind.

Wenn ich einigemal der Sklaven erwähnte und im Verlaufe meines Berichtes dies wiederholt thue, so ist stets zu berücksichtigen, dass ich vom Jahre 1875 spreche. Das Ende der Sklaverei, ursprünglich auf Ende des Jahres 1878 festgesetzt, wurde durch einen Befehl des Königs von Portugal, über wiederholte Befürwortung von Seite des k. Admirals und früheren

Ministers der Colonien, Visconde de Sá da Bandeira (gestorben am 6. Januar 1876 zu Lissabon), eines Mannes, der seinem Vaterlande viele wichtige Dienste geleistet hat, bereits auf Ende April 1876 festgesetzt, und zur Zeit sind nach dem Gesetze schon alle Sklaven im Lande frei.

Obwohl vom humanitären Standpunkte die Sklaverei unter allen Formen verworfen werden muss, so ist doch die Abschaffung derselben in Angola, Benguella und Mossamedes eine momentan ungünstige Massregel.

Bis jetzt vermittelten zum grössten Theile Sklaven den Transport der Waaren in's Innere und aus demselben auf den schlechten Fusspfaden, wenngleich auch manchmal Colonnen aus gemietheten Trägern, Cargadores genannt, wie ich solche auf der Reise hatte, zusammengestellt sind. Das Wort „Cargadores" stammt aus dem Portugiesischen „Carregadores".

Dem Neger geht, respective ging es in der Sklaverei — ich spreche von den portugiesischen westafrikanischen Besitzungen — verhältnissmässig nicht schlecht. Die Leute bekamen zu essen und zu trinken, sie hatten Kleider, gute Behandlung, keine Sorgen und manchmal auch baares Geld.

Bei alledem hatten sie geringere Arbeit, als sie jetzt in der Freiheit verrichten müssen, wenn sie in derselben Weise fortleben wollen, wie bisher.

Der in der Regel arbeitscheue, freilich auch sehr genügsame Neger arbeitet aus freiem Antriebe nur im Falle dringendster Nothwendigkeit und wird jetzt als freier Mann für die Verrichtungen als Cargadores übertriebene Preise verlangen, was, da der Mangel anderer Transportmittel jede Concurrenz ausschliesst, in nächster Zeit eine grosse Preissteigerung der Export-Artikel nach sich ziehen wird.

Einen Beweis dafür, dass es den Negern in der Sklaverei nicht schlecht ging, findet man auch darin, dass mancher Sklave, selbst nach erlangter Freiheit, freiwillig im Hause seines Herrn blieb.

Vor etlichen Jahren wurde jedem Sklaven, wenn er „frei" erklärt wurde, das Wort „liberto", ober welchem ein fliegender Vogel als Symbol dargestellt war, auf die Brust gebrannt.

Das Instrument hiezu war ähnlich dem zum Brennen der Pferde etc. dienenden Brenneisen eingerichtet; durch die Gefälligkeit des königlich grossbritannischen Consuls Hopkins in Loanda konnte ich mir den Brand in natürlicher Grösse von einem ausgemusterten Instrumente abnehmen. Ich traf im Verlaufe meiner Reise neun solcher gebrannter Neger und drei Negerinnen.

In letzteren Jahren wurde dem frei erklärten Neger blos ein Freibrief ausgestellt; verlor er diesen, so konnte er wieder als Sklave verkauft werden.

Brand der frei erklärten Sklaven.

Der Neger in Angola wird „preto" genannt. „Negro" gilt als Schimpf.

Das in den portugiesischen Provinzen giltige Geld wird, wie bereits erwähnt, · in einer eigenen in Loanda befindlichen Münze geprägt und hat in Portugal, sowie auf Madeira und den Azoren, ebenso capverdischen Inseln keine Giltigkeit. Umgekehrt geht aber das Geld aus dem Mutterlande ganz gut in den Colonien, wie auch das überall beliebte englische Pfund (£).

In der Provinz unterscheidet man von dem portugiesischen Gelde zweierlei: „dinheiro forte" (das Geld aus dem Mutterlande) und „dinheiro fraco", welches in Loanda geprägt wird.

Dinheiro forte gibt es in Kupfer- und Silbermünzen, sowie grössere Beträge in Papiernoten.

Es bestehen Kupferstücke mit 5, 10 und 20 reis, Silbermünzen zu 50, 100, 250, 500 und 1000 reis, welch' letztere Münze kurz „milreis" genannt wird. Die Papiernoten beginnen mit „milreis" und enden mit 1000 milreis oder 1 Million reis, welche Summe ein „Conto" genannt wird.

Dinheiro fraco hat als Kupfermünzen „eine halbe macuta" (15 reis forte), „eine macuta" (30 reis forte) und „zwei macuta" (60 reis forte); an Silbermünzen: „vier macuta" und „zehn macuta", welche aber sehr selten im gewöhnlichen Verkehre zu treffen sind.

An Papier sind eben solche Noten, wie beim dinheiro forte, jedoch bezieht sich bei diesen der Betrag stets auf dinheiro fraco (60 reis forte = 2 macuta).

Mit den Kaufleuten rechnet man stets in „forte", mit den Negern in „fraco". Der geringe Umlauf der alten Silbermünzen macht sich sehr fühlbar, da man beispielsweise schon bei der Umwechslung von „milreis", wo man also durchaus Kupfer bekommt, weil man auch blos mit dieser Münze Handel mit den Negern treiben kann, eines festen Leinensackes bedarf, um das Geld weiter zu bringen. Wechselt man nun gar gleich eine grössere Summe ein, so braucht man einen Sklaven zum Tragen der Last.

Goldmünzen bestehen zwar bei beiden Geldsorten, nachdem sie aber grössere Beträge werthen und daher für den Verkehr mit dem Neger gar nicht geeignet sind, trifft man in ganz Angola keine.

Durch Gefälligkeit eines Freundes in Lissabon kam ich in den Besitz einer sehr seltenen, noch von Joan V. aus dem Jahre 1727 stammenden Goldmünze zu 400 reis.

Das Verhältniss der portugiesischen Geldwährung ist aus nachfolgender Vergleichung zu ersehen:

$$4500 \text{ Reis} = 1 \text{ £} = 20 \text{ Mark.}$$

Die Zeit meines Aufenthaltes in Loanda verstrich mir sehr schnell. Ich benützte den grössten Theil zur Anstellung meiner Barometervergleiche und musste des Abends den an mich ergangenen Einladungen Folge leisten.

Ich fühle mich gezwungen, es hier auszusprechen, dass ich insbesondere dem General-Gouverneur von Angola, Vice-Admiral Joa Andrade, für die Förderung meines Unternehmens den grössten und verbindlichsten Dank schulde. Se. Majestät der König von Portugal hatte durch den Colonien-Minister Andrade de Corvo den Befehl ertheilt, dass den Expeditions-Mitgliedern jeder gewünschte mögliche Vorschub gewährt werde. Ich wurde auch demgemäss von Sr. Excellenz dem Herrn Gouverneur mit der grössten Zuvorkommenheit empfangen und er sagte mir die Bewilligung meiner etwaigen Wünsche schon im Voraus zu. Er veranstaltete auch mir zu Ehren einen Ball, zu welchem die Elite der Stadt geladen wurde, und versah mich mit Empfehlungsbriefen an die Chefs der zu passirenden Orte der Provinz. —

Mein Aufenthalt in Loanda war nicht von langer Dauer, denn bereits am 10. Mai kam der Flussdampfer „Oliveira" aus Dondo und sollte derselbe schon wieder am 12. desselben Monats neubefrachtet zurückgehen.

Das Schiff brachte auch Herrn Soyaux (Botaniker der Expedition) in die Hauptstadt. Er kam aus Pungo n' Dongo, um Einkäufe zu machen, und suchte mich, meine Anwesenheit vermuthend, im Hotel („Pedro Allessandrino") auf, um mir die Grüsse der anderen Herren und gleichzeitig die Nachricht zu bringen, dass Herr v. Homeyer in Folge von Fieber und dem in Angola unter dem Namen „Tulatula" bekannten Gelenksrheumatismus derart krank darniederliege, dass er, obwohl mit schwerem Herzen, den Gedanken an eine Fortsetzung seiner Reise aufgeben musste. Dr. Pogge wurde zwar anfangs auch vom Fieber befallen und hatte viel zu leiden, befand sich aber momentan verhältnissmässig wohl.

Ein Neger-Pilot an der Quanzabarre.

44

ZWEITES CAPITEL.

Nachdem mir unter diesen Umständen sehr viel daran gelegen sein musste, so bald als möglich in Pungo n' Dongo einzutreffen, versahen wir uns mit Tickets nach Dondo (5·5 £) und schifften uns am 12. Mai, Abends um 8 Uhr, auf dem „Oliveira" ein, denn gegen Morgen um 1 Uhr schon sollte der Dampfer die Anker lichten und abfahren.

Als ich des Morgens erwachte, befanden wir uns bereits vor der Mündung des Quanzaflusses. Die Einfahrt ist durch die vorliegende Barre sehr erschwert und muss jedes Schiff stets einen Lootsen an Bord nehmen; so war es auch bei uns.

Dieser „piloto de barra" war ein Eingeborener und kam auf dem doch in bedeutender Bewegung befindlichen Meere auf einem circa 1 Meter breiten, 2 Meter langen Brette an das Schiff heran. Er kniete und bediente sich zur Fortbewegung eines kleinen, blattförmigen Ruders (remo), wie es bei den dortigen Schwarzen meistens im Gebrauche steht.

Die Barre war sehr schwer zu passiren, nachdem die See sich sehr unruhig geberdete, daher die „Galemma" (Brandung) bedeutend war.

Der „piloto" brachte uns aber glücklich hinüber und wir fuhren in den Quanzafluss ein. Bald darauf verliess auch der Lootse das Schiff, nicht dass er vorher ordentlich dem „Gin" zugesprochen hätte. Seine Bezahlung für den geleisteten Dienst bestand in zwei Flaschen Cognac.

Die Gegenden am Quanzaflusse sind herrlich und die zahlreichen an den Ufern angelegten Plantagen geben beredtes Zeugniss von der Fruchtbarkeit des Landes.

Gerade als ich den Fluss befuhr, waren dessen Ufer überschwemmt, wodurch viele Anpflanzungen vernichtet wurden. Die Eingeborenen wussten sich gar nicht zu erinnern, je eine so starke Ueberfluthung erlebt zu haben. Sie war die Folge von besonders in der damals vorhergegangenen Regenzeit ausnahmsweise starken Regengüssen.

Die Plantagen kommen meistens am rechten Ufer vor, weil es sich vermöge seiner Gestaltung besonders hiezu eignet; es ist flach, daher der Transport des Wassers aus dem Flusse zur Besorgung der Plantagen in der Trockenzeit hier ein leichterer ist, als er auf dem steilen linken Ufer wäre, wo überdies die bis jetzt noch jeder Civilisation unzugänglichen Kissamas und Libollos die Feinde solcher Ansiedelungen wären.

Aus diesen Gründen befindet sich auf dem linken Ufer auch nur eine einzige Niederlassung der Portugiesen. Es ist dies „Muxima" (sprich Muschima), ein auf einer Kuppe liegendes Castell, welches aber jetzt keine Besatzung hat und anscheinend dem Verfalle überlassen ist. Am Fusse des Berges ist eine Ansiedlung von Negern, unter denen ein handeltreibender Mulatte wohnt.

Am rechten Ufer des Quanzaflusses liegen der Reihe nach stromaufwärts die Orte Tombo, Calumbo, die Plantage „Bon Jesú" und die Orte Massangano, Cunga und Dondo. — Die Plantage „Bon Jesú", eine Errungenschaft 21jährigen Fleisses, wurde durch die Ueberschwemmung vollkommen zu Grunde gerichtet, theilweise weggeschwemmt und hie und da sah man blos die Spitzen einzelner Negerhütten aus den Alles bedeckenden Wassermassen hervorragen. Alles war vernichtet. Die Plantage gehörte einem Weissen, Namens Oliveira, welcher sich um die Quanza-Dampfschifffahrt, sowie um die Provinz überhaupt bedeutende Verdienste sammelte und dem zu Ehren der Dampfer, auf welchem ich reiste, seinen Namen erhielt. Durch die Zerstörung dieser Besitzung erlitt er einen sehr bedeutenden Schaden.

Der Neger erträgt derartige Missgeschicke mit sehr viel Ruhe und hat genügend Grund dazu. Zu retten hat er Nichts, und leicht, schnell und ohne Kosten erbaut er sich sein Heim, denn Bäume und Campinen wachsen überall. Mit diesem Ma-, teriale erbauen sich die Neger meistens ihre Hütten. Unter den „Campinen" versteht man eine Art Riedgras (Cyperaceae), welches 2 bis 3 Meter hoch wird und oft meilenweite Strecken bedeckt. Die Neger nennen sie „mateba".

Unter den am rechten Ufer des Quanza liegenden Orten ist, mit Ausnahme des Ortes Dondo, wohl Massangano der wichtigste, und es ist demzufolge auch eine Haltstation der Flussschifffahrt. Hier wird immer angehalten, bei den anderen Ansiedelungen blos, wenn der Dampfer Cargos (Lasten) mit sich führt, welche für den einen oder anderen Platz bestimmt sind, oder wenn am Lande die, die Aufforderung zum Landen bezeichnende Flagge gehisst wird.

Ich habe wiederholt der „Trockenzeit" erwähnt und es erscheint mir daher jetzt geboten, die Erklärung der unter den Tropen Afrikas herrschenden Jahreszeiten zu geben.

Im tropischen Afrika gibt es nur zwei Jahreszeiten: die Trockenzeit und die Regenzeit (tempo de caschibo = Zeit der Nebel, und tempo de chuva = Zeit der Regen); gleichbedeutend mit dem Winter und dem Sommer in unseren Breiten. Irrigerweise findet sich jedoch oft die Ansicht vertreten, dass die „Trockenzeit", von Vielen auch „trockene Zeit" genannt, dem Sommer und die „Regenzeit" dem Winter gleichkomme. Es ist aber gerade das Gegentheil richtig.

Die Temperatur der Regenzeit ist beiweitem höher als jene der Trockenzeit, und es bedarf nach Beendigung derselben nur eines vier- bis sechstägigen Regens, um die üppigste Vegetation zu Tage treten zu sehen. Mit Einem Tage belebt sich die Natur,' Alles blüht und grünt und an dem fröhlichen und vermehrten Gesange der Vögel allein vermag man schon zu erkennen, dass die schönere Zeit — der Sommer naht.

Wie viel anders dagegen ist es in der Trockenzeit! Alles ist dürr, keine Abwechslung der Farben erfreut das Auge, die Bäume sind kahl und die Campinengräser trockengebrannt von der Sonne. Nur an den absolut tiefstgelegenen Partien, in jenen

Thalsohlen, wo trotz der allgemeinen Trockenheit immer Wasser zu finden ist, erfreut den Reisenden einiges Grün. Die Natur ruht, und das ist der Tropenwinter. Die Eingeborenen brennen während dieser Zeit, nachdem sie ihren Bedarf gedeckt haben, meilenweite Strecken der Campinen ab, um den Boden durch die Asche zu düngen.

Die Trockenzeit beginnt in dem von mir durchreisten Gebiete zu Anfang des Monats Mai und dauert bis Ende August oder Anfangs September. Während dieser Monate tritt nie ein Regen ein und meistens ist der Himmel völlig klar und rein. Die Regenzeit beginnt dann Ende August und dauert bis Ende April oder Anfangs Mai. Die Regen beginnen anfangs schwach und treten mit Intervallen von einigen Tagen auf. Diese Intervalle werden in der Folge kleiner und endlich regnet es, nur mit ganz kurzen Unterbrechungen, beinahe den ganzen Nachmittag und die Nacht hindurch. Der Morgen ist meistens schön und erst im Verlaufe des Vormittages sammeln sich die Wolken, um sich endlich vor Mittag schon zu entladen.

Während man in der Trockenzeit den ganzen Vormittag, ja auch noch in den Nachmittag hinein reisen kann, geht der Marsch in der Regenzeit blos bis höchstens 10 Uhr Vormittags. Die Ursache dieser Eintheilung ist der Eintritt des Regens und die drückende Hitze.

Bereits des Morgens, gleich nach Sonnenaufgang ist der Temperaturgrad ein hoher, um aber, immer steigend, ziemlich regelmässig stets zwischen 12 bis 1 Uhr seinen höchsten Punkt zu erreichen. Des Abends ist die Temperatur noch immer drückend, selbst noch des Nachts, um aber dann in den Morgenstunden von 2 bis 5 Uhr beinahe plötzlich ganz empfindlich zu fallen, welchem raschen Temperaturwechsel wohl die vielen Krankheiten zuzuschreiben sind.

Im Quanzaflusse tummeln sich eine Menge Jacarés, welche ausgewachsen circa 3 bis 5 Meter lang werden. Sie gehören zu den Krokodilen und sind dem Menschen und den Thieren sehr gefährlich. Nicht selten kommt es vor, dass badende Neger von diesen Bestien erfasst werden, und wenn es ihnen auch gelingt, dem Rachen des Thieres zu entrinnen, so haben sie doch gewöhnlich den Verlust eines Armes oder Beines zu beklagen.

Es machte uns grosse Freude, vom Dampfer aus unsere
Schiesskunst an diesen Thieren zu erproben. Diese Proben fielen
übrigens sehr schlecht aus, denn abgesehen von der Geschwindigkeit des dahineilenden Schiffes bedarf es eines sicheren Schusses
in's Auge, wenn das Thier erlegt werden soll. An der Rücken-
decke, welche aus theilweise verknöcherten Hornschildern besteht, prallt die Kugel ab.

Nach fünftägiger Fahrt erreichten wir endlich D o n d o.
Dieser Ort findet sich auf den wenigsten Karten angegeben,
fällt aber bei kleinen Massstäben mit dem stets bezeichneten
Negerneste Cambambe zusammen, welches einzig und allein
wegen der dortigen, jetzt nicht mehr in Betrieb stehenden
Silberwerke erwähnenswerth ist.

Dondo zählt ungefähr 4000 Einwohner, meistens Schwarze,
und ist bezüglich seines Klimas der verrufenste Ort der Provinz,
ein Fiebernest im wahrsten Sinne des Wortes. Nichtsdestoweniger aber wohnen weisse Kaufleute dort und befinden sich
daselbst auch mehrere aus Bruch- und Backsteinen aufgeführte,
stockhohe, solid gebaute und meistens mit sehr vielem Còm-
fort ausgestattete Häuser, die sich in Nichts von europäischen
Bauten unterscheiden.

Der misslichen sanitären Verhältnisse wegen wären wir
gerne sehr schnell weitergereist, allein, obschon ich alle Hebel
in Bewegung setzte, war es mir doch unmöglich, in nächster
Zeit Träger zur Weiterreise nach Pungo n' Dongo für mein
Gepäck zu erhalten und wir mussten daher, nur 3·5 Tagreisen
von Major v. Homeyer (er wurde im März 1874 in diese
Charge befördert) und Dr. Pogge entfernt, in Ermanglung
von Hôtels, die Gastfreundschaft des portugiesischen Kaufmannes
Gomez Serodio in Anspruch nehmen.

Während meines Aufenthaltes in Dondo machte ich wiederholt kleinere Ausflüge in die Umgebung, um besseren Einblick
in die Vegetation der westafrikanischen Tropen zu gewinnen.

Auch nahm ich die Umgebung kartographisch auf und
folgt der Situationsplan im Anhange.

Von einem Ausfluge auf das linke Quanza-Ufer zu den
Kissamas rieth man mir allgemein ab, daher ich ihn unterliess;
dieses Negervolk soll sehr wild sein, sie plündern, wo sie können;

3*

dass sie noch nicht nach Dondo in der Absicht zu plündern, kamen, ist durch die Furcht zu erklären, welche sie vor einem verhältnissmässig so grossen Orte haben. In kleinerer Zahl kommen diese Leute häufig über den Fluss, um Einkäufe zu machen.

Eine besondere von den Kissamas stammende, jetzt auch schon hie und da in der Umgebung vorkommende Tracht der Mädchen ist folgende:

Ribanga.

Muqueca.

Um die Lenden wird ein kleines Fell oder Baumwollstoff derart geschlungen, dass die Schamtheile zur Noth bedeckt sind. Rückwärts, bis zur halben Wade herabhängend, wird ein regelmässig (in Form eines Trapezes) zugeschnittenes Antilopenfell, welches an den Hüften befestigt wird, getragen. An diesem Felle, welches mit der Narbenseite nach aussen hängt, werden in drei horizontal laufenden Reihen je elf Kaurimuscheln, an circa 5 Centimeter langen Bastfäden hängend, angebracht. Beim Gehen machen nun sowohl das trockene Fell durch Anschlagen an die Waden, als die Muscheln durch Anschlagen an das Fell und unter einander einen Lärm, der sich wie das Gequake der Unken und Frösche anhört. Diese Zierde wird „Ribanga" genannt.

Der Kopfputz besteht aus zwei Theilen: „Cambundu" und „Muqueca". Erstere ist eine Art von Chignon und bildet eine Perrücke aus circa 6 Centimeter langen Bast- oder doppelten Zwirnfäden, auf welche abwechselnd je zwei farbige Perlen und ein Holzstückchen aufgefasst werden. Beim Gehen lärmt also auch der Chignon. Die Muqueca ist ein Reif aus Pflanzenfasern oder Campinen, von welchem strahlenförmig nach aussen entweder wieder Campinengräser in der Länge von 1 Decimeter oder aber Antilopenhaare abstehen. Dieser Kopfputz wird auf den rückwärtigen Theil des Kopfes aufgesetzt und gibt den schwarzen Wesen eine Art von Heiligenschein.

Mit vieler Mühe gelang es mir, ein in Dondo gerade anwesendes Kissama-Mädchen abzeichnen zu können.

In den nächsten Tagen hatte ich auch Gelegenheit, den Hauptnationaltanz der Eingeborenen sehen und kennen zu lernen. Eines Tages hörte ich gegen Abend grossen Lärm. Ich eilte an's Fenster, um zu fragen, was dies zu bedeuten habe und erfuhr, dass ein Mädchen verheiratet werden solle und zu diesem Zwecke ausgerufen werde. Die Schöne wurde dabei im ganzen Orte von ihrer Familie herumgeführt und von vielen fremden Negern und Negerinnen unter grossem Lärmen und Gesang begleitet. Dabei rief man unter Anpreisung ihrer Vorzüge aus, wie viel sie an Aussteuer bekommt.

Canhica, ein Kissama-Mädchen.

Sei es nun, dass das Mädchen zu wenig aus dem väterlichen Hause bekam, oder sei es, dass ihre Reize nicht sehr verführerisch für die heiratslustigen Männer waren, genug, sie hatte insoferne Unglück, als sie erst spät Abends einen Gatten bekam. Ich hörte dabei, dass der Zug bereits seit dem frühesten Morgen in den umliegenden Sansalas (Dörfern) das Mädchen herumführte. Es ist übrigens nicht genug, zu wissen, wie viel das Mädchen bekommt, denn immer muss der Bräutigam sich zur Abgabe eines von den Brauteltern bestimmten Tributes in Geld oder Waaren bequemen, er muss sich also seine Frau kaufen. Ausserdem steht es einem anderen Manne immer noch frei, das „jus primae noctis" um einen höheren Preis von den Brauteltern zu erstehen.

Nachdem nun das Mädchen ihren Gatten hatte, wurde die ganze Nacht bis in die Morgenstunden getanzt und gesungen. Die Hauptrolle hiebei spielt der bereits erwähnte Nationaltanz, welcher „Batuk" genannt wird. In Loanda ist er jedoch in den Strassen, der dabei vorkommenden, unsittlich scheinenden Gesten halber, verboten.

Männer und Weiber stellen sich zu diesem Tanze in einen Kreis und bei dem Schalle der „Kipuita" (trommelartiges Instrument) beginnen die Umstehenden einen monotonen Gesang:

Sehr langsam.

Da Capo

Diese paar Tacte wiederholen sich durch Stunden hindurch und es betheiligen sich in der Folge auch die Tanzenden daran. 'Alles dreht und windet sich auf der Stelle, mit den Händen gestikulirend und mit den Rücken aneinanderreibend, bis hin und wieder Einer vor Erschöpfung umfällt, worauf schnell ein Anderer an dessen Stelle tritt. Zeitweise springen ein Mann und eine Frau in die Mitte des Kreises gegeneinander vor und stossen sich mit Gewalt die Bäuche aneinander. Auch hebt der Mann das Mädchen in die Höhe, worauf sich dieses rittlings auf seine Schulter schwingt.

Am 28. Mai wurden wir in Dondo von einem aus Nordwest kommenden Heuschreckenschwarm (Wanderheuschrecke, *Oedipoda migratoria)* überrascht. Es war gegen 2 Uhr Mittags, als es plötzlich stark zu dunkeln begann und wir durch grossen Lärm in den Strassen auf etwas Ausserordentliches schliessen konnten. Als ich auf die Strasse trat, fand ich beinahe ganz Dondo auf den Beinen; Alles war mit langen Tüchern oder Fetzen bewaffnet, mittelst welchen die Heuschrecken, welche sich mittlerweile in Millionen gerade über den Ort niederlassen wollten, zu Boden geschlagen wurden. Ganze Körbe voll dieser Thiere wurden unter fortwährendem Lärmen und Schreien

Der Baluk.

gesammelt. Die Zeit von anderthalb Stunden, während welcher der gefrässige Schwarm in der Umgebung Dondos blieb, genügte, um die Bäume beinahe zu entlauben.

Die Eingebornen braten die Heuschrecken, nachdem die Flügel und Unterschenkel abgerissen sind, in Palmöl und finden sehr viel Geschmack an diesem Gerichte.

Eine grosse Plage für die Bewohner von Dondo sind die hier besonders zahlreich auftretenden Mosquitos. Dieser lästigen Thiere kann man sich nur mit grosser Mühe erwehren. Um wenigstens während der Nacht von ihnen verschont zu bleiben, umgibt man die Bettstelle mit der sogenannten Mosquetaire, einer aus feiner Gaze verfertigten Hülle, und ist dadurch meistens vor der directen Berührung mit diesen Insecten behütet. Sie umkreisen aber, einen Eingang suchend, oft die ganze Nacht hindurch das luftige Zelt und machen durch ihr ununterbrochenes Gesumme jeden Schlaf illusorisch. Weiter gegen das Innere des Continentes zu werden sie immer seltener und schon in Malange verschwinden sie ganz.

Obwohl ich es mir sehr angelegen sein liess, Träger zur Weiterreise zu erhalten, war doch Alles umsonst. Das Zustandebringen derselben ist in Dondo deshalb sehr schwer, weil dieser Ort der Endpunkt der Dampfschifffahrt ist, respective weil von hier aus der Weitertransport der Tauschartikel in's Innere der Colonie ausschliesslich durch Menschenkräfte erfolgen muss und daher die Kaufleute alle disponiblen Leute für beständig zu diesen Zwecken · gedungen haben. Es ist daher auch am vortheilhaftesten, sich diesbezüglich an einen Kaufmann zu wenden, welcher leicht das Beste veranlassen kann. Man wird freilich etwas mehr als er bezahlen, aber es geht nicht anders.

Ich versprach mir von den Recommandationsbriefen des Gouverneurs in Loanda an die Chefs aller Stationen, die ich passiren sollte, die beste Unterstützung, welche mir auch meistens zugute kam. Bezüglich der Trägerbeschaffung aber kamen wir bei dem Chef in Dondo (einem portugiesischen Jägerlieutenant) nicht über das Versprechen hinaus, daher ich mich an Kaufmann Serodio hielt, dessen Mithilfe ich es zu danken hatte, meine Wünsche endlich erfüllt zu sehen.

Nachdem der grösste Theil der Ausrüstung bereits in Pungo n' Dongo lag, hatte ich blos meine Personal-Ausrüstung, sowie meine astronomischen und meteorologischen Instrumente bei mir und brauchte nur sechs Träger zum Transport meiner Koffer und sechs „Tipoia"-Träger in Dienst zu nehmen. Nebstdem lief noch „Manu" mit.

Die Transportmittel für den Reisenden sowohl als für die Waaren sind, der bereits wiederholt betonten schlechten Communicationen wegen, sehr primitiv.

Die „Maxila" und die „Tipoia" sind wohl am bequemsten. Die erstere benützt man in den Städten oder auf kleinen Touren, die letztere hingegen auf grossen Reisen; in der Construction sind sie einander ähnlich. Die Maxila besteht aus einem mit Strohgeflechte ausgefüllten Holzrahmen, welcher an dem „Bordaõ", in horizontaler Lage an starken Rebschnüren hängend, befestigt wird. An der einen Seite dieses schwebenden Sitzes sind senkrechte Lehnen angebracht und auf dem Bordaõ ist ein Schutzdach mit Vorhängen befestigt, so dass das Ganze einem Baldachin ähnelt.

Der Bordaõ ist der Stiel einer, blos am Congo vorkommenden Palmenart und vereint alle Eigenschaften, welche ihn zu obiger Verwendung geeignet machen. Bei einer Länge von mitunter 5 Meter besitzt er grosse Festigkeit und Elasticität, und was die Hauptsache ist — Leichtigkeit, alles Eigenschaften, welche ihm eigen sein müssen, wenn man bedenkt, dass er, mit den beiden Enden auf den Schultern zweier Neger aufruhend, mitunter eine grosse Last zu tragen hat und andererseits durch sein eigenes Gewicht die Träger so wenig als möglich belasten soll. Die beiden Neger gehen hintereinander und übertragen die Last nach Erforderniss von einer Schulter auf die andere.

Die Tipoia ist im Ganzen genommen wie die Maxila eingerichtet, nur ist statt dem als Sitz dienenden Holzrahmen eine aus starkem Segeltuche erzeugte Hängematte an dem Bordaõ befestigt. Auch die Tragweise ist dieselbe. Sind es sehr geübte Tipoiaträger, so tragen sie den Bordaõ auf dem Kopfe. Sie legen auf dieses Kunststück sehr viel Werth, bewegen dabei die Hände frei in der Luft und klatschen oft, um die

Aufmerksamkeit des Reisenden in der Tipoia zu erregen. Sie gehen meistens in kurzem Laufschritte.

Die Ausdauer der Tipoiaträger ist eine sehr grosse; stundenlang werden sie sich, wie eben beschrieben, fortbewegen und nur dann stehen bleiben oder in Schritt fallen, wenn sie die Lage des Bordao wechseln. Während des Marsches sprechen sie fortwährend oder singen ihre monotonen Weisen. In der Maxila sitzt man ganz bequem, blos etwas hart. Was die Annehmlichkeit des Reisens in der Tipoia betrifft, so bemerke ich, dass man sich bei einem zwei- bis dreistündigen Marsche recht wohl befindet. Dauert aber die Reise länger, so ermüdet die halbmondförmige Lage in der Hängematte derart, dass man froh ist, dieselbe zeitweise verlassen und ein Stück wieder zu Fuss gehen zu können.

Immerhin aber wäre es eine grosse Sorglosigkeit, eine Reise ganz ohne Tipoia unternehmen zu wollen. Man kommt zu häufig in Lagen, wo das Fieber im ganzen Körper tobt und man sich mit wahrem Wohlbehagen in die Hängematte legt, um sich weitertragen zu lassen.

Wenn man des Nachts in der Tipoia reist, pflegen die Träger stets einen Schellenkranz um die Hüften zu schnallen und ihren Gesang zu verstärken, um durch den Lärm etwaige Schlangen zu verscheuchen.

Diese beiden Tragvorrichtungen sind ausschliesslich für den Transport der Weissen.

Ein anderes, in Angola vorkommendes Transportmittel sind die gezähmten Stiere. Man benützt sie zum Reiten. Abgesehen davon, dass es wahrhaft unmöglich wäre, mit einem Pferde oder Esel alle in den westafrikanischen Tropen vorkommenden Terrainhindernisse, besonders aber die Sümpfe, welche mitunter eine ganz bedeutende Ausdehnung haben, zu überwinden, so könnten sich überhaupt des schlechten Klimas halber diese Thiere für längere Zeit nicht erhalten. Nach einigen Monaten erliegen sie stets den Witterungseinflüssen.

Die Reitstiere werden mit der gewöhnlichen englischen Pritsche gesattelt und ist der Sitz sehr angenehm. Die Nasenscheidewand wird durchstochen und sodann ein fingerdickes, spannlanges Eisenstück, an dessen Enden Ringe angebracht

sind, durchgezogen. In die Ringe werden die Enden eines einfachen Zügels eingeschnallt und der Reiter hat eine Waffe
gegen das Thier, welche noch viel stärker wirkt als die Stange
bei dem Pferde. Natürlich darf man sich auf eine höhere
Dressur dieser Thiere nicht einlassen wollen und mit dem
übrigens genügend scharfen Trab muss man sich vollkommen
zufriedenstellen.

Die Verwendung von Elephanten ist in dem von mir
durchreisten Gebiete, besonders der häufig vorkommenden
Sümpfe wegen, undurchführbar.

Bezüglich des Waarentransportes ist man ausschliesslich
auf die Eingeborenen angewiesen, welche sich als Träger (Cargadores) vermiethen, während man früher Sklaven hiezu ver-
wendete.

Dank der besonderen Gefälligkeit Serodio's kam ich
endlich, nachdem meine Leute in Dienst genommen waren,
dazu, die Abreise nach Pungo n' Dongo auf den 5. Juni fest-
setzen zu können. Am 4. Juni Nachmittags, wo ich schon ge-
hofft hatte, dem bösen Klima von Dondo widerstanden zu
haben, wurde ich jedoch zum erstenmale während meines Aufenthaltes auf afrikanischem Boden derart von einem starken Fieberanfall heimgesucht, dass ich die Abreise verschieben musste. —
Eine ganz respectable Quantität in Cigarettenpapier gehüllten
Chinins mit darauffolgender Transspiration brachten mich, Dank
meiner sonst starken Constitution, schon des anderen Tages
wieder auf die Beine, so dass ich endlich am 6. Juni Dondo
in der Richtung nach Pungo n' Dongo verliess.

So lange man in der Provinz Angola reist, trifft es sich
bei richtiger Marscheintheilung stets so, dass man des Abends
zu einer sogenannten „Patrulha" kommt. Es ist dies eine aus
Flechtwerk und Lehm ziemlich solid gebaute Hütte mit Abtheilungen, in deren einer ein Militärposten von drei bis vier
Negersoldaten untergebracht ist und wo der Reisende über die
Nacht oder bei schlechtem Wetter immer Unterkunft findet; die
schwarzen Begleiter campiren im Freien.

DRITTES CAPITEL.

Abreise von Dondo; das erste Bivouac, der Baobab, der echte Brodfruchtbaum; Quipacata, der Soba von Tumba a Pepe, Begriff des Titels Soba, der Soba von Caboco;
Nhanga, Major Marquez, die Musik des k. portugiesischen 5. Jägerbataillons, Anerken-
nung der Verdienste des Majors Marquez von Seite der Regierung, Lohombe; Ankunft
in Pungo n' Dongo, Major v. Homeyer, Dr. Pogge, die Krankheit des Majors, Pungo
n' Dongo, Kaufmann Leite.

Nachdem ich von Dondo um 1 Uhr 48 Minuten Mittags,
also in der grössten Hitze, abmarschirte und die nächste Patrulha
(Quipacata) denselben Tag nicht mehr erreicht werden konnte,
bivouakirten wir unter einem riesigen Baobab (Affenbrodbaum,
Adansonia digitata) um 6 Uhr Nachmittags, wo das Thermometer noch immer 27·8º C. zeigte.

Die bizarren Formen dieser Bäume, sowie ihre Stärke bei
verhältnissmässig geringer Kronenhöhe bleiben jedem Reisenden
in steter Erinnerung. Die Frucht, eine mehrfächerige Kapsel
von circa 3 bis 6 Decimeter Länge und 1 bis 1·5 Decimeter
Stärke, ist für den Menschen nicht essbar. Wie der Name aber
schon zeigt, ist sie eine Lieblingsnahrung der Affen.

Wenn schon der Anblick einer Affengesellschaft mit ihrem
ewigen Schäkern und Spielen drollig erscheint, so ist dies umsomehr der Fall, wenn man Gelegenheit hat, diese Kobolde
nach Entdeckung einer Adansonia zu beobachten. Kaum hat
einer der Gesellschaft den Baum erblickt, so beginnt ein Rennen
und Springen, ein Stossen und Lärmen, das jeder Beschreibung
spottet. Jeder will der Erste beim Baume sein, sucht daher
seine Kameraden im Laufe zu überholen, und jeder ihm in
den Weg kommende wird rücksichtslos beiseite gestossen. Ist
aber endlich der Baum erreicht, so sind auch mit Blitzesschnelle
die Aeste erklommen, jeder bemächtigt sich einer Frucht und

in kurzer Zeit geben die am Fusse des Baumes zerstreuten Frucht-
fragmente beredtes Zeugniss von der Thätigkeit der Gesellschaft.
Wohl zu unterscheiden von dem Affenbrodbaum ist der
echte Brodfruchtbaum *(Artocarpus incisa)*. Schon seine Gestalt
lässt diese beiden Arten nicht verwechseln, abgesehen davon,
dass jeder derselben in eine andere Classe der botanischen Eintheilung gehört.

Der echte Brodfruchtbaum ist ein schlanker Baum, dessen
Aeste wagrecht ausgebreitet und blos an den Enden belaubt
sind. Die Frucht hat Form und Grösse einer Apfelsine, ist
jedoch von grüner Farbe. Die Schale ist härter und das Innere
von einem weissen, breiigen Marke erfüllt, welches unangenehm
schmeckt.

Nichtsdestoweniger wird die Frucht doch gegessen, weil
sie etwas erfrischend ist. Wird das Mark jedoch getrocknet und
auf heissen Steinen gebacken, so entsteht ein dem Weizenbrode
ähnliches Surrogat.

Der echte Brodfruchtbaum kommt in der Angola-Provinz
nicht vor; mitunter findet er sich an den Küsten von Ober-
Guinea, als seine Heimat aber betrachtet man die Südsee-
Inseln, wo er häufig vorkommt.

Mein erstes Bivouac auf afrikanischem Boden verlief ohne
Störung; leider kann man, wenn man mit Schwarzen reist,
immer erst sehr spät zur Ruhe kommen, weil sie bis in die
Nacht singen und lärmen.

Am 7. Juni hoben wir unser Lager unter dem Affenbrodbaum auf und traten um 5 Uhr 30 Minuten Früh den
Weitermarsch an. Derselbe währte bis 4 Uhr 30 Minuten Nachmittags, wo wir die Patrulha Quipacata erreichten, mit Ausnahme der Zeit von 10 bis 12 Uhr, wo wir bei der Patrulha
Camungo eine grosse Rast zum Zwecke der Bereitung des
Mittagsmahles hielten und einer kleinen Unterbrechung von
20 Minuten um 8 Uhr Vormittags.

Aus zehn Thermometer - Beobachtungen resultirte für
diesen Marsch eine Durchschnitts-Temperatur von $+ 26\cdot7^0$ C.
$= + 21\cdot36^0$ R. $= + 80\cdot06^0$ F.

Während dieses Marsches passirten wir auch die Patrulha
Tumba a Pepe. Sie hat ihren Namen von dem gleichnamigen

„Soba", welcher in ·der abseits des Weges liegenden Sansala (Dorf) seinen Wohnsitz hat.

Der Titel „Soba" ist wohl blos in der Bedeutung als „Häuptling" zu nehmen, wird jedoch stets mit „König" übersetzt. Manche der Sobas in Angola nehmen überdies noch eine Stellung in der portugiesischen Afrika-Armee ein und so ist beispielsweise der Soba von Tumba a Pepe zugleich „capitaõ" in der zweiten Linie (segunda linha), also in der Landwehr; desgleichen sein Nachbar, der Soba von Caboco.

Diese Beiden lebten kurz vor meiner Ankunft in offener Fehde gegen einander. Zu grösseren Kämpfen kam es übrigens nicht, denn die beiden Parteien begnügten sich, sich gegenseitig in Schach zu halten, die Gewehre in die Luft abzufeuern, kurzum, es wurde ein wenig Krieg gespielt. Uebrigens zog Caboco nichtsdestoweniger offenbar den Kürzeren. Die Leute Tumba a Pepe's umzingelten gelegentlich den Caboco sammt seinen Leuten, zogen ihm seine Uniform aus und regalirten ihn mit einer tüchtigen Tracht Prügel. Natürlich musste er nebstdem noch eine Kriegsentschädigung in Sklaven und Vieh leisten und Caboco's Epauletten blieben dem Tumba a Pepe.

Am 8. Juni war der Marsch verhältnissmässig kurz. Ich fand in Nhanga das k. portugiesische Jägerbataillon Nr. 5, respective blos 200 Mann hievon, welches auf dem Marsche behufs Garnisonswechsel von Pungo n' Dongo nach Dondo begriffen war. Das Bataillon hatte so viele Fieberkranke, dass der Commandant Major Marquez sich entschloss, längere Zeit in Nhanga zu bleiben, um den Leuten Erholung zu gönnen.

Der Major forderte uns auf, den Weitermarsch einzustellen und seine Gäste zu bleiben. Wir nahmen seine liebenswürdige Einladung an und blieben.

Der Major und der Capitaõ waren in einem aus Lehm und Flechtwerk erbauten Hause, die Mannschaft in Laubhütten untergebracht. Auch für unsere Unterkunft wurde im Hause vorgesorgt.

Gleich nach meiner Ankunft liess der Major die Musik des Bataillons antreten und vor dem Hause einige Musikstücke executiren. Es waren leider blos 11 Musiker beisammen, nichtsdestoweniger spielten sie recht brav.

Unter fröhlichem Geplauder verging der Tag und wir
sassen noch bis in die späte Nacht hinein vor dem Hause,
während Major Marquez uns sehr viel des Wissenswerthen für
die in den nächsten Monaten bevorstehende Reise mittheilte.
Marquez kennt durch langjährigen Aufenthalt in Angola
diese Provinz in jeder Hinsicht sehr genau. Ich verdanke ihm
besonders viele Mittheilungen bezüglich der portugiesischen
Afrika-Armee, in welcher er grosses Ansehen geniesst. Ueberall,
wo es gilt aufständische Schwarze zur Ordnung zu bringen,
wird er zur Führung der Unternehmung bestimmt und sind
seine Verdienste auch von Seite der Regierung durch eine Reihe
von Decorationen anerkannt worden. Er schenkte mir einen
jungen Sklaven, dem ich den Namen „Sim" beilegte.

Der Nachmittag, welchen ich in Nhanga verbrachte, wird
mir stets in angenehmer Erinnerung bleiben.

Am 9. Juni um 5 Uhr 5o Minuten Früh brachen wir von
Nhanga auf und Marquez begleitete uns ein Stück weit in
seiner Tipoia. Nach einer Stunde machte er „Kehrt" und wir
schieden mit dem herzlichsten Danke für seine Gastfreundschaft
und den besten Wünschen seinerseits für die uns bevorstehen-
den Reisen.

Nachdem ich mir die Aufgabe gestellt hatte, noch denselben Tag in Pungo n' Dongo einzutreffen, so war der Marsch
auch ein sehr anstrengender. Wir marschirten von 5 Uhr
5o Minuten Früh bis 9 Uhr 3o Minuten Vormittags zur Patrulha
von Lohombe, wo ich eine Stunde rasten liess, um 10 Uhr
3o Minuten weiter bis 4 Uhr Nachmittags nach Capanda, wo
abgekocht wurde, endlich um 5 Uhr 3o Minuten abermals
weiter, bis wir um 9 Uhr 15 Minuten Abends Pungo n' Dongo
erreichten.

Wir gingen directe in das Haus, welches die Expedition
auf die Dauer ihres Aufenthaltes für ihre Zwecke gemiethet
hatte. Dr. Pogge kam uns bereits entgegen.

Im Hause traf ich Major v. Homeyer krank im Bette
liegend und was ich schon in Loanda hörte, fand ich vollkommen bestätigt. Fieber und Gelenksrheumatismus rüttelten
derart an seiner früher so kräftigen Gesundheit, dass an eine
Fortsetzung der Reise seinerseits nicht gedacht werden konnte.

Ueber die fürchterliche Krankheit, den Gelenksrheumatismus, lasse ich hier die betreffende Mittheilung des Herrn Majors an den Vorstand der afrikanischen Gesellschaft in Berlin folgen, wie ich sie einem seiner Briefe entnehme.

v. Homeyer schreibt:

.... „Bereits Ende März fühlte ich furchtbare Schmerzen in den Waden, bald senkten sich dieselben bis in die Fusssohlen, und nun begann das Schmerzgefühl, als ob man mir mit kalten Eisenstangen von den Fusssohlen aus durch das Beinmark bohre. Dieser Zustand wurde so intensiv, dass ich mich den 3. April legen musste. Die hiesigen Kaufleute kannten meine Krankheit sehr wohl und nannten sie Neger-Rheumatismus, glaubten aber, dass ich, wenn ich Pottasche nähme, in 14 Tagen wieder gesund sein würde. Mein rechtes Bein zog sich krumm unter mir zusammen, schmerzte sehr im Kniegelenk und ebenso das linke Bein, wenn auch nicht so stark und weniger schmerzhaft. Ich nahm nun Pottasche bis zu 26 Grad, doch blieb mein Zustand derselbe. Dabei stellten sich wiederholt Fieber und eigenthümliche Delirien ein. Man denke sich dabei die grossen Regen, die dicke, feuchte Luft im Zimmer, das feuchte Bett und den Wind, der durch das undichte Haus fegte! Ich nahm Fussbäder, aber ich konnte es vor Schmerzen nicht aushalten, überdies fing mein rechtes Bein zu schwellen an, die Schmerzen nahmen zu, während mein übriger Körper fast zum Skelett abmagerte. — So lag ich Wochen — Monate lang, auf Besserung hoffend und gepeinigt durch den Gedanken, überhaupt hier nicht besser zu werden". ....

Obwohl der Zustand des Majors sehr gefährlich war, gab er selbst nicht die Hoffnung auf, vielleicht doch noch seine Gesundheit in dem Masse zurückzuerhalten, um die Reise fortsetzen zu können. Seine Hoffnung sollte jedoch nicht in Erfüllung gehen.

Herr Soyaux, schon seit längerer Zeit kränklich, konnte ebenfalls an weitere Reisen in Afrika nicht mehr denken.

So blieben von der Expedition blos ich und Dr. Pogge, welcher wohl auch stark vom Gallenfieber zu leiden hatte, sich aber immer wieder erholte.

Den 10. Juni benützte ich dazu, mir die Oertlichkeit von Pungo n' Dongo zu besehen und dem „Chef" einen Besuch zu machen, respective mein Empfehlungsschreiben vom Gouverneur abzugeben. Der Chef von Pungo n'Dongo war „Alferes (Lieutenant) do exercito de Portugal e chefe do concelho Esmeraldo Castel Branco".

Pungo n'Dongo liegt in einem mit beinahe senkrechten Wänden sich über das umliegende Terrain erhebenden Felsenkessel aus eruptivem Gestein, 1081·96 Meter über Dondo. Nachdem nun dieser Ort eine absolute Höhe von 110 Meter hat, so ergibt sich die absolute Höhe für Pungo n'Dongo mit rund 1192 Meter.

Pungo hat, wie kein anderer Ort in Angola, vorzügliches kaltes Trinkwasser, eine wahre Labung, wenn man, wie es von Loanda aus durch die ganze Provinz der Fall ist, immer

Ansicht der Pedras negras von Pungo n'Dongo.

nur auf filtrirtes, abgestandenes Wasser angewiesen ist. — Die Felsenmasse ist stellenweise hohl, wie man aus dem dumpfen Ton beim Klopfen entnehmen kann.

Die Wege zwischen den Häusern sind sehr uneben und zur Zeit des Regens stets von bedeutenden Wassermassen derart durchfluthet, dass häufig der Verkehr ganz gehemmt ist; es soll da unmöglich sein, über den Weg zu gehen. Freilich läuft das Wasser schnell wieder ab, nicht aber ohne tiefe Furchen in die Wege gerissen zu haben.

Die Temperatur ist, durch die Lage zwischen den Felsen und den fortwährenden Luftzug bedingt, erträglich, ja angenehm.

Das Terrain, auf welchem die Felsen von Pungo n'Dongo (os pedras negras do Pungo n'Dongo) liegen, beträgt circa

1·5 Quadratmeilen. Die Vegetation im Kessel unterscheidet sich
in Nichts von jener des umliegenden Terrains, ja es kommt
ihr noch das aus den selbst in der Trockenzeit nie versiegenden
Felsenquellen sprudelnde Wasser zugute. Ueberall der üppigste
Pflanzenwuchs und es bietet sich demzufolge auch dort dem
Entomologen die günstigste Gelegenheit, seine Sammlungen
wesentlich zu bereichern. Herr v. Homeyer hat auch während
seines Aufenthaltes eine sehr umfangreiche und nicht allein
durch die Seltenheit oder das Unbekannte vieler, ja der meisten
Exemplare, sondern auch ganz besonders durch die sorgfältige
Präparation derselben höchst werthvolle Sammlung von Schmetter-
lingen und Käfern angelegt und sich dadurch nicht unwesent-
lich um die Entomologie dieser Gegend verdient gemacht.

Der Tag verlief sehr schnell; des Abends sassen wir in
fröhlichem Geplauder beisammen, wobei uns der portugiesische
Kaufmann Leite, dem die Expedition in so mancher Hinsicht
grossen Dank schuldet, Gesellschaft leistete.

Nachdem also von den Expeditions-Mitgliedern blos ich
und Dr. Pogge zur Fortsetzung der Reise geeignet waren, so
hatten wir uns vorgenommen, gleich am nächsten Tage, den
11. Juni, von Pungo n' Dongo aufzubrechen, um in Malange
die Ergänzung der für die bevorstehende Reise nöthigen Ausrüstung zu bewerkstelligen.

Kaufmann Leite, welcher Geschäfte wegen ebenfalls
nach Malange musste, entschloss sich, mit uns zu reisen und
besorgte die nöthigen Cargadores und Tipoiaträger; Herr
v. Homeyer hatte früher bereits drei Reitstiere angekauft,
welche auch mitgenommen wurden. Auch nahm der Major über
Anrathen der Kaufleute einen Führer (guia) in Dienst, welcher
zugleich die Dienste eines Dolmetsch (interprete, linguist)
versehen sollte. Die Wahl dieses alten, gebrechlichen Schwarzen
war eine sehr unglückliche; nachdem er bereits am ersten
Marschtage nach Malange nicht mehr folgen konnte und drei
Tage nach unserer Ankunft in dem genannten Orte erst daselbst eintraf, erwies er sich für die Reise ungenügend und
wurde seines Dienstes entlassen.

VIERTES CAPITEL.

Abreise von Pungo n'Dongo nach Malange; Saturnino José de Souza Machado's Gastfreundschaft, der District von Malange, Vegetation, Wasser, Klima, Einwohner; der
Diebssinn der Muleques, Malange als Handelsplatz, Photographie, Grenze für das portugiesische Geld, Tauschartikel, Verpackung und Verwendung derselben, Aufnahme der
Cargadores, Bezahlung derselben, Körperkraft der Neger, Sicherstellung gegen Diebereien
von Seite der Träger, Verzögerung der Abreise; Catepa, Cula muxita; Tom und João,
der Führer und Linguister Hebo, der Koch João und sein Söhnchen Cambolo.

Am 11. Juni verliessen wir Pungo n'Dongo und trennten
uns somit von Herrn Major v. Homeyer und Herrn Soyaux.

Die Felsenkette von Oló.

In 2·5 Tagen nach verhältnissmässig weniger anstrengenden Märschen (wir marschirten immerhin beispielsweise am
ersten Marschtage von 7 Uhr 15 Minuten Früh bis 4 Uhr
45 Minuten Nachmittags, mit blos zweistündiger Unterbrechung
als Mittagsrast, bei einer Durchschnitts-Temperatur von
+ 26·6⁰ C. = + 21·28⁰ R. = + 79·88⁰ F.) erreichten wir
Malange.

Der Marsch geht, nachdem der Felsenkessel von Pungo
n'Dongo verlassen ist, stets durch Hügelland auf den gewöhnlichen Fusspfaden.

Einen besonders schönen Anblick gewährt nach Passiren
des letztgenannten Ortes die ferne Felsenkette von Oló, sowie
der Felsen von Carima, dem ersten Negerdorfe, welches man
zu passiren hat. Auch einige stark angeschwollene Flüsschen
hatten wir zu passiren. Ueber den Fluss Lutete gelangten wir
kriechend auf untereinander und an den beiden Ufern befestigten,

auf der Wasserfläche schwimmenden Baumstämmen. Die Stiere schwammen durch den Fluss.

Wir langten am 13. Juni um 10 Uhr 35 Minuten Vormittags in Malange an und begaben uns direct zum Chef des Ortes (1875: tenente Francisco de Brito Freire), um unsere Empfehlungsbriefe abzugeben. Wir wurden auch hier mit der grössten Zuvorkommenheit aufgenommen.

Nachdem wir bezüglich der Ausrüstungs-Ergänzung an den schon seit mehr als zwanzig Jahren in Malange ansässigen Kaufmann, Elfenbein- und Gummihändler Herrn Saturnino José de Souza Machado gewiesen waren und derselbe uns antrug, bei ihm zu wohnen, so nahmen wir seine Gastfreundschaft in Anspruch.

Herr Saturnino, wie er kurzweg genannt wird, hatte die Freundlichkeit, uns ein erst kurz vorher vollendetes Haus (aus starken Lehm- und Mauerwänden, mit Campinen gedeckt und mit verschliessbaren Thüren und Fensterläden versehen) anzuweisen und richtete uns dasselbe so bequem als möglich ein, so dass wir beinahe Nichts entbehrten.

Saturnino lebt, wie bereits bemerkt, schon lange in Afrika und ist mit seinem Bruder Custodio in Malange. Er unternimmt stets Reisen in's Innere des Handels halber, um Elfenbein (Marfin), Gummi (Borrache) und andere Producte gegen Waaren einzutauschen, und kennt daher das Land, sowie die Bedürfnisse eines reisenden Europäers ganz genau.

Custodio bleibt stets in Malange und betreibt dort den Handel mit den zu diesem Zwecke aus der Umgebung kommenden Eingebornen. Man kann die beiden Brüder Machado mit Sicherheit unter die reichsten Kaufleute Angola's rechnen.

Beide Herren sind von grosser Liebenswürdigkeit und Gastfreundschaft und wir verlebten die Tage unseres Aufenthaltes in angenehmster Gesellschaft, da man uns Alles bot, was möglich war.

Jedoch nicht nur wir persönlich, sondern auch die „Expedition" wurde Saturnino gegenüber sehr verpflichtet, da wir ohne ihn und seine Mithilfe, ohne seine Rathschläge und Angaben bezüglich der Ausrüstung nie hätten daran denken können, mit Erfolg in's Innere einzudringen.

4*

Der District von Malange hat circa 24.000 Einwohner. Der Ort ist der letzte von einem Officier befehligte portugiesische Posten und hat beiläufig 200 Häuser und Negerhütten mit circa 4000 Bewohnern, darunter etwa 20 Weisse, welche als Kaufleute angesiedelt sind und sehr ergiebigen Handel betreiben.

Der Ort wird durch ein kleines Fort (fortaleza) angeblich beherrscht. Dasselbe besteht aus einem Erdwerke (Wall und vorgelegtem seichten Graben) in sehr einfacher Construction und verwahrlostem Zustande. Im Innern dienen die Wohnhäuser des Chefs und der paar Soldaten, sowie kleine Depôts gleichsam als Reduits. Der freie Raum ist mit einigen Orangenbäumen bepflanzt. Zur Aufrechthaltung der Ordnung hat Malange ausser den schwarzen und einigen weissen Soldaten noch eine Kanone. Dies Alles reicht jedoch bei einem Aufstande der Schwarzen nur für die äusserste Noth hin, und es läge im Interesse der Regierung, diesen äussersten Grenzposten bedeutend zu verstärken. Der vor drei Jahren hier herrschende Aufstand wurde nur mit vieler Mühe unterdrückt und ist die Erhaltung dieses Districtes für die Portugiesen ausschliesslich den Snider-Gewehren zu verdanken.

Die Umgegend von Malange ist einförmig, überall das hohe Campinengras, das bei leichtem Winde die täuschendste Aehnlichkeit mit unseren reifen, wogenden Kornfeldern gewährt. In der Trockenzeit ist das meiste Gras schon dürr und gelb, das Laub der Bäume verwelkt und grösstentheils abgefallen. Nur in den feuchten Niederungen und Thalsohlen längs den Sümpfen trifft man Laub und grünes Gras.

Unter den vorkommenden Bäumen der Umgebung fielen mir besonders viele und herrliche Mimosen, dann Adansonien, Euphorbien, worunter besonders der Wunderbaum *(Ricinus)*, aus welchem sich die Eingebornen das gleichnamige Oel zur Salbung des Körpers bereiten, und Palmen *(Monokotyledonen)* nebst Orangen *(Aurantiaceen)* auf. Die beiden Brüder Machado besitzen ganz nahe bei Malange einen grossen Hain von Orangenbäumen *(Citrus aurantium)*.

Von den Palmen trifft man hier, sowie überhaupt in der ganzen Provinz, sehr viele Arten. Sie sind es, welche mit ihren

schlanken, mitunter sehr hohen Stämmen, gekrönt mit einem
Schirm der verschiedenartigst geformten Blätter, den Tropen-
ländern einen eigenthümlichen Reiz und Charakter verleihen
und in Jedem, der einmal Tropenluft geathmet, das unwider-
stehliche Verlangen hervorrufen, wiederholt im Schatten dieser
Perlen · der Schöpfung zu ruhen.

Man gewinnt aus einer Palmenart *(Elaeis guineensis)*
durch Auskochen das veilchenartig schmeckende Palmöl, das
einen wichtigen Exportartikel von Angola nach Europa bildet,
wo es zu Maschinenfetten, Seifen- und Kerzenfabrication, sowie
in der Färberei verwendet wird.

Auch mit Palmöl salben sich die Eingebornen den Körper.

Die Eingebornen bereiten sich aus einigen Palmenarten
ein Getränk, den sogenannten Palmwein, welcher sehr be-
rauschend ist. Man gewinnt ihn durch Gährung eines zucker-
haltigen Saftes, welcher beim Einschneiden der Blüthenscheide
in grossen Mengen ausfliesst.

In überraschender Menge kommt um Malange und, wie
ich mich im Verlauf meiner Reise überzeugte, auch bei Sanza
der gemeine Stechapfel *(Datura stramonium)* vor, welcher mitunter grössere Strecken bedeckt.

Ganz nahe bei Malange — man passirt ihn, von Pungo
n' Dongo kommend, kurz vor Eintritt in den Ort — fliesst der
kleine „rio do Malange", eigentlich ein Bach, welcher in den
Quanzafluss mündet.

Wie alle Flüsse der heissen Länder, so liefert auch der
„rio do Malange" ungesundes Trinkwasser, welches man vor
dem Genusse stets mit einigen Tropfen eines alkoholhaltigen
Getränkes, am besten Gin, versetzen muss, wenn man, wie dies
bei unserer Expedition leider der Fall war, nicht im Besitze
eines Filtrir-Apparates ist. — Alle Kaufleute besitzen in ihren
Häusern grosse Apparate zu diesem Zwecke. Es sind grosse
Gefässe aus porösem Sandstein, in welche das zu filtrirende
Wasser gefüllt wird. Die Wände bilden den Filter und das
tropfenweise durchsickernde Wasser wird in einem untergestellten
Geschirre aufgefangen.

Obwohl diese Art des Trinkbarmachens ungesunden Wassers
nicht vollkommen ist, so ist sie doch für die dortigen Ver-

hältnisse schon eine grosse Wohlthat, und solches Wasser entschieden dem durch einen Destillir-Apparat erhaltenen, wohl reinen, aber fad schmeckenden Wasser vorzuziehen.

Um das Wasser kalt zu machen, bedienen sich die Weissen der, bei den Eingebornen nebst den Calabassen (hohle Kürbisse) zur Aufbewahrung des Trinkwassers üblichen „Muringa". Es ist dies ein aus Thon verfertigtes Gefäss, welches nur halb gebrannt wird, daher sehr porös bleibt. Das Wasser dringt daher durch die Poren hindurch, und durch die Verdampfung der, mit der Luft in Berührung tretenden Wassertheilchen wird das Wasser in der Muringa sehr abgekühlt. Diese Muringas kommen in grosser Verbreitung vor und sind eine wahre Wohlthat.

Solche Kühlgefässe findet man auch sehr häufig in Portugal, wohin sie zum grossen Theil aus Bahia eingeführt werden und unter dem Namen „Quartinha" (sprich kuartinja) bekannt sind. Jedoch auch in Portugal selbst befinden sich einige Orte, wo derartige Gefässe erzeugt werden. Am meisten bekannt sind „as quartinhas de barro do Estramos". Das Wort „quartinha" ist nach seiner Schreibweise zu schliessen fremd, wohl dem Portugiesischen entnommen.

Das Klima von Malange ist gesünder als überall gegen die Küste, mit Ausnahme von Pungo n' Dongo, und man sagte uns, dass es gegen das Innere immer besser werde. Weder ich noch Dr. Pogge fanden, so lange wir beisammen waren (und ich auf der ganzen Reise) diese Angaben bestätigt, denn es ging uns mit unserer Gesundheit nicht gut. Dr. Pogge, welcher, nachdem wir uns im Innern getrennt hatten, eine Tour gegen das Reich des Muata Yanvo unternahm, soll später besseres Klima getroffen haben.

Bei längerem Aufenthalte jedoch ist auch das Klima von Malange dem Weissen gefährlich, was man an dem Aussehen der dortigen Kaufleute erkennen kann. Wenn sie sich erhalten können, so geschieht dies dennoch nur auf Kosten ihrer Gesundheit, speciell ihres Magens, welcher gewaltige Dosen von Chinin und anderen Medicamenten verschlingen muss.

Unter den afrikanischen Tropen gibt es keine Acclimatisation. Rühmt sich ein Weisser dennoch einer solchen, so ist dies blos eine scheinbare. Wahres Wohlbehagen wird sich für längere Dauer nicht einstellen.

Die Eingebornen von Malange, ja der ganzen Provinz sind ruhige, friedliche Leute, wenn auch misstrauisch. Sie werden wohl diesbezüglich traurige Erfahrungen gemacht haben. — Gelegenheitsdiebe sind jedoch die Schwarzen wie überall, auch hier. Stehlen sie Geld, so begnügen sie sich mit einer Macuta oder einem Vinten (20 Reis); grössere Beträge würden leichter zur Entdeckung des Thäters führen. Dafür stehlen sie lieber öfter.

Stiehlt ein Schwarzer einen Gegenstand, den er später zu verwerthen hofft, so legt er denselben vorerst an einen Ort, wo er dem Besitzer aus den Augen kommt und wo ihn dieser nicht so schnell suchen dürfte. Verstreichen nun einige Tage, ohne dass der Abgang des Gegenstandes bemerkt wird, so verschwindet dieser auch von dem letzten Platze, um nie wieder zum Vorschein zu kommen.

Fragt man aber den „Muleque" (Sklaven) nach dem Gegenstande, so wird er ihn alsbald unter den Schriften und Papieren, oder aus irgend einem Koffer mit freudestrahlendem Gesichte hervorziehen und in den meisten Fällen das Verschwinden des fraglichen Objectes seinem Ordnungssinne zurechnen.

Wir hatten von dieser Eigenschaft der Schwarzen nichts Nennenswerthes zu leiden, wenn ich auch die Wahrscheinlichkeit zugebe, dass manche Macuta ohne mein Wissen verschwunden sein dürfte.

Ein einziger vorkommender Fall belehrte den Thäter für die Zukunft eines Bessern. — Manu fand Wohlgefallen an meinem grossen, in Schildpatt gefassten Taschenmesser und liess dasselbe verschwinden. Der Zufall wollte es, dass ich schon Tags darauf den Abgang bemerkte, und, aufmerksam gemacht durch die Mittheilungen Saturnino's, nahm ich meine Sklaven in's Verhör. — Manu „fand" endlich nach langer Ueberlegung das Messer, worauf ich ihn nach kurzer Ueberlegung mit der, für häusliche Züchtigungen sehr geeigneten „Chicote" tüchtig durchbläute.

Die „Chicote" ist eine kurze, aus Lederriemchen geflochtene Peitsche und wird eigentlich zum Antreiben der Stiere beim

Reiten verwendet. Für obige Zwecke bildet sie aber ebenfalls ein sehr geeignetes Instrument.

Nachdem nun Manu gewitzigt war und auch den anderen Candidaten ein warnendes Beispiel gegeben wurde, liess sich keiner von ihnen mehr zu wiederholten Escamotagen herbei.

Malange ist, obwohl nicht an der äussersten Ostgrenze Angolas gelegen, dennoch der Hauptstapelplatz des Handels mit dem Innern. Bis hieher kommen die Neger und tauschen die Erzeugnisse ihres Landes gegen europäische Waaren um. Die Kaufleute sind daher auch alle sehr reich und haben im Innern nebstdem noch einzelne kleine Factoreien, welche gewöhnlich abseits der von den Karawanen benützten Wege liegen.

Malange ist auch nebst Bihé am linken Quanza-Ufer der geeignetste Ausgangspunkt für Expeditionen in's Innere. Man findet hier nicht nur alle Tauschartikel, welche von den Schwarzen begehrt werden, sondern auch stets eine genügende Zahl Cargadores, zu deren Aufbringung man aber übrigens immer die Mithilfe eines Kaufmannes in Anspruch nehmen muss.

In Bihé, welcher Ort als Ausgangspunkt des Afrika-Reisenden Ladislaus Magyar (eines gebornen Oesterreichers und später naturalisirten Portugiesen) bekannt ist, soll man noch leichter viele Träger bekommen können.

Die Tage unseres Aufenthaltes in Malange vergingen unter den Vorbereitungen zur Reise, als da waren: Nachsendung einiger Waaren aus den Vorräthen in Pungo n' Dongo, Ergänzung unserer Ausrüstung durch Ankauf von bei den Negern beliebten Tauschartikeln, ferner Verpackung der ganzen Bagage, Aufnahme der Cargadores und Zuweisung der einzelnen Colli an jeden derselben.

Unter den von uns gegenüber dem früheren Chef der Expedition zur Nachsendung geforderten Objecten befand sich auch der photographische Apparat, welcher auf Anordnung des Herrn v. Homeyer in Loanda zurückgelassen wurde. Herr Saturnino stellte uns die Mitnahme des Apparates, sowie die Anfertigung photographischer Bilder als sehr nöthig und interessant vor, so dass wir nur im Interesse des vollständigeren Gelingens der Expedition handelten, wenn wir Herrn v. Homeyer um die Nachsendung dringend ersuchten. Die Befürchtung, als könnten mir gelegentlich der Aufnahmen oder der Handhabung des Apparates bei den stets an Zauberei glaubenden Eingebornen Unannehmlichkeiten erwachsen, so dass das Gelingen der ganzen Reise in Frage gestellt werden würde, widerlegte der allseits bekannte Saturnino, welcher im schlimmsten Falle den Leuten die nöthigen Aufklärungen gegeben hätte.

Auf unser wiederholtes Drängen sagte uns Herr v. Homeyer die Nachsendung des Apparates zu, und es kam auch wirklich eines Tages vorerst der Destillir-Apparat in Malange an. Das Uebrige sollte nachfolgen, kam aber, während wir noch in Malange waren, nicht nach. Als wir endlich in der Folge die Reise in's Innere antraten, liess der allzeit gefällige Saturnino eigens sechs verlässliche Leute zurück, welche nach Ankunft des Apparates uns in Eilmärschen nachfolgen sollten, um uns so bald als möglich einzuholen. Während meiner ganzen Reise hoffte ich mit diesen sechs Trägern zusammenzutreffen, doch vergebens. — Als ich, gelegentlich meiner Rückkehr, wieder nach Loanda kam und mich in der „Casa hollandeza", wo der Apparat lagerte, erkundigte, warum die Nachsendung nicht erfolgte, hörte ich, dass der Auftrag hiezu nicht dahin gelangte, in welchem Falle, wie ich auch überzeugt bin, unserem Verlangen auch sicher umgehend willfahrt worden wäre.

Wenn man von Malange gegen das Innere des Continents reist, so kann man bis zum Orte Sanza (16° 59′ östlicher Länge von Greenwich) noch portugiesisches Geld in Verwendung bringen, von dort ab kann man aber nur mit Waaren kaufen, also tauschen.

Die gangbaren Tauschartikel bekommt man alle in genügender Menge in Malange selbst, wie ich bereits früher erwähnte. Aus dieser Ursache ist es daher jedem Reisenden auf dieser Route anzurathen, von Europa blos die Personal-Ausrüstung, Waffen und Instrumente mitzubringen, alles Andere aber in Malange erst zu kaufen. Er wird sich dadurch vor übergrossem Gepäcke und unnöthigen Auslagen bewahrt sehen.

Es wird nicht ohne Interesse sein, wenn ich in Folgendem die meist vorkommenden und bei den Negern beliebtesten Tauschartikel anführe.

Da ist vor allem Anderen die „Fazenda", ein leichter Baumwollstoff (algodaõ), wie er im europäischen Handel nur selten vorkommt. Man unterscheidet hauptsächlich zweierlei: die „fazenda de lei", von welcher ein Stück zu 18 Yards 5000 Reis, und den „riscado" (gestreiftes Zeug), von welchem dieselbe Quantität 4500 Reis kostet. Die Fazenda in dreierlei Quantität im Grossen gekauft: eine grosse Peça (Stück) de Fazenda mit 18 Yards, eine mittlere mit 12 Yards und eine kleine mit 8 Yards Länge bei einer Breite von 1·5 Yards. — Diese Waare stammt zumeist aus England, ist von sehr zweifelhafter Güte, findet aber dennoch viel Nachfrage. Uebrigens machte ich die Bemerkung, dass die meisten Neger beim Handeln insoferne einen praktischen Sinn beweisen, als sie stets geneigt sind, den Stoff eher auf seine Festigkeit zu erproben, als sich von der Farbe täuschen zu lassen.

Grosse, schöngeblümte Sacktücher in ganzen Stücken von 6 bis 8 Tüchern sind besonders von den schwarzen Königen (Sobas) geschätzt, und nicht selten sieht man einen solchen oder einen seiner ersten Würdenträger, welcher mit einer Sacktücher-Toga seine tadellos schwarzen Glieder bedeckt.

Noch höher im Werthe stehen bei den Sobas jene Sonnenschirme (sombreiros), wo jedes Blatt eine andere Farbe hat (roth, grün, gelb, weiss, etc.) und „as coifas de dormir" (gewirkte, farbige Schlafhauben).

Die „Missangas" (Perlen aus Porzellan- oder Glasmasse) bilden, besonders bei den schwarzen Weibern, einen sehr beliebten Tauschartikel. Am meisten gesucht werden die „missangas branca" (weiss) und die sogenannten „maria segunda" (roth). Ausserdem gibt es noch mehrere gut gangbare Sorten, als da sind: „almandrilha fina ou groça", „Coral apipado fino ou groço", „missangas de vidro" (branca, negra ou côr de prata) und „avellorios". Unter letzteren versteht man die bei uns zum Sticken verwendeten kleinen Perlen, die man, wenn es rothe sind, an der Westküste auch öfters unter dem Namen „corales" im Handel findet. — Diese Perlen kommen sämmtlich über England, erzeugt werden sie jedoch zum grössten Theil in böhmischen Glasfabriken. Ja, es kommt sogar vor, dass man mitunter in den Sendungen Ueberreste von früheren

Verpackungshüllen vorfindet, welche ganz entschieden auf den czechischen Ursprung hinweisen.

„Arame" (Messingdraht) in der Stärke von 0·006 Meter, findet sehr viel Anwerth und wird sowohl von den Männern als Weibern und Kindern zu den sogenannten „eriënges" (Arm- oder Fussringe) verwendet. Bei Eingebornen, welche noch keine „arame" kennen, findet man auch „eriënges", mitunter recht zierlich geschnitzt aus Elfenbein.

„Aguardente" (Rum, Branntwein) bildet, wie er in den Handel kommt, ein Gebräu der schlimmsten Sorte, wird jedoch von den Negern sehr stark begehrt. Auch die Weiber verschmähen einige kräftige Züge dieses Getränkes nicht. — Dieser Branntwein kommt zumeist aus Hamburg in grossen mit Stroh umflochtenen Flaschen in den Handel und wird in denselben auf die Reise in's Innere mitgenommen, wobei zwei solcher Flaschen (garrafas) eine Trägerlast bilden. — Man darf jedoch dem Neger nie den Branntwein in dem Zustande, wie er in den Handel kommt, verabreichen. Die Eingebornen trinken sehr gerne und schnell, vertragen aber nur äusserst kleine Quantitäten geistiger Getränke. Nachdem sie nun noch dazu gerne sehr viel trinken, so muss man die Wirkung des Getränkes abzuschwächen suchen und das geschieht, indem man von der dem Neger zu spendenden Flasche blos die Hälfte mit Branntwein füllt und sodann mit Wasser ergänzt.

Salz hat ebenfalls grossen Werth, noch grösseren aber das Schiesspulver, welches sehr grobkörnig aus England in den Handel gebracht wird.

Weniger als Tauschartikel, als besonders zu Geschenken an die Sobas etc. eignen sich alte Steinschlossgewehre. Diese Waffe zieht der Eingeborne jeder noch so schönen und erprobten Flinte vor. Auch trifft er für seine Zwecke und nach seiner Art dem Wilde nachzugehen genug. Es sind also gar keine Factoren vorhanden, welche in ihm den Wunsch nach dem Besitze einer anderen Waffe rege machen würden. — Geht der Neger auf die Jagd und ersieht er das Wild, so schleicht er so nahe als möglich an dasselbe heran. Er versteht dies so gut, ohne das geringste Geräusch zu verursachen, wodurch das Thier, und besonders die so aufmerksame Antilope, aufgescheucht würde, dass er meistens auf eine Distanz von 20 bis 15 Schritte zum Schusse kommt. — Eine bestimmte Quantität Pulver zu laden, berücksichtigt er nie. Hat er wenig Pulver, so nimmt er wenig, hat er aber viel, so nimmt er oft die dreifache Quantität der normalen Ladung und stopft nach Belieben Schrote und Eisenstücke nach, so dass es häufig vorkommt, dass bei einem Schusse der Lauf springt. Ich sah während der Reise einige solche theilweise gesprungene Läufe, was aber den Besitzer durchaus nicht hinderte, dieselben weiter zu benützen. Der Lauf wird mit Bastfäden oder, wenn der Eingeborne vielleicht im Besitze von Stricken ist, gar mit diesen, so gut es geht, überbunden, und bei der gewohnten Art des Negers, sich der Feuerwaffe zu bedienen, schaden die am Umfange des Laufes ausströmenden Gase seiner Person durchaus nicht. — Ist nämlich das Gewehr bei vorgestreckten Armen in die beiläufige Schussrichtung gebracht, so wendet der Schütze vorerst schnell sein Gesicht nach rückwärts und drückt erst dann die Waffe los.

Aus welcher Ursache die Leute das Gesicht wenden, weiss ich nicht bestimmt. Vielleicht ist es Mitleid mit dem Thiere, welches er mit Bestimmtheit zu treffen hofft und nicht fallen sehen will, was ich übrigens, nachdem der Neger keine so weichherzig angelegte Natur besitzt, bezweifle; vielleicht setzt er kein Vertrauen in seine Schiesskunst und will sich von einem eventuellen Treffer um so freudiger überraschen lassen, was eher die Ursache sein könnte, oder er fürchtet sich vor seiner eigenen Waffe, wenigstens vor dem Feuerstrahl, und dies dürfte am wahrscheinlichsten sein.

Die vorerwähnten Artikel sind am meisten in dieser Gegend gesucht und am höchsten im Werth, was aber natürlich durchaus nicht ausschliesst, dass mitunter auch andere Waaren gut verwerthet werden können.

Jedenfalls aber hüte man sich vor dem Glauben, dass Artikel, welche in anderen Gegenden Afrikas zum Tauschhandel willkommen sind, nothwendigerweise auch in Angola und den östlich davon gelegenen Landschaften Absatz finden müssen. Ich erwähne hier beispielsweise blos, dass die in einem grossen Theile Afrikas, ganz besonders aber beinahe überall an

den Küsten sehr gut zu verwerthende „Kaurimuschel" in Angola
(mit Ausnahme eines schmalen Küstenstriches) und in den von mir
in der Folge durchreisten Ländern gar keinen Werth besitzt.
Auf der Reise erkauft sich nun mit den angeführten
Tauschwaaren der Kaufmann „marfim" (Elfenbein), „borrache"
(Gummi), Wachs, Honig, „ginguba" (Erdnüsse) und Palmöl, der
wissenschaftliche Reisende Lebensmittel, ethnographische Gegenstände, schöne Felle, das Recht durch das Gebiet eines Königs
zu ziehen, oder nur dessen Gunst überhaupt, welch' letztere
ein immer sehr schätzenswerther Artikel ist.

Ueber den Werth der erwähnten Tauschwaaren sei Fol-
gendes bemerkt: Für ein Huhn gibt man zwei Schuss Pulver,
für ein Schaf oder eine Ziege eine kleine Peça de Fazenda,
für ein Schwein eine mittlere Peça, für einen kleinen Sklaven
oder Sklavin im Innern des Continentes ein kleines, circa vier
Kilogramm fassendes Fässchen mit Pulver und für ethnographische Gegenstände je nach specieller Uebereinkunft u. s. w.

Bei dem Ankaufe der für die Reise noch nöthigen Tausch-
artikel ging uns Saturnino mit Rath und That an die Hand.
Desgleichen bei der Verpackung der ganzen Ausrüstung und
Beschaffung der Cargadores.

Nach den Propositionen Saturnino's entschlossen wir uns
vorerst, die Träger bis „Kimbundu" im Lande der Kiokos
(Dr. Livingstone's „Quibokwe") in den Dienst zu nehmen.
Saturnino ist durch seine vielen Handelsreisen mit dem Soba
von Kimbundu gut bekannt und besitzt im Orte eine Factorei.

Die Träger müssen ihre Bezahlung stets vor dem Antritte
der Reise bekommen. Misstrauisch, wie die Neger auf Grund
ihrer gemachten Erfahrungen alle sind, setzen sie in den Weissen
nicht das geringste Vertrauen, dass er, nachdem sie ihre Arbeit
geleistet haben, seinen Verpflichtungen nachkommen werde,
verlangen aber von ihm das vollste Vertrauen ihnen gegenüber.
Ich kann mich übrigens nicht über die Treulosigkeit der Neger
beklagen. Sie leisteten stets ihren Dienst nach bestem Können
und besonders meine Tipoiaträger nahmen sich meiner sehr an,
damit ich die Strapazen der Reise leichter überwände. Unaus-
weichliche kleinere Differenzen gelang es mir stets gleich zu
schlichten.

Wir bezahlten jedem unserer Cargadores für die Reise bis Kimbundu den Betrag von 10.000 Reis, und es blieb ihnen unbenommen, statt des Geldes die entsprechende Menge Waaren als Lohn zu begehren. Die meisten der Träger handeln nämlich auf eigene Kosten während der Reise mit den Eingebornen. Sie nehmen ihre in Waaren umgesetzte Bezahlung mit sich und daher trifft es sich oft, dass ein Neger auf solchen Touren seine ganze Familie mitgehen lässt, welche natürlich seine Tauschartikel tragen muss, während er das Cargo des Reisenden weiter befördert. — Auf der Rückreise tragen sie dann die eingetauschten Landesproducte, um dieselben in Malange wieder mit geringem Nutzen an die Kaufleute weiter zu verhandeln.

Auf den Reisen trägt jeder Cargadore stets eine Last von circa 100 engl. Pfund. Man findet oft ganz bestimmt die Ansicht ausgesprochen, dass die Neger von Angola blos 50 Pfund tragen, respective zu tragen im Stande sind. Diese Angaben sind irrig und beruhen auf der ungenügenden Beurtheilung der Verhältnisse bei Reisen in der Provinz und im Innern des Continents.

Die Bunda-Neger, welche Angola zum grossen Theil bewohnen, stehen den Negervölkern Muata Yanvos an Körperkraft nicht nach. Allein, wer in der Provinz reist, thut dies in der Regel nicht zu seinem Vergnügen und trachtet daher so schnell als möglich an das Ziel seiner Reise zu kommen. Um dies leichter zu bewerkstelligen, belastet er seine ohnehin blos mit dem Nöthigsten zu bepackenden Cargadores so gering als möglich und marschirt dafür auch den ganzen Tag hindurch, indem er nur die allernothwendigsten Rasten hält. — Lässt der Kaufmann Waaren befördern, so tragen die Leute 100 Pfund, marschiren aber blos bis Mittags und schlagen sodann ihr Lager auf. Der Forschungsreisende reist auf die letztere Art, denn er hat keine besondere Eile. Legt er Werth darauf, durch irgend ein Gebiet schneller durchzukommen, beabsichtigt er also, Vor- und Nachmittag zu marschiren, so muss er sich für die ausserordentliche Kraftaufbietung seiner Träger zu einer manchmal ganz bedeutenden Aufzahlung bequemen.

Schon tagelang vor dem Abmarsche muss der Reisende jedem Cargadores das zu tragende, gut verpackte Colli (Kiste,

Fass, Koffer oder dergleichen) übergeben, nachdem er sich vorher eine genaue Liste über den Inhalt und den Werth der Waaren angelegt hat.

'So thaten es auch wir, nachdem unser Abmarsch nach wiederholter Verschiebung endlich festgesetzt schien. Nachdem ich obige Liste angefertigt hatte, notirte ich mir auf Saturnino's Rath bei jedem Träger dessen Namen, sowie jenen seines Sobas. Dies darf der Reisende nie versäumen.

Sollte es nun vorkommen, dass Einer der Leute im Verlaufe der Reise mit Rücksicht auf den vermeintlichen Inhalt seines Cargos sich entschliessen sollte, mit dem ihm anvertrauten Gute durchzugehen, so hat man keinen Schaden. Gelegentlich lässt man sich den betreffenden König rufen und erklärt ihm den Sachverhalt; er wird, ohne Umstände zu machen, stets die begehrte Entschädigung in Waaren oder Sklaven leisten. Natürlich bezieht sich das Gesagte blos auf jene Neger, welche aus der portugiesischen Provinz sind, deren Könige daher im Weigerungsfalle wenigstens zur theilweisen Entschädigung auch verhalten werden könnten.

Umgekehrt muss aber auch der Weisse die vollste Entschädigung leisten, wenn Einer seiner Leute im Gebiete eines schwarzen Königs ein Verbrechen (crime) begeht.

Ich lasse im Anhange die bei meiner Reise zusammengestellte Trägerliste folgen.

Unsere einmal bereits festgesetzte Abreise verzögerte sich in unglaublicher, jedoch durch die Verhältnisse gerechtfertigter Weise. Ich benützte die Zeit unseres Aufenthaltes in Malange zu wiederholten Vergleichen meiner Instrumente, sowie zu meteorologischen und astronomischen Beobachtungen.

Auch machten wir zwei kleine Ausflüge nach den beiden Plantagen von Catepa und Cula muxita. Die letztere gehört den beiden Brüdern Machado und liegt circa eine gute Stunde Weges (mit der Tipoia) von Malange entfernt. Sie ist recht nett angelegt und enthält viele Ananas- und Orangen-Pflanzungen. Die paar Häuser sind, wie überall, schlecht aus Lehm gebaut und gewähren in der Regenzeit keinen genügenden Schutz. Saturnino hat dort auch eine Destillation zur Bereitung des Branntweins aus dem Zuckerrohr (cana d'assucar).

Endlich war unsere Abreise unabänderlich auf den 14. Juli festgesetzt und wir sandten die bereits mit Cargos betheilten Träger nach Sanza voraus, welcher noch portugiesische Ort (zwei Tagereisen mit Eilmärschen) als Sammelplatz für' Alle festgesetzt wurde. Saturnino wollte uns begleiten. Er schenkte uns auch zwei „Muleques" (junge Sklaven), von denen ich den meinen „Tom" benannte. „João" hiess jener Dr. Pogge's. Nachdem wir für die Reise noch einige Reitstiere kauften, so brauchten wir zur Ueberwachung der nicht gerade im Gebrauche stehenden Thiere noch zwei Sklaven, welche wir ebenfalls kauften.

Da wir gleich nach unserer Ankunft in Malange den von Herrn v. Homeyer in Dienst genommenen, für die Reise aber absolut zu schwachen Führer (guia) wieder entlassen hatten, so verschaffte uns Saturnino einen anderen „guia", mit dem Namen „Hebo", welcher zugleich auch als Dolmetsch fungiren sollte. Saturnino stellte uns denselben gleich mit dem Bemerken vor, dass er ein recht schlechtes Individuum sei, vor dessen Diebereien wir uns sehr zu hüten hätten; nachdem aber kein anderer, besserer Führer aufzutreiben war, so mussten wir mit diesem zufrieden sein und ihn in unseren Dienst nehmen. Ich muss gestehen, dass wir für den ersten Moment nicht ganz zufrieden mit dieser „acquisição" waren und auch in der Folge keine Gelegenheit hatten, von unserem vorgefassten Misstrauen abzugehen; wir mussten stets auf der Hut sein.

Auch nahmen wir einen Koch, João mit Namen, in unseren Dienst. Derselbe liess auch seine Frau mitgehen und ebenso seinen dreijährigen Buben „Cambolo". Der Junge wurde während des Marsches stets von seiner Mutter auf dem Rücken getragen. Im Bivouac aber war er die Ausgelassenheit selbst; auch schien er mir eine sehr derb angelegte Natur zu haben. Sehr oft ging der Junge mit dem grossen Küchenmesser seines Vaters auf die Mutter los, sonst beschäftigte er sich mit Vorliebe damit, kleine Aeste, ja auch Bäumchen ohne weiteren Zweck zu fällen, und legte überhaupt eine ganz aussergewöhnliche, bei weissen Kindern in diesem Alter nicht in dem Masse zu findende, daher wohl blos in der Race liegende Zerstörungswuth an den Tag.

Auch João wurde uns als nicht vertrauenswürdig declarirt.

Auf dem Marsche

FÜNFTES CAPITEL.

Abmarsch von Malange; Rio Cuiji, Agostinho do Santos Xavier in N'Gio, Jeronymos
Tavares Ferreira; Sanza; Augusto de Souza Machado, frühere Ostgrenze von Angola;
Wahl der Marschroute in's Innere; Betrachtungen der Auslagen der Expedition; die
Mohamba, Gesang der Cargadores vor dem Abmarsch und während des Marsches; ein
Zwischenfall; Fondos, Vorsicht gegenüber den Angriffen wilder Thiere oder der Ein-
gebornen; Cafongo, Passiren der Sümpfe, die Jagd, Geschenke der Sobas und Gegen-
geschenke, Maniok, geistige Getränke der Eingebornen; ein Besuch des Sobas von
Cassandsche; der Seculu Marimba Angombe; Vorsicht beim Verkehr mit den Schwarzen;
die Bewohner des Landes; wiederholte Fieberanfälle, unfreiwilliger Aufenthalt wegen
Hebo, Zudringlichkeit der Eingebornen, Dr. Pogge wird von starkem Fieber befallen;
die afrikanische Venus, Mihongo; der Fetischdienst der Mukischi, verschiedene Fetischer
Kisaile, N'Gana Sambi; Kaffeestrauch; wiederholt unfreiwilliger Aufenthalt, Palave,
und — Ausgleich; der Luhifluss, die Sansala Mona Balla, die „mawatas", das Songo-
Territorium.

Nachdem nun alle Träger bereits von Malange abgegangen
waren, fand uns der Morgen des 14. Juli in der vollendetsten
Marschadjustirung vor unserem Hause zum Abmarsche bereit.

Die Colonne bestand aus Dr. Pogge, Saturnino, dem
„guia" und mir (wir Alle ritten), dann kamen unsere Muleques:
Tom, Sim, Manu, João, ferner der Koch João nebst seinem
Weibe und Cambolo, sowie die Tipoiaträger, die Träger der
Personal-Ausrüstungen und die beiden Sklavenjungen, welche
die Reserve-Reitstiere zu treiben hatten; im Ganzen 26 Personen nebst 8 Stieren.

Wir wollten nach zweitägigem Marsche in Sanza eintreffen
und mussten daher rasch zuschreiten.

Um 8·Uhr Morgens verliessen wir Malange und trafen
des Abends um 7 Uhr 5 Minuten am rechten Ufer des Rio
Cuiji ein. Während wir bereits unter Tags die kleinen Flüsschen
Nosela, N'Ginji, Cungulungule und Calule leicht passirt
hatten, ging dies beim Cuiji schon schwieriger. Der Fluss be-
herbergt viele Jacarés und ist in Folge dessen ein Durch-

schwimmen oder Durchwaten (bei einer Furth) ein sehr gewagtes Unternehmen. Es ist daher ein Canoa an Ort und Stelle, in welchem stets nur drei Personen Platz finden, weshalb das Ueberführen einer Colonne immer sehr zeitraubend ist. Die Stiere wurden abgesattelt durch den Fluss getrieben und währenddem schossen die Leute am Ufer wiederholt ihre Gewehre ab, um dadurch beutelustige Jacarés fernzuhalten. Kurz vor unserer Ankunft (zwei Tage vorher) passirte ein Kaufmann den Fluss und wurde ihm einer seiner Stiere von einem Krokodil erfasst und weggeschleppt.

Nachdem die ganze Karawane glücklich, ohne Unfall, auf das linke Ufer des circa 35 Schritte breiten Flusses überschifft war, setzten wir den Marsch weiter fort und gelangten um 8 Uhr 31 Minuten nach N'Gio, unserem Nachtquartier, wo wir die Gastfreundschaft eines Mulatten, welcher dort ein Handelshaus hat, genossen.

Derselbe heisst Agostinho do Santos Xavier. Er war im Jahre 1858 noch in Cassandsche angesiedelt, wo er Dr. Livingstone, welcher auf der Reise von Mozambique nach Loanda begriffen war, kennen lernte.

Xavier gibt an, dass Livingstone durch zwölf Tage speciell bei ihm gewohnt hätte. Bei den sonstigen sorgfältigen Notizen des berühmten Reisenden kann nicht angenommen werden, dass er vergessen hätte, dieses Umstandes zu erwähnen; übrigens ist aus seinem Werke ein blos neuntägiger Aufenthalt in Cassandsche zu entnehmen. Wahrscheinlich also irrt sich Xavier.

Ausser diesem Mulatten leben noch zwei andere Männer (Weisse), welche Livingstone gelegentlich der erwähnten Reise in Cassandsche kennen lernten. Der Eine, Jeronymos Tavares Ferreira, ist gegenwärtig in Lhombi (am Wege von Pungo n' Dongo nach Malange gelegen). Der Zweite ist Herr Saturnino.

Am 15. Juli verliessen wir um 11 Uhr 45 Minuten vor Mittag N'Gio und erreichten nach einem, der drückenden Hitze (durchschnittlich 25·7° C.) wegen, sehr ermüdenden Ritte, auf dem wir ziemlich umfangreiche Sümpfe (lamas) und die beiden kleinen Rios Fillo und Caribo, welche beide Zuflüsse des Quanzaflusses sind, passirten, um 4 Uhr 3o Minuten nach Mittag den letzten portugiesischen Ort, Sanza.

Hier nahmen wir wieder die Gastfreundschaft des Kaufmannes Augusto de Souza Machado in Anspruch und wurden in einer Lehmhütte untergebracht, wo auch unsere nächste Begleitung schlief. Diese Nacht wird unserem Gedächtnisse ewig in Erinnerung bleiben. Das Ungeziefer peinigte uns derart auf unserem Lager, dass wir in der Nacht noch unsere Tipoias aufstellen liessen und uns hineinlegten, um ausruhen zu können. Jedoch auch diese Berechnung schlug fehl, denn wiederholt fielen Ratten von der Decke der Hütte auf das Dach der Tipoia, welcher Umstand durchaus nicht im Stande war, uns eine stärkende Nachtruhe zu gönnen. Der Morgen des anbrechenden Tages fand uns daher schon auf einer kleinen Morgenpromenade.

Die zweite Nacht liessen wir uns durch die „salto mortale" der Ratten nicht mehr beunruhigen; die Natur verlangte ihre Rechte, und wir schliefen köstlich.

In Sanza fanden wir bereits alle unsere Träger beisammen in einem gemeinschaftlichen Lager. Nachdem Alles in Ordnung war und wir daher keine Ursache für einen längeren Aufenthalt hatten, entschlossen wir uns, blos zwei Tage in Sanza zu bleiben.

Sanza liegt am linken Ufer des Cuijiflusses in einer einförmigen Ebene. Der Fluss stürzt dort über bedeutende Basaltkolosse, welche im Flussbette liegen.

Mit Sanza hatten wir die letzte portugiesische Niederlassung erreicht und waren am Ende der portugiesischen Herrschaft angelangt. Von dort an beginnen die Territorien der freien, unabhängigen Negerstämme.

Im Jahre 1860 war dies noch anders. Damals war die östliche Grenze der Provinz Angola durch den dem Congo-System angehörenden Quangofluss gebildet, und in Cassandsche war noch ein portugiesischer Militärposten. Cassandsche, der Ort, den wir von Dr. Livingstone her kannten, heisst jetzt „Feira" (Markt). Das Benehmen der in diesem Orte damals ansässigen Kaufleute ist wohl die einzige Schuld, dass das linke Ufer des herrlichen Quangothales nicht mehr den Portu-

5*

giesen gehört. Sie wollten Alle hoch hinaus und behandelten
die Schwarzen roh und hart. — Die Sobas machten Krieg,
vertrieben den Militärposten in der Feira, desgleichen die Kaufleute, oder mordeten dieselben, raubten die Waaren, zerstörten
die Häuser und Plantagen, hieben die von den Kaufleuten
gepflanzten Orangenbäume um, kurz, zerstörten Alles, was auf
ein früheres Dasein der Weissen, von denen sie nur nach Möglichkeit bedrückt wurden, schliessen lassen könnte. Von 21 in
Cassandsche ansässigen Kaufleuten retteten sich blos 7 auf
grossen Umwegen, indem sie zuerst in's Innere gingen und
über Bihé wieder nach Angola gelangten. Saturnino ist auch
einer der Entkommenen.

Portugal machte keine weiteren Anstrengungen, das Land
wieder zu unterwerfen. Seit 1860 verkehren auf diesem Wege
(über Cassandsche) nur selten Portugiesen, obwohl die Bewohner
des Quanzathales dem Handel mit den Weissen gar nicht ab-
geneigt sind.

Nachdem offenbar der Weg über die „Feira" der kürzeste
ist, um in's Innere zu gelangen, beabsichtigten wir auch, diese
Route einzuhalten; Saturnino wusste uns jedoch von gerade
herrschenden Feindseligkeiten einiger Sobas um Cassandsche
untereinander sehr viel zu erzählen und rühmte uns eine andere,
weiter südlich ziehende, wohl längere, aber besser sein sollende
Route durch das Songogebiet, derart, dass wir uns entschlossen,
nicht unnöthig die Gefahr zu suchen und um so lieber den
südlicheren Weg einzuschlagen, als Saturnino, welcher bereits wiederholt denselben einschlug, uns begleiten wollte, dies
jedoch nicht gethan hätte, wenn wir bei der Linie Sanza-
Cassandsche geblieben wären.

Aus welcher Ursache er durchaus diesen Weg nicht gehen
wollte, ist mir unbekannt; im Verlaufe meiner Reise kam ich
in die Gegend der „Feira", erkundigte mich und hörte staunend, dass die Sobas in friedlichstem Einvernehmen untereinander stehen und schon seit Jahren keinen Krieg hatten, daher
ich Saturnino's Angabe als, aus einer mir völlig unklaren
Ursache, vollständig aus der Luft gegriffen erkannte.

Die Neger pflegen auf grösseren Reisen auch ihre Frauen
und Kinder mitzunehmen, und so war unsere Karawane in

Sanza bereits auf 114 Schwarze angewachsen; es schlossen sich aber im Verlaufe der Reise noch andere unternehmende Eingeborne an, so dass ich in Kimbundu mit 140 Schwarzen ankam.

Es dürfte nicht ohne Werth sein, wenn ich hier, nachdem mit unserer Ankunft in Sanza bereits alle für die Reise nöthigen Auslagen abgeschlossen waren, dieselben folgen lasse:

1. Preis der Waaren, welche bereits in Pungo n'Dongo gekauft wurden . . . . . 1,200.000 Reis
2. Preis der Waaren, welche in Malange gekauft wurden . . . . 1,846·350 „
3. Ankaufspreis zweier Sklaven . . . 50.000 „
4. Bezahlung für 75 Cargadores bis Kimbundu . . . . 750.000 „
5. Bezahlung des Dolmetsch Hebo . . 73.845 „
6. Kleine Auslagen in Malange . . . 41.450 „
7. Löhne für 12 Mann (Tipoiaträger und Leute, welche Waffen etc. trugen) . . . . 120.000 „

Total-Ausgaben . 4,081.645 Reis

oder 4 Contos und 81.645 Reis; umgerechnet in österreichisches Geld gibt dies eine Summe ·on 8940 fl. oder in deutschem Gelde 17.880 Mark, zu welchen Beträgen noch für jeden Reisenden der Expedition die Kosten der Reise von Europa nach Loanda, weiter Dondo, Pungo n'Dongo, sowie für den durch die Krankheiten der Herren v. Homeyer und Soyaux verursachten Aufenthalt in letztem Orte und für die Rückreise aller Expeditionsmitglieder nach Europa zuzuschlagen kämen, um die Total-Ausgabe der dritten deutschen Expedition zu erhalten.

Es stehen mir diesfalls keine genauen Daten zu Gebote, ich glaube aber, dass nach oberflächlicher Berechnung die Summe von 65.000 Mark der Richtigkeit so ziemlich nahestehen wird, aber, nachdem dabei auch die Kosten für sehr viel Unnöthiges inbegriffen sind, ganz gewiss mit 40.000 Mark hätte durchgeführt werden können, wenn man die Tauschwaaren an Ort und Stelle in Malange gekauft hätte. Freilich findet man hohe Preise, man muss aber bedenken, dass, ganz abgesehen von den Plackereien und Verzögerungen, welche man mit seinem Gepäcke bei der „alfandega" (Zollbehörde) in Loanda aus-

zustehen hat, man den Weitertransport bis Malange selbst ein-
zuleiten hat und dabei ganz unerhört übervortheilt wird, was
dem mit den Verhältnissen bekannten Kaufmanne nicht zustösst.
Man kommt also jedenfalls besser fort, gleich bei ihm zu kaufen.
In der von den Delegirten der Deutsch-afrikanischen Gesellschaft im Hörsaale der königlichen Universitäts-Bibliothek
zu Berlin am 9. April 1876 abgehaltenen Sitzung wurden in
einem vom Schatzmeister der Gesellschaft vorgelegten „Totale"
über sämmtliche seit Beginn aller Expeditionen entstandenen
Auslagen bis zum Ende des Jahres 1875 als Specialposten für
die v. Homeyer'sche Expedition (wie selbe ursprünglich hiess)
der Betrag von 63.625 Mark ausgewiesen, in welchem offenbar
die von mir bemerkte Summe von 17.880 Mark für die eigent-
liche Expedition bereits mit inbegriffen ist, nachdem dieselbe
schon im Laufe des Jahres 1875 zur Abrechnung gelangt
sein musste.

Am 18. Juli Mittags versammelten sich alle meine Träger
vor meiner Hütte zum Abmarsch.

Um das ihnen übergebene Cargo bequemer fortschaffen
zu können, bedienen sich die Cargadores der sogenannten
„Mohamba" (auch „muetete" genannt). Es ist dies ein aus
Campinengras erzeugtes korbartiges Geflecht, an welches zwei
lange Stangen befestigt sind. In den Korb kommen nun die
einzelnen Packete und oben wird dann das Ganze fest mit
Baststricken oder Riemen zusammengeschnürt. Die Stöcke ermöglichen es dem Träger, das ganze, wie erwähnt, gewöhnlich
circa 100 engl. Pfund schwere Cargo allein, ohne Mithilfe eines
Zweiten, vom Boden aufzuheben und auf die Schulter zu
bringen. Rastet er auf dem Marsche, so stellt er das Gepäck vor
sich auf die Stäbe senkrecht auf oder lehnt es an einen Baum.
Die Anwendung der Stäbe ist sehr praktisch, und hat ein
Träger eine Kiste, ein Fass oder einen Koffer zum Transport
übernommen, so bindet er sicherlich die zwei Stäbe daran.

Währenddem sich die Karawane zum Abmarsch sammelt,
erfüllen die schon Anwesenden fortwährend die Luft mit ihrem
monotonen Gesange und während des Marsches wird derselbe,
nur mit kurzen Pausen unterbrochen, bis zum Einrücken in's
Bivouac fortgesetzt.

So war es auch bei meiner Reise. Um 2 Uhr 30 Minuten nach Mittag verliessen wir Sanza. Die Träger gehen auf dem Marsche, den Communicationen entsprechend, im Gänsemarsch hintereinander. Wird ein Träger müde, so tritt er seitwärts und schliesst sich gelegentlich wieder an; stets wird er trachten, bald wieder in seine alte Eintheilung zu gelangen, nachdem die Mitglieder einer Familie oder die Leute eines Stammes immer beisammen bleiben und sowohl auf dem Marsche als ganz besonders auch auf dem Lagerplatze eine eigene Gesellschaft bilden,

Auf dem Marsche singt einer der Leute vor, die anderen antworten im Chorus und dieser Vorgang erinnert sehr an die allerseits in Europa bekannten Wallfahrten, bis auf das Marschtempo, welches so schnell ist, dass man oft ganz gut im Trab reiten muss, um bei der Karawane zu bleiben.

Das Singen und Lärmen meiner Leute wurde mir endlich zu viel, daher ich beschloss, etwas hinter der Colonne zurückzubleiben. Das wäre mir aber insoferne bald übel bekommen, als ich nahe daran war, mich in den jede Aussicht hemmenden Campinen zu verirren. Manu, Tom und Sim waren meine einzigen Begleiter, und dem Ersteren habe ich es zu danken, dass ich bald die richtige Fährte der Karawane wiederfand. Zum mindesten war mir hiedurch ein bedeutender Umweg erspart, den ich zweifellos hätte machen müssen, um wieder zu meinen Leuten zu stossen.

Wenn man mit den Sitten und Gebräuchen eines Landes noch nicht vertraut ist, so entgeht dem Auge oft das Auffallendste und Interessanteste. Nachdem ich eine Zeit geritten war, ohne noch die Colonne eingeholt zu haben und das Singen und Schreien der Träger immer schwächer wurde, woraus ich entnehmen konnte, dass die Entfernung bis zu ihnen im Gegentheil stets grösser wurde und ich auf einer falschen Fährte sei, machte ich meine Muleques aufmerksam, den richtigen Weg zu suchen. Wir gingen wieder eine ziemliche Strecke den eben begangenen Weg zurück, bis endlich meine Sklaven, Manu zuerst, mit vollster Bestimmtheit auf einen sich abzweigenden Fusssteig, als den von der Karawane eingeschlagenen, hinwiesen.

Der letzte der Träger pflegt nämlich bei solchen Weg-
abzweigungen stets den Sand gegen den nichtbetretenen Weg
derart hinzuschieben, dass dort ein kleiner Damm gebildet wird,
welcher diesen Weg abschliesst und für die Nachfolgenden den
Wegweiser abgibt. Beim ersten Passiren dieser Stelle. bemerkten
wir diese Anordnung nicht und mussten unsere Unaufmerksam-
keit mit einiger Zeitversäumniss büssen.

Als ich endlich der Karawane näher kam, liefen mir
schon auf eine halbe Stunde einige Schwarze entgegen, um
mich zu suchen, nachdem mittlerweile mein Abgang bei der
Colonne bemerkt wurde.

Um 5 Uhr 3o Minuten traf ich nach diesem sehr ermüdenden
Ritte (die Durchschnittstemperatur war 26° C.) bei Dr. Pogge
und meinen Leuten ein, nachdem diese bereits auf den Höhen
von Camalenda, im Gebiete des Sobas von N' Sala ihr Lager
aufgeschlagen und die Feuer angezündet hatten. Die Sansala
(Dorf) oder, wie eine zweite Bezeichnung lautet, der Powo
des Sobas war circa 5 Kilometer südlich unseres Lagerplatzes.

Gleich nachdem der Lagerplatz gewählt ist, begeben sich
einige der Träger in die Wälder, um Bäume zu fällen und
Laubwerk (Kissasse) abzuschneiden; andere bringen wieder
mächtige Bündel von Campinengras. Mit diesem Materiale
errichten sie nun in sehr kurzer Zeit für den Reisenden eine
Hütte (Fondo), wo er gegen die Einflüsse der besonders in den
Morgenstunden ganz empfindlich kalten Nachtluft genügend
geschützt ist. Müsste der Reisende solcher Unterkünfte für
längere Zeit entbehren, so wäre an einen Aufenthalt unter
diesen Breiten nicht zu denken.

Bei der Errichtung der Hütten gehen die Schwarzen fol-
gendermassen vor: Aus den Baumstämmen wird das Skelett des
Fondos in Form eines Kegels, dessen Grundfläche bei 3 Meter
im Durchmesser hat, zusammengestellt, zu welchem Zwecke
man bei einigen Stämmen an dem einen Ende das Zwieselstück
nicht abhaut. Zwischen diesen Stützen der Hütte werden nun
die „kissasse" (das Laubwerk) durchgeflochten und auf die
Mantelfläche des somit entstandenen Kegels kommen die Campinen in einer Dichte von o·5 Meter zu liegen, ohne weiter
befestigt zu werden. Auf das Ganze wird oben noch ein aus

einem Bund Campinen gebildeter Hut aufgesetzt und die Hütte
ist fertig.

Die freigelassene Oeffnung, der Eingang in die Hütte, wird
zur Nachtzeit mit einer aus Campinen geflochtenen Thür geschlossen.

Die Fondos gewähren grossen Schutz gegen die brennende
Sónne und nicht minder gegen die so heftigen Tropenregen. Zur
Regenzeit machen die Schwarzen überdies um die Hütte ganz
nahe am Rande ein kleines Gräbchen, in welchem sich das
von den Campinen ablaufende Regenwasser sammelt und von
dort weiter geleitet wird. In die Hütte kommt demnach nie
das Wasser.

Auch für eine über den Boden erhöhte Lagerstätte sorgen
die Schwarzen, indem sie starke Baumäste kreuzweise über einander und darüber eine Schicht Campinen legen, darauf kommt
noch eine aus getrockneten Gräsern geflochtene Matte (esteira,
von den Negern in Angola „mabella" genannt), auf welcher
der Reisende, eingehüllt in seinen Plaid und als Kopfpolster die
Jagdtasche benützend, ein wenn auch erwähnenswerth hartes,
so doch für central-afrikanische Verhältnisse keineswegs zu unterschätzendes Lager findet.

Die Schwarzen errichten diese Hütten in einer erstaunlich
kurzen Zeit, und zwar für jeden Weissen eine eigene.

Für sich selbst errichten sie aus kleineren Aesten Um-
zäunungen, innerhalb welchen sie, geschützt durch die in der
Nähe aufgestapelten Cargos ihre Feuer anmachen, um welche
sie bis spät in die Nacht hinein sitzen und fortwährend lärmen
und singen, denn ruhig sprechen kann der Neger nicht.

Die Muleques, welche zur Bedienung ihres Herrn in der
Nähe desselben bleiben müssen, zünden sich ihr Lagerfeuer vor
dem Fondo an und schlafen auch dort auf ihren Campinen-
matten.

In der Nacht macht der Reisende jedoch auch manchmal,
besonders wenn er eine Gegend durchzieht, gegen deren Bewohner er sich in Acht nehmen zu müssen glaubt, im Innern
der Hütte Feuer an, um bei einem etwaigen Angriffe sich schnell
orientiren zu können. In solcher Lage muss natürlich der Hut
der Hütte abgenommen werden, um dem Rauche den Abzug

zu ermöglichen und ein Muleque muss in der Hütte bleiben, um die Glut immer wieder anzufachen.

In der Hütte Feuer zu unterhalten ist auch oft in Gegenden angezeigt, wo viele wilde Thiere sind, um sich dieselben vom Leibe zu halten. Auf allen Reisen in Afrika ist es dringend geboten, die Schiesswaffen allezeit geladen zu haben; ja, Saturnino rieth uns, des Nachts, wie er es thut, immer das Gewehr neben sich unter die Decke zu nehmen. Auch werden stets die verlässlichsten Träger mit Steinschloss-Gewehren betheilt und andere Schwarze haben ihre eigenen Gewehre, so dass im Lager immer etliche Feuerwaffen zur Verfügung stehen.

Man muss gegen die Eingebornen immer auf der Hut sein; ist die Karawane auf dem Marsche, so kommt es manchmal vor, dass sie, in den Campinen lauernd, einzelne unter ihrem Cargo keuchende Träger, welche von der Colonne zurückblieben, überfallen und plündern; des Nachts fallen sie auch gelegentlich unter Führung ihres Sobas in's Lager ein, wenn der weisse Reisende nicht immer durch auffallende Aufmerksamkeit sich ihnen bemerkbar macht, wodurch ihnen das Gefährliche eines solchen Unternehmens nahegelegt wird. Auch ist es sehr zu rathen, gelegentlich des Besuches eines Sobas im Lager die eigenen Waffen sehen zu lassen, auf die Güte derselben hinzuweisen oder vielleicht auch, besonders bei den Hinterladern, den Mechanismus zu erläutern. Und hiezu bietet sich jeden Tag die Gelegenheit, nachdem sich der Soba, wie er hört, dass eine Karawane auf seinem Gebiete ihr Lager aufgeschlagen hat, beeilt, diesen Platz, respective den Reisenden zu besuchen, was aber blos den Zweck hat, irgend ein Geschenk zu erhalten.

Am 19. Juli des Morgens um 7 Uhr brachen wir wieder auf und bezogen nach vierstündigem Marsche, während welchem der Fluss Caïongo durchschritten wurde, im Gebiete des Sobas von Caïongo unser Camp. Das Passiren der Flüsse gehört nicht zu den grössten Schwierigkeiten, zu welchen aber jedenfalls das Durchschreiten der „lamas" (Sümpfe) zu rechnen ist. In der Trockenzeit ist der Rio caïongo blos ein Sumpf, aber von ganz bedeutender Ausdehnung. Ich passirte ihn in

dreiviertel Stunden, indem ich mich in der Tipoia hindurch-
tragen liess, während die Stiere hindurchgetrieben wurden. Die
Schwarzen wissen immer beinahe genau den besten, seichtesten
Weg durch den Sumpf, nichtsdestoweniger wird der Marsch
doch bedeutend durch dieses Terrainhinderniss verzögert.
Auch den 20. Juli mussten wir auf demselben Lagerplatz
zubringen. Zwei meiner Träger wurden krank oder simulirten
wenigstens die Krankheit, und da wir keine Reserveträger mitgenommen hatten und die Colonne zusammenhalten wollten,
so blieb uns nichts Anderes übrig, als diesen Tag auf den
Weitermarsch zu verzichten. Derlei unfreiwillige Aufenthalte
sind für den Reisenden sehr störend. Er wird im Vorrücken
gehindert, ohne aber dadurch etwas zu gewinnen, denn die Zeit
ist zu wissenschaftlich werthvollen Beobachtungen, mit Ausnahme
der astronomischen Festlegung des Platzes, doch viel zu kurz.

Dazu wird man von den Eingebornen fort und fort belästigt, da sie den ganzen lieben Tag sich im Lager herum-
treiben und besonders gerne vor der Hütte des Weissen nieder-
hocken, um ihn zu begaffen und mit Fragen zu überhäufen.
Da thut man nun am besten, wenn man zum Gewehre greift
und — auf die Jagd geht. Kommt auch kein Wild zum Schusse,
was meistens der Fall ist, so findet man doch in der Waldes-
einsamkeit die so nöthige Ruhe. Nicht als ob die Gegenden
arm an Wild wären, im Gegentheil, die afrikanischen Tropen
sind reich an den verschiedensten Arten von Jagdthieren, wie
Antilopen, wilde Katzen, worunter viele Panther und Löwen,
wilde Büffel, Hyänen, Schakale u. s. w. — Die Thiere heben
sich aber in ihrer Farbe so schwer von jener der Campinen
ab, dass es eines geübten Auges bedarf, um sie wahrzunehmen;
man steht manchmal ganz nahe dem Wilde und sieht es nicht.
Sehr häufig erschweren auch die hohen Campinen die Aussicht
oder machen selbe ganz unmöglich.

Man nimmt daher stets einen der Verhältnisse kundigen
Schwarzen mit auf die Jagd. Dieser weiss das Wild zu suchen
und zu finden; sein durch den fortwährenden Aufenthalt im
Freien geübtes Auge ersieht es schon auf grosse Entfernungen.

Ich habe bereits früher, bei Anführung der Steinschloss-
Gewehre als Tauschartikel, der Art und Weise erwähnt, wie

der Neger die Jagd betreibt; der Weisse kann ihm dies
nicht nachmachen und es lässt sich auch nicht erlernen. Die
Folge davon ist, dass es dem Weissen nicht gelingt, unbemerkt,
ruhig und geräuschlos an das Thier so nahe heranzuschleichen,
um auf kurze Entfernung zum Schuss zu kommen, ohne die
Aufmerksamkeit des Wildes zu erregen. Die Antilopen sind
diesbezüglich am schwierigsten zu bekommen, während der
Panther *(felis pardus)*, welcher gewöhnlich „tigre" genannt
wird, viel leichter zu treffen ist.

Eine Stunde nach unserem Eintreffen im Gebiete von
Caïongo, welches unter kleine, nicht den Titel „Soba" führende
Häuptlinge getheilt ist, erhielten wir den Besuch zweier „wirk-
licher" Sobas, und zwar jenes von Cassandsche, welcher gerade auch auf einer Reise war, und jenes von Kindindi.
Beide brachten uns Geschenke, der Eine ein Schwein und eine
N'Kinda (korbartiges Strohgeflecht) voll Fuba (Mehl, aus der
Maniokpflanze bereitet), der Andere eine schöne, grosse Ziege
und ebenfalls Fuba. Bei den Sobas des Songogebietes, in
welches auch Caïongo gehört, ist das Geben von Geschenken
allgemeiner Brauch.

Die N'Kinda wird von den Eingebornen in manchmal
recht niedlichen Formen und meistens verschiedenfärbig aus
Campinen erzeugt und dient zur Aufbewahrung verschiedener
Esswaaren, ja manchmal ist sie so dicht und fest geflochten,
dass man darin ganz gut einige Stunden lang Wasser auf-
bewahren kann.

Die Maniokpflanze *(Jatropha manihot)* gehört in die
Familie der Euphorbien und ist in rohem Zustande für den
Menschen giftig, verliert aber durch das Kochen oder Rösten
jede schädliche Eigenschaft. Für das Vieh ist blos die Schale
schädlich, das Innere wird besonders von dem Rinde gerne
gefressen. Die Neger schneiden sich den abgeschälten Knollen
oft in Streifen, welche dann auf der Gluth geröstet werden.
Sie nennen dies Gebäck in einer leichten Anwandlung von
Ironie „bonbon", welches Wort sich jedenfalls von der Küste
hieher verirrte. Auch der portugiesische Ausdruck confeitos
(Zuckerwaare) wird hiefür, wenn auch ganz mit Unrecht,
manchmal in der Provinz Angola vernommen. — Eine zweite

Geniessbarmachung der „Manioca" ist folgende: Die geschälten
Stücke werden an der Luft getrocknet, sodann in einem aus
einem Baumstrunke erzeugten Mörser zerschlagen und möglichst
fein zerstossen. Das erhaltene Mehl heisst sodann „Fuba".
Diese Bereitung des Mahles wird ausschliesslich von den
Weibern durchgeführt, von deren Reinlichkeit die mehr oder
weniger weisse Farbe, welche manchmal sehr in's „Gräuliche"
hinüberspielt, abhängig ist.

Aus der Fuba wird sodann ein Gericht nach Art der
italienischen Polenta bereitet und heisst „Infunda". Für Neger-
magen mag selbe recht wohlschmeckend sein, dem Weissen
schmeckt sie erst nach längerem Fasten.

Für diese Gaben erhalten die Sobas nun Gegengeschenke aus
den mitgeführten Tauschartikeln, und man pflegt sié stets zu
fragen, was sie gerne haben möchten. Freilich werden sie
gleich mehrere Artikel, und dazu noch jeden derselben in grosser
Quantität verlangen, denn selbst die Sobas verleugnen nicht
die hervorstechendste Tugend ihres Stammes: die Unverschämt-
heit. Man braucht sich eben nicht darnach zu halten und
gibt so viel man will, lässt ihnen aber immer eine geringe
Quantität des bei den Negern allgemein beliebten Branntweins
zukommen. Wie man hiebei vorgeht, erwähnte ich bereits an
anderer ·Stelle.

An, aus den Producten des Landes gewonnenen geistigen
Getränken haben sie ausser dem Palmwein noch die sogenannte
„Garappa" (in manchen Gegenden auch „oalua", bei den
Massongos „ualla" genannt), welche häufiger genossen wird.
Dieses Getränk wird aus der Sagopalme, welche in den tiefer-
liegenden Gegenden sehr häufig vorkommt, gewonnen und hat
eine milchige Farbe und säuerlichen Geschmack. Die Neger
trinken die Garappa sehr gerne; mir konnte dieselbe nicht gut
schmecken. Man denke sich sehr trübes, etwas angesäuertes
Wasser, in welches eine geringe Quantität von feinem Gries
geschüttet wird, und man kann sich die möglichst richtigste
Vorstellung von der „oalua" machen.

Die Sobas kommen bei ihren Besuchen nie allein in's Lager.
Stets sind sie umgeben von ihren Ministern und einer mitunter
beträchtlichen Zahl von Leuten ihres Volkes und von Sklaven.

Der Soba von Cassandsche kam in einem grossen rothen Mantel, sein Haupt mit einer Schlafhaube bedeckt und bewaffnet mit einem buntscheckigen Sonnenschirm mit einer Würde einhergeschritten, die ausserordentlich spasshaft war und unwillkürlich meine Gesichtsmuskeln in angenehme Erregung brachte. Dem Besuch wird stets eine „esteira" vor die Hütte gelegt, worauf sich dann blos der Soba niedersetzt, während seine Begleitung dicht um ihn gedrängt herumhockt. Jetzt erst beginnt der „Palaver" (die Besprechung), wobei der König, recte Soba, damit beginnt, dass er den Reisenden willkommen heisst; hierauf folgt die Uebergabe der Geschenke von beiden Seiten, wo, nachdem die Branntweinflasche herumgereicht wurde, die Unterhaltung erst in richtigen Fluss kommt. Ich bemerke hiezu, dass der König von dem Branntwein die halbe Flasche für sich behält, während er den Rest unter seine Leute vertheilt, wozu er sich manchmal auch der von den Portugiesen in den Handel gebrachten thönernen Wasserbecher (port. caneca), welche auch wir behufs des Tauschens mitführten, bedient.

Nun wird gegenseitig gefragt und beantwortet. Der Soba will gewöhnlich sehr viel wissen; er frägt, wer der Reisende ist, welcher Nation er angehört (Portugueze oder Inglese, andere Nationen sind ihm vorderhand unbekannt, und wir hatten auf der ganzen Reise wiederholt Gelegenheit, zur Vermehrung der geographischen Kenntnisse der schwarzen Häupter beizutragen), welche Zwecke die Expedition verfolgt und wie viel selbe an Waaren mit sich führt. Letzteres ist eine, anscheinend sehr harmlose, vielleicht der naivsten Neugierde entsprungene Frage, die, wahrheitsgetreu zu beantworten der Reisende aber immer unterlassen muss, da es sonst sehr leicht sein könnte, dass der Soba in richtiger Würdigung des Werthes sich veranlasst fühlen könnte, eine „razzia" auf die Karawane zu unternehmen.

Wie in Beantwortung dieser Frage ist man überhaupt bei jeder anderen sehr gemessen, und zwar in der vollsten Ueberzeugung, dass der Soba auf die an ihn gestellten Fragen auch nur so viel antwortet, als ihm passend scheint.

Der Palaver dauert mitunter sehr lang. Abgesehen davon, dass immerfort neue Fragen auftauchen, ist diese lange Dauer ganz besonders dadurch bedingt, dass der Soba nie directe zum Reisenden spricht, sondern alle Fragen und Antworten von dem ersteren an seinen Minister gehen, welcher sie durch den Führer oder Dolmetsch des Weissen dem letzteren mittheilen lässt. Von Seite des Reisenden wird der umgekehrte Vorgang eingehalten. Diese Sitte mag wohl ursprünglich dadurch entstanden sein, dass der Reisende sich nicht direct dem Soba, der Unkenntniss dessen Sprache halber, verständlich machen konnte, was jetzt, wo die Kaufleute sich häufig schon die Kenntniss der Negersprache, besonders jener der Massongos angeeignet haben, wohl nicht mehr nöthig wäre.

Der Soba bleibt auch aus anderer Ursache sehr gerne lange sitzen, indem er immer noch hofft, dass wiederholt eine Flasche Branntwein für ihn erscheinen werde; wenn er lange ohne Erfolg wartet, so lässt er gelegentlich auch eine leise oder — starke Anspielung auf seinen Wunsch vom Stapel. Der Reisende zeigt aber gewöhnlich gar kein Auffassungs-Vermögen und Verständniss für derlei Bemerkungen, zieht sich vielmehr gelegentlich in seinen „fondo" zurück und lässt den Soba sammt Begleitung sitzen. So bleibt die Gesellschaft gewöhnlich bis Abends vor der Hütte, und zwar der Soba, noch lange nachdem die Sonne bereits untergegangen ist, unter dem offenen Sombreiro.

Die von den Sobas als Geschenke gegebenen Ziegen werden auf den Märschen überall mitgetrieben, desgleichen die Schafe, während die Schweine stets gleich geschlachtet werden. Wir gaben das vom Soba von Kindindi stammende Schwein unseren „Muleques", welche damit weitere Geschäfte machten. Auch das ganze Maniokmehl wurde unter sie vertheilt.

Die kranken Träger waren wieder gesund geworden, so dass wir am 21. Juli weiter wandern konnte.

Schon um 10 Uhr Vormittags schlugen wir in Gundo ja Pungo wieder unser Lager auf. Der Marsch war nicht anstrengend und ging beinahe immer durch Niederwald und Hügel auf, Hügel ab. Der ganze Tag war sehr heiss, ja schon während des Marsches hatten wir unter einer Durchschnitts-Temperatur von 19·5⁰ C. wiederholt die Kraft der Tropensonne zu fühlen und um 12 Uhr Mittags schon zeigte das

Thermometer 32·5⁰ C., um sodann um 2 Uhr 15 Minuten seinen Höhepunkt bei 38·4⁰ C. zu erreichen.

Wir hatten das zweifelhafte Vergnügen, den Soba von Gundo ja Pungo kennen zu lernen, welcher uns zwei Ziegen brachte und von welchem gesagt wird, dass er der ärgste Räuber der Umgebung sei und schon manche Karawane ausgeraubt habe.

Eine Meile von hier befindet sich der Wohnsitz des bedeutendsten Sobas des zwischen Sanza und dem Rio Cuiji (in seinem Oberlaufe) liegenden Abschnittes des Songo-Territoriums. Es ist dies der Seculu Marimba Angombe. Seculu heisst in der Sprache der Massongos: „Aeltester" und steht noch höher als der Soba.

Auch dieser Seculu hat wiederholt Karawanen portugiesischer Kaufleute ausgeraubt, wenn selbe in früheren Jahren von Sanza nach Cassandsche zogen. Er hatte deshalb sehr viele Kämpfe mit dem portugiesischen Militär, wusste sich aber immer zu behaupten und siegreich zu bleiben, wodurch er seine Unabhängigkeit erhielt. Leider hatten wir keine Gelegenheit, ihn kennen zu lernen.

Am Abend kam der Soba von Kipépe und ergänzte unsere Heerde durch ein Schwein und eine Ziege. Obwohl wir noch keinen Mangel an frischem Fleische litten, kauften wir dennoch auf Saturnino's Rath noch einige Thiere dazu, nachdem viele Eingeborene auf dem Lagerplatze erschienen waren, um uns Ziegen, Schafe, Schweine und Hühner anzubieten. Auch brachten sie Eier, Bataten (*Convolvulus batatus,* deren mehlreiche Wurzeln gleich der Kartoffel verwendet werden und einen süsslichen Geschmack haben) und Fuba.

Für ein Huhn bezahlte ich Fazenda im Werthe von 4 Macutas und 6 Eier kosteten zwei kleine Schuss Pulver.

Am 22. Juli campirten wir im Gebiete des Sobas von Cacunga, welcher im Laufe des Tages ebenfalls mit Geschenken kam.

Ganz nahe unserem Lager floss der Rio Canioco, ein besonders in der Regenzeit sehr gefährliches Wasser.

Diesen Tag kamen viele neugierige Schwarze, welche uns mit ihrer beispiellosen Neugierde sehr belästigten. Die

Männer stehen hierin den Weibern nicht im Geringsten nach. Sie belagern förmlich den Eingang in die Hütte und sitzen oder stehen dichtgedrängt, Kopf an Kopf, dass man im „fondo" weder Licht noch Luft hat, fortwährend den Reisenden mit ihren Fragen, oder ihrem Lärmen belästigend. Will man die Hütte verlassen, so muss man sich erst durch die Menge Bahn brechen. Man muss sich aber hiebei sehr hüten, in der Uebereilung irgend einem der Leute einen, wenn auch gelinden Rippenstoss zukommen zu lassen; gleich geht der Betreffende mit Geheul zu seinem Soba, um Klage zu führen. Der Letztere lässt sich sodann den Weg nicht verdriessen, um vom Reisenden für seinen Unterthanen eine Entschädigung zu fordern, denn er bekommt ja davon auch einen Theil. Die Schwarzen sind nun schon so praktisch, dass sie absichtlich Alles versuchen, um vielleicht doch den Weissen derart zu erregen, dass er sie schlägt.

Die Leute dieser Gegend haben fast durchgehends spannlanges Haar, welches sie in kleinen Zöpfchen mit Muscheln und Perlen verflochten tragen, und stark mit Oel (Ricinus- oder Palmöl) tränken. Diese kleinen Zöpfchen werden mit grosser Genauigkeit und in möglichst grosser Zahl gemacht und die Endchen wieder untereinander verbunden, so dass die ganze Frisur einer blos rückwärts zu heben möglichen Kappe gleicht. Da dieses Einflechten' der Haare sehr mühsam und langwierig ist, so ist es auch begreiflich, dass die einmal gemachte Frisur durch Monate hindurch nicht geändert wird. Dieser Umstand und das übermässige Einfetten der Haare befördern begreiflicherweise die Reinlichkeit der Kopfhaut durchaus nicht.

Männer und Weiber huldigen dieser Mode und die ersteren, welche Bärte haben, drehen sich sicherlich am Kinn auch noch ein Zöpfchen. Manchmal findet man auch Männer, welche ober der Stirnmitte derlei aufrecht stehende Haarzierden tragen, doch kommt es selten vor und scheint ein Vorrecht der Würdenträger zu sein.

Ausserdem dass sich die Eingebornen das Haar mit Oel tränken, salben sie auch den ganzen Körper damit ein. Sie thun dies wahrscheinlich der Temperatur-Verhältnisse des Landes wegen. Bei der übergrossen Hitze müsste die Haut

rissig werden und des Nachts, besonders in den kalten Morgenstunden und bei den Nebeln, könnten die Leute nicht existiren,
wenn sie, ohne Kleidung, nicht zu dem Einfetten greifen
würden. Durch das letztere leidet aber, besonders während
der grossen Wärme, die Atmosphäre der Umgebung der Leute
in sehr grossem Masse, denn die sich entwickelnden Gerüche
sind nicht zu den erträglichen zu rechnen.

Manchmal kommt man auf dem Marsche, also während
des Culminatioqspunktes der Transspiration, mitten in die
Colonne hinein und erhält Eindrücke auf die Geruchsnerven,
welche nie der Erinnerung entschwinden. Kommt man gerade
unter die Träger, so wähnt man sich mitten in eine Schaf-
heerde mit ihren charakteristischen Wohlgerüchen versetzt,
kommt man zu den „Weibern", so macht der penetrante,
ekelhafte Knoblauchgestank, wie er den Schlangen eigen-
thümlich ist, ein längeres Verweilen unter ihnen bald unmöglich.
Das eben Erwähnte fand ich in allen von mir durchreisten
Gebieten.

Am 23. Juli setzten wir den Marsch wieder fort, passirten
zweimal den Rio Canioco und noch einmal den Rio Cuiji,
worauf wir im Gebiete des Sobas von N'Donga unser Lager
aufschlugen.

Wir hatten einen reizenden Marsch durch Hochwald, wo
ich das erstemal das gellende Geschrei wilder Papageien hörte,
welche durch das Lärmen unserer Karawane aus ihrer Ruhe
aufgescheucht wurden.

In der Regenzeit aber muss dieser Marsch sehr gefährlich
sein, denn schon jetzt war das Passiren der beiden Flüsse,
wenn auch nicht gefährlich, so doch mit der unangenehmen
Eventualität eines Schlammbades verbunden. Man geht fortwährend im Sumpfe; die Ochsen, resp. Stiere treten, obwohl
ihr Schritt ruhig und in der Regel sicher ist, dennoch manchmal in eine Tiefe und stürzen, wobei der Reiter in den Schlamm
kollert. Man kann von Glück sagen, wenn es gelingt, das
Thier noch zu retten und herauszuziehen. Für solche schwierig
zu passirenden Stellen ist die Tipoia vorzüglich dazu bestimmt,
den Reisenden weiter zu bringen. Wir wurden auch wirklich
in derselben durch den Sumpf getragen, und zwar in 25 Mi-

nuten das erste-, und in 18 Minuten das zweitemal (Rio Canioco), während die Stiere abgesattelt und unbepackt durchgetrieben wurden.

Im Laufe des Tages blieb natürlich auch der Soba von N'Donga nicht aus.

Des Abends kamen einige meiner Träger von der Jagd zurück und brachten eine erlegte Antilope, wodurch uns für den nächsten Tag ein guter Wildbraten in Aussicht stand.

Am 24. Juli schlugen wir nach einem dreistündigen Marsche unser Lager nahe der Sansala Candumbo auf, deren Soba gleich mit seinem Besuche zur Hand war und die üblichen Geschenke brachte.

Der Marsch ging abermals stets durch Baobab- und Mangrove-Waldungen.

Von hier an überschritten wir den Hauptzug des Tala-mongonga-Gebirges, während das mit den Höhen von Cama-lenda beginnende Terrain bis hieher zu den westlichen Abfällen des erwähnten Gebirges zu rechnen ist. Der Hauptrücken desselben ist durchwegs bewaldet.

Schon seit einigen Tagen zeigten sich bei mir Fieber-symptome, welche aber leichter Art waren, so dass ich mich nicht veranlasst fand, ein Medicament zu nehmen. Heute aber rüttelte das Fieber in hohem Grade derart an meinem Körper, dass ich zu jeder geistigen Arbeit unfähig war. Herr Pogge gab mir eine tüchtige Dosis von Chinin und so wurde ich nach gehöriger Transspiration wieder auf die Beine gebracht.

Wir schlachteten diesen Tag eine Ziege, worüber sich besonders unsere Muleques freuten. Sie sogen die rohen Ein-geweide des Thieres aus.

Am 25. Juli schlugen wir nach kurzem, aber durch den Anstieg auf's Gebirge sehr ermüdenden Marsche unser Lager in Mutu uangenge auf. Da ich mich des Morgens noch nicht ganz wohl befand, so liess ich mich in der Tipoia tragen, wo ich vollkommen vor den Einflüssen der Sonnenstrahlen geschützt war.

Unser Führer Hebo hatte in Mutu uangenge einige Differenzen mit dem Soba zu schlichten. Hebo stahl nämlich hier gelegentlich einer früheren Reise einen Sklaven, indem

6*

er Letzteren unter Bedrohung seines Lebens zwang, mit ihm zu
gehen. Der Soba verlangte nun Entschädigung in Waaren
oder wieder einen Sklaven. Nachdem die erstere sehr hoch
gewesen wäre und man im Inneren sehr billig einen Sklaven
kaufen kann, so wurde schliesslich Hebo mit dem Soba nach
einem sehr langen Palaver insoweit einig, dass sich Ersterer
verpflichtete, am Rückwege aus dem Innern einen Sklaven zu
bringen.

Uebrigens bemerkte ich, dass die Eingebornen mit diesem
Handel nicht ganz einverstanden waren. Dies bewies nämlich
ihre nichts weniger als freundliche Haltung uns gegenüber.
Nachmittags wurde unser Lager mit ziemlich grossen Stücken
Erde und Steinen von allen Seiten beworfen, und das Gesindel
zeigte nicht übel Lust, uns anzugreifen. Wir gaben Befehl, im
Wiederholungsfalle auf die Angreifer zu schiessen und unsere
Cargadores verjagten auch in der kürzesten Zeit die Eingebornen. Die Nacht hindurch musste gehörig aufgepasst
werden, es ereignete sich aber nichts Besonderes; die Leute
schienen mit der ihnen zugekommenen Drohung eines Besseren
belehrt worden zu sein.

Des anderen Tages aber, schon zeitlich am Morgen, kam
der Soba nochmals in Begleitung von vielen Leuten. Er hatte
es sich bezüglich des Geschäftes mit Hebo anders überlegt,
verzichtete auf einen Sklaven und wollte durchaus die Entschädigung in Waaren haben, demzufolge dem „guia" nichts
übrig blieb, als 3 grosse Peças de Fazenda, welche Menge an
anderen Orten zum Ankauf von zwei, auch drei Sklaven hingereicht hätte, dem erzürnten Soba abzugeben.

Wir hatten unter unseren Leuten wieder einige „Kranke",
daher unser Marsch abermals eine Verzögerung erlitt; wir
blieben noch einen Tag im Lager.

Während des Nachmittags kamen die beiden, in der
Umgebung wohnenden Sobas von Silenda und Mohondo. Der
Letztere war im Besitz einer sehr abgeschabten Mütze von
rother Farbe und wollte von uns durchaus dafür eine neue
eintauschen, worauf wir jedoch nicht eingingen.

Während des Tages erholte ich mich vom Fieber, dafür
aber wurde Herr Pogge davon sehr stark befallen.

Gegen Abend kamen ausnehmend viele Eingeborne in's Lager; theils boten sie Maniok und Eier zum Kaufe an, theils trieb sie wieder Neugierde her, was uns sehr lästig war. Ich schloss den Eingang meiner Hütte, um ausruhen zu können, was mir aber nicht gelang, denn vor der Hütte sass das Volk und lärmte, dazu schrieen die Ziegen, blökten die Schafe und krähten die Hähne, so dass mir endlich die Geduld riss. Ich stürmte, bewaffnet mit der „chicote" in's Freie, hatte aber sehr leichte Arbeit, denn — als die Leute meiner nur ansichtig wurden, stoben sie weit auseinander und wagten sich nicht mehr in die Nähe des „fondo".

Auch die zweite Nacht verlief ohne Ruhestörung und am 27. Juli wanderten wir wieder weiter. Wir passirten, noch immer bergan steigend, die Sansala Kipepe, dann Mohondo und Museke; in Cambundschi-Catembo schlugen wir wieder unser Lager auf.

Dr. Pogge wurde während des Marsches noch stärker vom Fieber befallen; mir ging es verhältnissmässig gut.

Die Eingebornen des ganzen Songo-Gebietes sind mit Ausnahme der Seculus, der Sobas und der Minister blos mit alten, schmutzigen Fetzen oder Fellen, welche sie um die Lenden binden, bekleidet.

Die Weiber stehen da mit nur zur Noth bedeckten Lenden und weit herabhängenden ekelerregenden Brüsten, den Hals mit bunten Perlen oder anderem Tand behängt, das Haar und der Körper triefend von Oel und manchmal mit rother Farbe oder Lehm beschmiert, das Gesicht desgleichen — kurz, ein Bild des zarten Geschlechtes Afrikas oder besser der — afrikanischen Venus.

Die rothe Farbe wird aus den in Westafrika in grosser Zahl vorkommenden Drachenblutbäumen (*Dracaena draco*) gewonnen. Beim Anschnitte schwitzen dieselben eine blutrothe, harzige Masse aus, welche Drachenblut genannt und bekanntlich als Farbe verwendet wird.

Damit oder mit nasser Erde oder Lehm bestreichen sich nun die Weiber zur Zeit der Menstruation das Gesicht oder stellenweise den Körper. Die Lehmkruste bildet oft eine ganze Gesichtsmaske, aus welcher man blos durch Oeffnungen die

Augen, die Nase und den Mund ersehen kann, was einem Todtenkopf sehr ähnlich sieht.

Diese Farben- oder Lehmschmiere wird nie abgewaschen, sondern bleibt am Körper bis sie abtrocknet und stückweise von selbst herabfällt.

Bei den „Minungos", deren Land ich im späteren Verlaufe meiner Reise durchwanderte, kommt dieses Beschmieren des Gesichts und des Körpers mit Farbe oder Lehm ausser in vorerwähnten Fällen noch als Zeichen der Trauer vor.

Während unseres Marsches am 28. Juli passirten wir die beiden Sansalas Pate und Macanga und lagerten bei Mihongo, in welchem Orte und der Umgebung viele unserer Träger Bekannte trafen. Auch blieben uns einige Leute in Macanga ohne Bewilligung zurück, so dass wir uns gleich entschlossen, erst dann weiter zu gehen, wenn die Karawane wieder beisammen wäre.

In Mihongo fanden wir von einer früheren Reise Saturnino's herrührende Hütten vor, welche wir bezogen, aber nicht ohne vorher dieselben einer gründlichen Reinigung unterziehen zu lassen, was stets dringend geboten ist, da begreiflicherweise auch die reisenden Neger gerne solche fertige Hütten benützen, welche dann mit Ungeziefer übersäet werden.

Die Dörfer des Songo-Gebietes bestehen blos aus solchen „fondos", wie man sie flüchtig auf der Reise errichtet. In der Regenzeit werden sie jedoch dichter eingedeckt.

Nachdem bereits am nächsten Tage schon zeitlich des Morgens die zurückgebliebenen Träger nachkamen, hofften wir am 30. die Reise fortsetzen zu können; da fiel es auf einmal dem Dolmetsch ein, krank zu werden, d. h. Krankheit vorzuschützen, wodurch wir abermals aufgehalten wurden. Ich sah übrigens aus dem ganzen Benehmen meiner Leute, dass sie nicht gerne von Mihongo weggingen, daher ich mir diese „Zufälligkeiten" erklären konnte. Unser Lagerplatz war auch nirgends so sehr von den Eingebornen besucht wie hier und Alles tanzte und sang den ganzen Tag hindurch.

Während in Angola zum grössten Theil das Christenthum verbreitet ist und die Functionen von schwarzen Geistlichen, welche in Lissabon ihre Erziehung erhalten, ausgeübt werden, huldigen die sämmtlichen, ostwärts der portugiesischen Besitzungen bis in's Innere wohnenden Stämme der Fetischreligion.

Der Fetischdiener glaubt an höhere Wesen, an unsichtbare Kräfte, deren Einflüssen Gutes und Böses zuzuschreiben ist.

Kitecas.
¹/₄ n.

Um aber in einer oder der anderen Richtung diese Kräfte für sich zu gewinnen, wählt sich Jedermann einzelne Gegenstände, Naturproducte und Thiertheile, oder er macht sich Figuren aus Holz, welche er „Fetische" oder „Kitecas" nennt, und welchen er die Kraft beimisst, für seinen Wunsch bei dem höheren Wesen als Fürsprecher erfolgreich zu wirken.

Einige dieser übernatürlichen Kräfte werden durch Menschen vorgestellt, welche „Mukischi" genannt werden und bei grösseren Ceremonien, beispielsweise bei Todesfällen und den meist hierauf folgenden Gottesgerichten, das Centrum der ganzen Ceremonie bilden.

In einem nahe bei Mihongo liegenden Povo wurde eine Heirat geschlossen, und da hatte ich Gelegenheit, den „Mukischi der Ehe" sehen und zeichnen zu können. Diese Classe von Menschen bildet eine eigene Kaste, die von allen Eingebornen unterstützt wird.

Indem ich bemerke, dass die Kleidung der Mukischis keine bestimmte ist, will ich versuchen, den in Mihongo gesehenen zu beschreiben.

Der „Feitiçeiro", wie er im Portugiesischen genannt wird, trug eine den ganzen Kopf bedeckende Maske aus Fellen. Die Gesichtsseite war mit den entsprechenden Augen- und Nasenlöchern versehen und hatte auch eine Oeffnung für den Mund.

Während das Hinterhaupt ganz mit weichen Vogelfedern bedeckt war, war die vordere Seite mit grellen Farben, die Stirne mit Pech bestrichen. Ober der Stirne war ein roth bemaltes, hohes „toupet" aufgesetzt, welches im Bogen herum, wie dies die Indianer zu thun pflegten, mit schönen, hohen Federn, meistens Adlerfedern, geziert war.

Vom Halse herab trug der „Feitiçeiro" eine enganliegende aus Baumbast genetzte, kleinmaschige Kleidung, die ich für afrikanische Verhältnisse als eine sehr schöne Arbeit bezeichnen kann. Denkt man sich nun die Arme dieser Figur, sowie die Lenden, um welche ein mit Kauri-muscheln besetztes kleines Thier-fell geschlungen war, und die Knie überdies mit buntfarbigen alten und neuen Fetzen umwunden, so stellt diese Maske den Mukischi vor.

Es war ein Heidenlärm nächst unserem Lager, alle unsere Träger waren ausgeflogen und hatten sich um den Mukischi geschart, das Volk aus der ganzen Umgebung war herbeigeströmt, um da zusammen zu lärmen und zu schreien.

Bei dem Schalle der Kipuitas wurde „Batuk" getanzt und in

Der Mukischi.

einem grossen Kreise, gebildet von Hunderten von mitsingenden Eingebornen und bei einer Musik von drei Trommeln und zwei Glocken führte der Mukischi seine Soloscene auf. Bei diesem Gesange, der äusserst unmelodiös war und bei welchem alle Augenblicke der Rhythmus geändert wurde, sprang der Held des Tages, fortwährend die Glieder, ja selbst die Muskeln sinnlich ekelhaft verzerrend, mit einem einer besseren Sache würdigen Eifer unermüdlich herum und wenn eine Pause der Erschöpfung eintrat, so war selbe nur von sehr kurzer

Dauer. — So ging der Reigen lange bis in die Nacht hinein noch fort.

Während des Tanzes ging einer der Eingebornen — absammeln und beinahe jeder Zuschauer gab etwas, wenn auch wenig; die meisten gaben Tabak, an welchem in Afrika kein Mangel ist, oder einen Fetzen zur Maskerade.

Des anderen Tages gelang es mir, gegen geringe Bezahlung den Mukischi abzeichnen zu können.

Als „Fetische", besser „Talismans" finden sich nun die verschiedenartigsten Gegenstände in Verwendung. Unfruchtbare Frauen tragen zwei kleine, aus Elfenbein geschnitzte Figuren (die beiden Geschlechter vorstellend) an einer Schnur um dem Leib und impotente Männer hängen sich ein möglichst langes Antilopenhorn auf dieselbe Weise um, während sie am Rücken an der Wirbelsäule einen breiten, rothen Strich ziehen. Die Krallen oder Zähne eines wilden, von einem Europäer erlegten Thieres sind dem Neger sichere Amulette für die Jagd, desgleichen kleine mit Pulver gefüllte Antilopenhörnchen; schwangere Frauen tragen stets eine kleine Kalabasse (Kürbis), welche mit Erdnüssen und Palmöl gefüllt ist, bei sich, um einer leichten Entbindung sicher zu sein.

Besonders zahlreich finden sich die aus Holz mitunter recht gut geschnitzten Figuren oder blos Köpfe, welche als Fetische verehrt werden, und verschiedene Namen haben.

Diese Idole sind mitunter 2 bis 3 Fuss hoch und bleiben dann gewöhnlich immer in einer bestimmten Hütte, während die kleineren Götzen von den Eingebornen auch auf die Reise mitgenommen werden.

Schwangere Weiber dürfen weder Rum noch Branntwein
• trinken, d. i. „Kissile", worunter man überhaupt bei den Negern Alles versteht, was ihnen durch die Ueberlieferung zu thun oder zu essen und zu trinken verboten ist. Wird nun ein solches Weib aber der Uebertretung obiger „Kissile" beschuldigt, so ruft sie als Zeugen für die Wahrheit den „N'Sanga" an. Bei Diebstählen ruft im N'Sombolande der Beschuldigte den Fetisch „Nena Sala" auf und schwört auf ihn, indem er genau die Consequenzen kennt, welche ein falscher Schwur nach sich zieht. Nena Sala lässt den Uebelthäter lahm und siech werden.

Am zweiten Tage unseres Aufenthaltes kam der Soba von Mihongo wiederholt auf Besuch und war durch unsere Geschenke durchaus nicht zufriedenzustellen, daher er nach dreistündigem Aufenthalte ganz missmuthig das Lager verliess. Um uns aber seine Freundschaft zu erhalten, sandte ihm Saturnino noch einen hübschen Teppich, auf welchem in überaus grellen Farben ein Tiger eingewebt war, in die Sansala nach. Dies Geschenk erfreute den Alten sehr und er liess uns seiner steten Freundschaft versichern. Den Tiger hielt er für einen „tambo" (Löwe) und da er gerade seit einiger Zeit von Unwohlsein befallen war, so betrachtete er den „Löwen" als zu seiner Heilung gesandt und machte ihn zu seinem Fetisch. Ebenso erging es einem kleinen, bronzenen Kreuzchen mit dem Gekreuzigten, welches ihm Saturnino später zukommen liess. Dem Soba wurde die Bedeutung des Kreuzes möglichst klargelegt, als er uns des Abends zum drittenmale besuchte, und er benannte es auch „N'Gana Sambi", seine Benennung für ein höheres, unsichtbares Wesen.

Nun verlangte der Soba aber für den Fetisch noch etwas zu essen, daher wir ihn auch in dieser Richtung versorgen mussten. Ein Stück „rosca" (Zwieback) und eine halbe Handvoll Zucker befriedigten ihn vollkommen, ja es schien ihm diese Gabe sogar für den Fetisch zu viel, was ich daraus ersah, dass er über die Hälfte von jedem selbst ass und den Rest dem Fetische aufheben liess. Freilich that er, wie er sagte, dies nur aus dem Grunde, weil er von dem dem Fetische Geweihten besondere Wirkungen gegen sein Unwohlsein erhoffte.

Am 31. Juli endlich konnten wir wieder weiter nach Osten ziehen. Gegen 11 Uhr Vormittag bezogen wir in Capembe unser Lager.

Sowohl ich als Dr. Pogge hatten von den wiederholten Fieberanfällen sehr zu leiden und wären sehr froh gewesen, schneller reisen zu können, doch der Spruch: „Mit des Geschickes Mächten ist kein ew'ger Bund zu flechten" findet auf Reisen in Afrika nur zu oft seine Anwendung. Wieder waren einige Träger zurückgeblieben und wir hatten dafür die angenehme Aussicht, auch den 1. August in Capembe verbleiben zu müssen. Als endlich an diesem Tage um 3 Uhr Nachmittags die Zurückgebliebenen nachkamen, war es zum Weitermarsche schon zu spät, nachdem die Cargadores nur Vormittags marschiren, des Nachmittags aber gewöhnlich rasten wollen.

Nördlich und unfern unseres Lagerplatzes entspringt der Rio Loari, ein Zufluss (am linken Ufer) des Luhiflusses, welcher sich wieder in den Quangofluss ergiesst. Der Loari wird in seinem Laufe ein ganz bedeutender Fluss und hat herrliche Ufer.

In der Umgebung von Capembe gedeiht der Kaffeestrauch vorzüglich, wird jedoch nicht ausgenützt.

Am 2. August marschirten wir weiter gegen den Luhifluss. Nachdem wir bereits die östlichen Abhänge des Talamongonga-Gebirges bergab schritten, ging der Marsch recht frisch und munter unter den Gesängen der stets zur Fröhlichkeit gestimmten Cargadores von statten.

Jedoch schon um $^1/_2$9 Uhr wurden wir plötzlich von einer Rotte Eingeborner aufgehalten, welche vorderhand den Weitermarsch durchaus nicht gestatten wollten. Ich pflegte immer mit der Tête der Träger-Colonne vom Bivouakplatze aufzubrechen, während Dr. Pogge in der Mitte blieb und Saturnino nie vor Abgang der letzten Leute das Lager verliess. Ich kam daher als der erste Weisse mit diesem Gesindel in Berührung und sah bald ein, dass man sich hier in das Unvermeidliche fügen musste, zum mindesten so lange, bis Saturnino, der erprobte Reisende, nachkam.

Beinahe alle Eingebornen hatten Flinten, daher unsere Träger schnell ihre Cargos ablegten und ebenfalls zu ihren Waffen griffen, um dem Gesindel mehr zu imponiren.

Als endlich Saturnino ankam, stellte er uns das Beziehen des Lagers an Ort und Stelle als unausweichlich vor, was wir daher auch thaten, um eingehende „Palavers" über die Wünsche der Eingebornen zu pflegen.

Die Ursache dieses Aufhaltens war folgende: Vor kurzer Zeit passirte ein Neger die Sansala Capembe und stahl hiebei eine Flinte. Wenngleich das Bestehlen eines Weissen bei den Negern ganz lobenswerth erscheint, so ist doch der Diebstahl unter dem Volke ein grosses „crime" (Verbrechen, aus dem

Portugiesischen), daher Grund genug zur Abhaltung eines grossen „Palaver" und eventuell zur Durchführung eines „Milonga" (Processes) oder wie er weiter südlich auch heisst, eines „Mukana" vorhanden war.

Eigentlich wäre uns die ganze Angelegenheit gar nichts angegangen, wenn die Eingebornen nicht die Behauptung aufgestellt hätten, dass der Dieb einer von Saturnino's Leuten gewesen wäre, und seinerzeit nach Malange geflüchtet sei. Im Laufe der Verhandlung liessen sie sich ihre Ansicht durchaus nicht nehmen, noch weniger mit Erfolg bestreiten, obwohl Saturnino genau wusste, dass keiner seiner Leute um den angegebenen Zeitpunkt auf der Reise war und wir die vollste Ueberzeugung gewannen, dass die Horde es blos auf eine Erpressung abgesehen habe.

Es wurde der Seculu gerufen, welcher auch eiligst erschien; er trug einen rothen Mantel von bereits sehr mattem Colorit und liess sich sogar einen Stuhl nachtragen. ·

Mitten in unserem Lager versammelte er seine Leute um sich und verhandelte vorläufig blos mit ihnen. Durch drei Stunden mit sehr kleinen Unterbrechungen sprach ausschliesslich er allein in sehr lauter, schreiender Weise und seine Rede schien keinen für uns günstigen Eindruck hervorzurufen, denn die Haltung seiner Leute wie ihre Blicke waren sehr drohend. Die Leute kauerten um ihn herum und hörten mit der grössten Achtsamkeit. Hie und da wurde er durch Beifallsrufe und Händeklatschen aufgemuntert.

Bei uns im Lager ging unterdessen Alles in der gewöhnlichen Ordnung und wir liessen die Eingebornen ruhig gewähren. Unsere Leute sassen um die Lagerfeuer und kochten sich ihre Mahlzeiten oder sangen und musicirten, kurz, sie lebten, als wenn sonst nichts Ungewöhnliches im Lager vorginge.

Mittlerweile hatten sich die erregten Gemüther etwas beruhigt und wir nahmen mit Hilfe des Dolmetsch das Palaver mit dem Soba auf, um die Angelegenheit zu Ende zu führen, wobei sich auch unsere Leute vollzählig um uns versammelten.

Der Gedanke des Königs war offenbar dahin gerichtet, uns ein Gewehr abzuschwindeln, worauf wir aber nicht eingingen.

Trotzdem aber wurde die Verhandlung in einer staunend kurzen
Zeit zu allseitiger Befriedigung zu Ende geführt. Der Soba
beeilte sich, wiederholte Freundschafts - Bezeugungen auszusprechen und liess ein wohlgemästetes Schaf und eine Menge
Fuba als Geschenk für uns aus seinem „povo" holen.
Wir erwiderten seine Gaben mit einigen Yards Fazenda,
einem bunten Sonnenschirm nebst einer kleinen Flasche Branntwein und verbrachten sodann den Abend in freundlichem
Geplauder mit ihm.

Da erfuhren wir denn auch, dass drei Tage vorher in der
Nähe einer Sansala der Umgebung zwei Löwen erlegt wurden.
Die Leute hatten die Felle abgezogen und den Schwanz, sowie
den Kopftheil abgeschnitten. Während nun der Rückentheil
als Unterlage statt einer Esteira (Strohmatte) benützt wird,
findet der Kopf und der Schwanz seine Verwendung bei den
„Mukischis", welche den ersteren mitunter als Kopfmaske
brauchen, letzteren aber um den Leib schlingen.

Am 3. August stellte sich unserem Abmarsche kein
weiteres Hinderniss mehr entgegen.

Wir durchschritten den Luhi, welcher in seinem Oberlauf
meistentheils in einem Felsbette fliesst; er ist zwar in der
Trockenzeit nicht breit, aber dort, wo wir ihn passirten, bereits
etwas über einen Meter tief.

Drei weitere kleine Flüsschen, Nianiala, Cacongola und
Cuteta, hatten nur wenig Wasser aber derart tief eingeschnittene
Bette, dass ich den Schluss auf in der Regenzeit mächtige
Wassermassen zog.

Beschwerlich und gefährlich bleiben aber alle Flussüber-
gänge.

Die mitunter sehr steilen Böschungen der Flussufer
(manchmal bei 3o—35°) gestatten nur zu Fusse zu gehen, die
Träger haben mit den schweren Lasten einen sehr schwierigen
Marsch und müssen jeden Baumzweig und jede Wurzel zu
ihrer Stütze benützen; die Reitstiere gleiten an der Böschung
auf dem Hintertheile hinab.

Die Gegend um diese Flüsse ist sehr schön und ab-
wechslungsreich. Der Umstand, dass auch zur Trockenzeit
hier Wasser fliesst, bringt es mit sich, dass Alles frisch und

üppig ist. Da grünt und sprosst die ganze Natur im herrlichsten Grün und hundert Schritte weiter findet man wieder eine Strecke abgebrannter Campinen und mit Asche bedeckten Bodens.

Unser Lager schlugen wir in Scha-mu-Cabuca auf. Am nächsten Tage hatten wir, während unseres Weitermarsches gleich nach Passiren des Flüsschens Kipaupau eine sehr steile Anhöhe zu erklimmen, was aber meine Cargadores durchaus nicht hinderte, schnurstracks hinaufzugehen, wie der Fusssteig führte. Ich kroch durch Schlingpflanzen und Gebüsche im Zickzack hinauf und kam oben schweissgebadet an. Die unbedingte Folge hievon war ein heftiger Fieberanfall, von dem ich in den nächsten Tagen nicht mehr loskommen konnte und ausserordentlich geschwächt wurde.

Bei der Sansala Mona Balla fanden wir zwei aus Flechtwerk und Lehm erbaute grössere Hütten vor, welche wohl früher einmal von einem Weissen, der vielleicht als Kaufmann länger an Ort und Stelle verweilte, erbaut, nun aber ausschliesslich von reisenden Negern bewohnt wurden.

Dr. Pogge und ich bezogen zusammen eine dieser Hütten, welche durch Wände in drei Abtheilungen getheilt war.

Als ich das eine Gemach bezog, liess ich dasselbe einer derart gründlichen Reinigung unterziehen, dass selbst die obere Schicht des Erdbodens weggescharrt werden musste, worauf ich mein erhöhtes Bett in der Mitte errichten liess. Meine Vorsichtsmassregel erwies sich als sehr zweckdienlich, denn ich schlief, so weit es mein Fieberzustand zuliess, ganz gut.

Dr. Pogge aber wurde in der Nacht von den „mawatas" (zeckenartiges Insect, dunkelbraune, lederartige Haut) oder, wie sie von den Portugiesen genannt werden, den Negerwanzen, grässlich zugerichtet und waren die Spuren noch nach einer Woche zu erkennen. Diese Thiere sind wohl giftig, denn es stellten sich bei Pogge noch in der Nacht, nachdem er von Hunderten dieser Blutsauger überlaufen war, alle Anzeichen einer Vergiftung ein. Erbrechen, Purgiren, Schwäche, Schwindel und Ohnmachten liessen ihn nicht recht zur Besinnung kommen und Dr. Pogge sagte mir, noch eine oder zwei solcher Nächte müssten den Tod zur Folge haben, denn er wähnte schon dies

erstemal seine letzte Stunde nahe. Erst des Morgens erfuhr
ich von der ganzen Geschichte, denn Pogge war durch die
grosse Schwäche unfähig, rechtzeitig irgend Jemanden rufen zu
können, was ich sehr bedauerte, da ich ihm doch in etwas vielleicht hätte helfen können.

Wir versicherten uns gegenseitig, nie wieder der Verlockung,
eine fester gebaute, früher schon von Negern bewohnte Hütte
zu beziehen, zu unterliegen und immer lieber bei den luftigen,
freilich manchmal zu luftigen „fondos" zu bleiben.

Wie uns Saturnino mittheilte und unsere Leute auch
bestätigten, hätten alle Negerhütten einen reichlichen Vorrath
an „mawatas". Diese scheinen aber gegen die Schwarzen dennoch einige Rücksicht zu haben, denn man hört keine Klage.
Jedenfalls äussert sich der Biss dieser Thiere beim Neger
nicht so gefährlich.

Am Morgen des 5. August packten wir schleunigst unsere
sieben Sachen zusammen, um so schnell als möglich aus dieser
Gegend fortzukommen. Wir wanderten nur drei Stunden und
machten im Gebiete des Mona Kissaco wieder „Halt". Hier
in dieser Gegend werden die Sobas oder Seculu durchwegs
„Mona" genannt.

In Kissaco unterzogen wir unsere sämmtlichen Decken
und Kleidungsstücke einer gründlichen Durchsicht und Reinigung;
nicht umsonst war diese Mühe, denn Alles wimmelte von
„mawatas". Wir waren sehr genau bei dieser Arbeit und um
jedem, etwa doch noch zurückgebliebenen Thierchen die Lust
zu weiterem Verbleiben zu vergällen, streuten wir eine ganz
ansehnliche Quantität Insectenpulver in die Sachen.

Saturnino nannte die „mawatas" auch „persevejos dos
pretos" und ein anderes Mal „carrapatos"; beides portugiesische
Benennungen. Erstere heisst „Negerwanzen", letztere „Hunds-
zecke".

Durch genaueste fachmännische Lupirung der von mir
mitgebrachten Exemplare wurden die „mawatas" als Argas
Savignyi, Audouin (·Ornithodoros Savignyi, Koch) erkannt und
gleichzeitig constatirt, dass sie vollständig augenlos sind.

Das ganze Gebiet von Sanza, bis einschliesslich Mona
Balla in der Länge und beiläufig der Linie Sanza·Cassandsche

und eine 15 bis 20 Leguas südlich derselben gezogene
Parallele als Begrenzungen der Breite heisst: „Songo" und die
Einwohner werden „Massongos" genannt. Dieses Gebiet ist
unter kleine Häuptlinge getheilt, deren sich mehrere immer
wieder einem bedeutenderen unterordnen; so steht der Abschnitt von Sanza bis an den Cuijifluss unter dem Soba
von Marimba, jener von Cuiji bis zum Rio Kibanso unter
dem Soba von Cunga auf dem Talamongonga-Gebirge,
der Abschnitt von Kibansa bis zum Luhiflusse unter dem
Seculu von Cambundschi-Catembo und jener von
Luhi bis einschliesslich Mona Balla unter dem Soba von
Cabita.

SECHSTES CAPITEL.

Die Minungos; Nahrung meiner Träger, starker Nebel, Haartracht der Minungos;
prächtiger Anblick des Quangoflusses, der Uebergang über den Fluss bei Porto de Mussessa; das „matabisch"; mein Fieberzustand nimmt zu; die Sansala N'Donsche; der
Gebirgsstock von N'Dumba a tembu, die Talomongonga und das Mossamba-Gebirge,
der Cassabi-Congo; Aufbruch von Terra de Mussessa und Weitermarsch; Camissamba,
blinder Lärm wegen eines Löwen; der Strike unserer Träger, wir müssen auf eine
Lohnerhöhung eingehen; Uebergang über den Cucumbifluss, das Land der Kiocos, wir
passiren das Mossamba-Gebirge; der Pakassa; Rio Cuilo, Rio Luansche und die „Lamas",
unser bester Reitstier erstickt im Sumpfe.

Nach unserem Abmarsche von Balla waren wir bereits in
das Gebiet eines anderen Negerstammes eingetreten. Dieses
Gebiet ist jenes der „Minungos" und reicht über den Quangofluss bis zum Mossamba-Gebirge, welches die rechte Thalwand
des genannten Flusses bildet. Die sehr weit von einander wohnenden „Monas" sind vollkommen unabhängig und selbstständig.

Während unseres Aufenthaltes in Kissaco kam selbstverständlich auch der „Mona" der Sansala in's Lager. Er trug
einen ganz absonderlichen Kopfschmuck aus aufrecht stehenden
rothen Papageifedern und war mit vielen Perlen geschmückt.

Bei den Minungos bringen die Sobas keine Geschenke
mehr, fordern aber stets solche vom Reisenden und sind in
ihrem Begehren häufig sehr unverschämt, wodurch man sich
aber nicht einschüchtern lassen darf; man gebe dem Neger von
dem Verlangten blos den dritten oder vierten Theil und er
wird noch zufrieden sein.

Man muss also in diesem Lande alle Bedürfnisse an frischem
Fleische kaufen und bekommt nur sehr selten ein Schaf oder
eine Ziege zu Gesicht. Es war daher sehr gut, dass wir aus
dem Songolande einige Thiere mitbrachten, daher keinen Hunger
leiden mussten.

Die Träger sind diesbezüglich besser daran. Mit den Waaren, welche sie vor Antritt der Reise als Lohn erhalten haben, kaufen sie sich zeitweilig den Proviant für die nächsten Tage, der vorzugsweise aus Maniok und Palmöl besteht. Sollten sie längere Zeit keine Gelegenheit haben, ihre Vorräthe ergänzen zu können, dann reicht eben, um sich eines militärischen Ausdruckes zu bedienen, noch der „eiserne Vorrath", welchen jeder mit sich führt. Dieser sogenannte „eiserne Vorrath" besteht nun meistens aus kleinen Fischchen (Leuciscus), welche aneinander auf ein Stäbchen aufgesteckt und so leicht transportirt werden.

Sind sie erst zwei bis drei Tage alt, so sind sie begreiflicherweise faul und stinkend; nach acht, zehn oder noch mehr Tagen aber sind sie durch die grosse Hitze in Mumien verwandelt, und fürwahr, es bedarf eines abgehärteten, an widerliche Einflüsse gewöhnten Negermagens, um eine solche Nahrung verdauen zu können. Vor dem Genusse werden die Fische im Wasser gekocht, sodann wird Palmöl warm gemacht, und die Fische darein getaucht.

Ebenso wird auch die mehr erwähnte „Infunda" genossen. Aus derselben werden in der Hand kleine Kugeln geformt, diese sodann in Palmöl getaucht und aus einer Entfernung von 0·5 Meter in den weit geöffneten Mund geschleudert. Die Leute haben in dieser Verrichtung grosse Virtuosität und selten verfehlt ein solches Maniokgeschoss sein Ziel.

Von Kissaco ist der Quangofluss in vier Tagen zu erreichen.

Am 6. August schlugen wir nach fünfstündigem Marsche unser Lager im Gebiete des Mona Gange auf. Unser Weg führte stets durch hochstämmigen, sehr schütteren Wald von Drachenbäumen und bot keine Abwechslung.

Während des Marsches ist die Hitze leicht zu ertragen; in der Tipoia ist man durch das Dach und die Vorhänge geschützt, und wenn man reitet, so spannt man den Sonnenschirm auf. Dazu herrscht an jedem Morgen ein ziemlich starker Luftzug, der den Marsch erträglich macht.

Die Morgenstunden sind sehr kalt und dies findet wohl in den, zur Trockenzeit vorherrschenden Morgennebeln (Caschibo) seine Ursache. Diese Nebel sind die einzigen Wasserspender

in der Trockenzeit und sind manchmal so stark und der
Niederschlag daher so gross, dass man des Morgens wähnt, es
habe in der Nacht geregnet.

Am 7. August ging es bei einem besonders in der ersten
Stunde des Marsches unangenehmen scharfen Südostwind wieder
weiter bis zum Mona Poco.

Am 8. August rückten wir nach Uebersetzung der beiden
kleinen Flüsschen Kitale und Mussere bis nach Carima
vor. Gleich nach unserer Ankunft entspann sich ein Streit der
Eingebornen mit unseren Trägern, welcher aber bald beigelegt
werden konnte.

Die Minungos sind roh, hinterlistig und frech bis zum
Excess, was man den Massongos nicht nachsagen kann.

Die Eingebornen tragen hier das spannlange Haar häufig
in kleine Zöpfchen geflochten, wie ich es bereits an anderem
Orte erwähnte, nur schütten sie sich so viel Oel auf den Kopf,
dass das Haar oft ekelhaft trieft. Von den Geflechten dürfte
man nicht oft zwei gleiche finden. Zum erhöhten Schmucke
stecken sie sich die Borsten der Stachelschweine (Hystrix cristata)
nicht blos hie und da in's Haar oder hinter das Ohr, sondern
auch wagrecht durch die Nasenscheidewand. Ich erinnerte mich
hiebei lebhaft an die früher in Europa herrschende Mode der
Damen, wo ein „scheinbar" durch das Ohrläppchen gestossener
Pfeil offenbar denselben Effect hervorrufen sollte, wie beim
„Wilden" die Stachelschweinborste. Fast scheint es, dass
diese Mode den Wilden entnommen wurde, welche, wie aus
anderen Ländern bekannt ist, auch manchmal Stäbchen von
Holz oder Eisen, sowie Ringe in der Nase oder in den Ohren
und in den Lippen tragen.

Die Minungos sind, mit verhältnissmässig geringen Ausnahmen, kräftige grosse Gestalten, aber auch grosse Diebe und
Räuber und sehr streitlustig.

Ein grosser Theil unserer Cargadores ging des Abends
in die benachbarte Sansala und blieb lange aus. Am 9. August
konnten wir wieder nicht weiterreisen, da einige Leute erst gegen
Mittag zurückkamen und es daher wieder zu spät zum Abmarsche an den Quango war. Der Weg dahin ist lang und
wir wären vor Einbruch der Nacht nicht über den Fluss ge-

7*

kommen. Es blieb daher nichts übrig, als sich in's Unvermeidliche zu fügen und wieder zu bleiben.

- In der Nacht erhob sich plötzlich ein heftiger, eisigkalter Südostwind, der unsere Fondos abzudecken drohte und uns keine Ruhe finden liess; es war demzufolge auch die Temperatur besonders in den Morgenstunden so bedeutend gefallen, dass ich um 4 Uhr auf meinen Thermometern $+ 2^0$ C. $= + 1·6^0$ R. abgelesen habe.

Noch während dieses heftigen Windes brachen wir am 10. August um 6 Uhr 45 Minuten aus dem Lager auf.

Der Marsch bot zu Beginn nichts Neues; immer das ewige Einerlei: gelichteter Wald und Campinen. Erst als wir uns nach Ueberschreitung des kleinen Flusses Micunge dem Quangoflusse näherten, gewann die Gegend an Reiz und Abwechslung. Ich werde nie den prächtigen Anblick vergessen, der sich mir bot, als ich, aus dem Walde heraustretend, von der Höhe aus den Quango vor mir in der Tiefe sah.

Wir langten um 10 Uhr 45 Minuten Vormittags am linken Ufer des Flusses an, und alsbald wurde mit dem Uebergang begonnen. Ich meinerseits wäre am liebsten mit einem Boote flussabwärts gefahren; das Boot hätte sich schon gefunden, die Leute zur Begleitung auch, aber Saturnino wäre ganz entschieden gegen eine Abweichung der zuerst beschlossenen Reiseroute gewesen, und zwar aus dem sehr einfachen Grunde, weil er in Kimbundu bereits eine grössere Quantität Elfenbein, Oel, Gummi und Wachs zu erhoffen hatte, welche er wegen Mangel an Trägern nicht nach Malange befördern lassen konnte. Er hätte eigens von diesem Orte die Träger in's Innere senden müssen, was nun aber viel billiger ging, nachdem für die Hinreise nach Kimbundu die Träger im Dienste der Expedition standen und von ihr bezahlt wurden. Auf der Rückreise konnten sie daher leicht gegen geringe Entlohnung die Waaren nach Angola bringen.

Wo wir den Quango überschritten, war derselbe 15 bis 20 Met. breit und bei 8 Met. tief; die Gegend heisst „Mussessa" und meine Leute, welche durchwegs, wenn auch mitunter schlecht, portugiesisch sprechen konnten, nannten den Uebergangspunkt Porto de Mussessa.

Übergang über den Quango

120

Ein Hängesteg aus Lianengewinden, welchen wir schon vorfanden, sollte uns den Uebergang ermöglichen, musste jedoch vorerst von den Cargadores ausgebessert und benützbar gemacht werden. Mit Bezug auf die einfache Construction ging dies nun sehr schnell von statten. Ein aus mehreren Lianen zusammengeflochtenes, beiläufig 5o Centimeter im Umfange habendes Pflanzentau, welches auf beiden Ufern an mächtigen Bäumen befestigt war und mit dem tiefsten Punkte noch circa einen Meter unter die Wasseroberfläche reichte, bildete die Basis für den Fussgeher. Anderthalb Meter darüber hingen zwei dünnere Lianen, an welchen man sich anhielt, während man auf der unteren mit Aufbietung aller Gewandtheit balanciren musste.

Für die Träger mit den schweren Lasten ist das Ueberschreiten eines Flusses auf einem solchen Hängewerk sehr schwierig. Wir hatten keinen Unfall zu beklagen; alle Leute kamen glücklich aufs rechte Ufer hinüber.

Ich bewerkstelligte den Uebergang auf den Schultern eines stämmigen Negers sitzend, nahm mir aber nachher ernstlich vor, bei Wiederholungsfällen eines derartigen Flussüberganges mich nie mehr dieses Transportmittels zu bedienen. Es ist ein sehr unangenehmes Gefühl, sich nicht nur der Festigkeit des Steges, sondern auch noch der Sicherheit des Schwarzen, welcher, sich fortwährend anhaltend, nur langsam, Schritt für Schritt auf der Liane balancirend, das andere Ufer zu erreichen trachten muss, ganz überlassen zu wissen und unterdessen über die Höhe des eigenen Standpunktes und über das sechs Meter tiefe Wasser Betrachtungen anstellen zu können. Mehr als einmal wähnte ich mich schon in den Fluthen, kam aber doch glücklich an das andere Ufer.

Dr. Pogge liess sich ebenfalls hinübertragen.

Die Stiere schwammen durch den Fluss, während am Ufer, der Jacarés halber, wieder einige Schüsse abgefeuert wurden.

Nachdem nun die ganze Colonne den Fluss übersetzt hatte, marschirten wir noch eine Stunde lang weiter und schlugen um 2 Uhr 55 Minuten Nachmittags unser Lager auf.

Die Anstrengung auf diesem Marsche war für Alle ausserordentlich; in solchen Fällen pflegt der Reisende stets den

Leuten etwas Branntwein zukommen zu lassen, was so zu
sagen dem „Trinkgeldgeben" an anderen Orten gleichzustellen
wäre. Die Neger nennen eine solche Gabe „um mata bicho"
und dehnen diese Benennung in weiterer Anwendung auf Alles
aus, was ihnen der Weisse hie und da schenkt.

Der obige Ausdruck kommt nicht allein in der ganzen
Colonie Angola, sondern auch noch weiter nördlich über dem
Congofluss, kurz überall dort vor, wo Portugiesen ihre Handels-
niederlassungen haben. Er ist eine Verstümmlung portugiesischer
Worte, und zwar des Ausdruckes: „este pode matar os
bichos", aus welchen die Schwarzen „matabisch" gemacht haben.

So wie überhaupt in den letzten Tagen litt ich ganz
besonders auf diesem Marsche an bedeutenden, durch die
enorme Hitze hervorgerufenen Kopfschmerzen. Die Fieberanfälle dazu, befand ich mich in einem dem Wahnsinn nahen
Zustande, wo ich der ganzen moralischen Kraft bedurfte, um
den Versuchungen, mich durch einen Gewaltact von den
fürchterlichen Leiden zu befreien, nicht zu unterliegen.

Diesmal kamen gar keine Eingebornen in's Lager und
wie unsere Leute sagten, sollte dies innerhalb der nächsten
Tage ebenso sein, denn die Gegend ist sehr spärlich bevölkert.
Unsere Träger versprachen, demzufolge auch jeden ungerecht-
fertigten Aufenthalt vermeiden zu wollen. Nachdem sie stets
nur auf zwei bis drei Tage Proviant mit sich führten, hätte es
sonst leicht geschehen können, dass sie nichts zu essen gehabt
hätten. Der unserem Lager nächste Ort, die Sansala des Seculu
von N'Donsche, eines bedeutenden Häuptlings, lag nördlich
am Quangoflusse in einer Entfernung von beiläufig zehn guten
Marschstunden.

Der Quango entspringt in N'Dumbo a tembu (im Lande
der Kiocos, circa 8 Leguas südlich von unserem Lager), einem
niederen Gebirgsstocke, gebildet aus den vier kleinen Bergen
Cassala, Caritu, Cacoco und Cassense und fliesst sodann
in der Hauptrichtung nach Norden, um sich in den Zaïre zu
ergiessen.

Saturnino, welcher den Quango wiederholt an verschiedenen
Punkten überschritt und während seines langjährigen Auf-
enthalts in Angola sehr viel Schätzenswerthes in Erfahrung

brachte, theilte mir über den Lauf des Flusses Nachstehendes mit, das ich hiemit vollinhaltlich, ganz nach seinen Notizen, folgen lasse:

„ . . . . O Quango travessa o territorio Minungo numa „extensaõ de mais de 3o leguas; separa Cassange dos povos „Maxinges até Hihongo a onde forma uma grande catarata, d'alli „contenua o seu rapido curso, servindo de separaçaõ a diffe- „rentes povos e de fronteira ao imperio Lunda até a Pende. „A travessa este paiz e varias tribus de cannibaes, e lança-se „no Zaïre em ponto pouco conhecido."

Vom Gebirgsstock von N'Dumbo a tembu zweigen sich, die Wände des Quangothales bildend, zwei Gebirgszüge nach Norden ab. Am linken Ufer ist dies das Talamongonga-Gebirge, welches auch kurzweg „Talamongonga" genannt wird. Ihre Länge kann ich nicht angeben; jedenfalls aber geht sie 2o bis 3o Leguas noch nördlich über Cassandsche (Cassange), respective Feira, und dürfte eine durchschnittliche Breite von 2 bis 3 Leguas, eine durchschnittliche Höhe von 1400 Metern haben. Die Ausläufer dieses Gebirges ziehen sich einerseits zwischen die rechtsseitigen Zuflüsse im Oberlaufe des Quanza bis einschliesslich der Songoländer und andererseits bis an's linke Quango-Ufer in vielen, mitunter herrlichen Thälern.

Der Gebirgszug am rechten Quango-Ufer findet sich auf allen Karten unter dem Namen „Mossamba-Gebirge" verzeichnet. Dasselbe bildet die Wasserscheide zwischen den Zuflüssen des Quango (am rechten Ufer) und jenem des Kassabi (am linken Ufer). Ich behalte für das Gebirge die obige Benennung bei, bemerke jedoch, dass dieselbe unter den Eingebornen „nicht" bekannt ist. Der Gebirgszug hat, wie ich als Resultat meiner wiederholten Fragen erfuhr gar keinen speciellen Namen. Die Minungos nennen ihn „milundo" und die nördlich wohnenden Maschinschis, deren Gebiet ich auf der Rückreise nach der Küste durchwanderte, sagen „muënga", welche Benennungen in den betreffenden Sprachen für „Berg oder Gebirge" gelten.

Der Gebirgsstock von N'Dumbo a tembu ist, obwohl er die von dort ausgehenden Gebirgszüge nur gering überhöht, dennoch von Wichtigkeit, denn auf ihm entspringen nebst mehreren kleineren Flüsschen auch zwei bedeutende Flüsse: der Quango, über welchen ich bereits des Näheren schrieb, und der Cassabi (Cassai).

Ueber diesen habe ich nun theils an Ort und Stelle, theils von Saturnino und von Eingebornen, welche aus dem Inneren kamen, Einiges iń Erfahrung gebracht, was ich hiemit folgen lasse: Der Fluss heisst in seinem Ober-, Mittel- und Unterlaufe bis zur Vereinigung mit dem uns bereits als Zaïre oder Saïre (von Bomma flussabwärts: Congo) bekannten Strome: — „Cassabi", „Cassai", „Cassare".

In mehreren Negersprachen kommt es nun häufig vor, dass einzelne Buchstaben oder zweibuchstabige Silben, bestimmten Worten vorgesetzt oder auch weggelassen werden können, ohne im Geringsten die Bedeutung des Wortes zu ändern. In der Sprache der Kiocos trifft dies bei der Silbe „Ca" zu, was ich bei vielen Worten, die ich sammelte, bestätigt fand, und so lauten die erwähnten Namen auch: „Sabi", „Sai", „Sare" — wo es nicht schwierig ist — den Uebergang in „Saïre (Zaïre) zu finden.

Ausser diesen aus sprachlichen Forschungen sich ergebenden Resultaten darf nicht unerwähnt bleiben, dass auch die meisten Ansiedler in den Colonien Angola und Benguella den Cassabi als Quellfluss des Congo ansehen, ja häufig wirklich im Gespräche vom „Zaïre" sprechen, wenn sie den „Cassabi" bezeichnen wollen.

Gestützt auf Vorstehendes glaube ich daher berechtigt zu sein, die Quelle des Congo am Gebirgsstock von N'Dumbo a tembu anzunehmen. Demzufolge wären alle anderen Flüsse: Lulua, Lualaba, beziehungsweise der von Cameron entdeckte Lucuga (Abfluss des Tanganjika-See) als Zuflüsse des Congo zu betrachten.

Die Annahme, dass diese Gebiete überhaupt dem Congo-Systeme angehören, war bisher von manchen Seiten, und zwar um so ungerechtfertigter, angefochten und bestritten worden, als einestheils der Cassabi mit seinen bisher bereits bekannten Zuflüssen unmöglich allein dem Congo solche Wassermassen zuzuführen im Stande ist, dass er, wie es der Fall ist, an seiner Mündung in's Meer die bedeutende Breite von 6 Meilen erreicht und sich anderntheils dem Beobachter unwillkürlich die weitere Frage aufdrängen würde, ob es wahrscheinlicher sei, dass die oben benannten Flüsse alle dem Stromgebiete des Ogowé angehören sollten, welcher an seiner Mündung die Breite des Congo nicht erreicht.

Die Frage über die Zusammengehörigkeit dieser Gebiete wurde übrigens in letzter Zeit durch den Amerikaner Stanley, welcher den Lualaba bis zum Congo auf einem Boote herabfuhr, im Sinne der bisherigen Annahme glänzend erledigt.

Auf dem Gebirgsstock von N'Dumbo a tembu entspringt auch mit dem Abfluss nach Südosten ein kleiner Fluss, der „Limba", welcher wahrscheinlich dem Gebiete des Zambesi, oder Liambei, angehört. Nach der Originalkarte Cameron's glaube ich schliessen zu können, dass der Limba in den „Rio Lume" fliesst.

Am 11. August brachen wir von Terra de mussessa wieder auf, wanderten in der Hauptrichtung nach Nordosten weiter, passirten den Fluss Canduische ohne besondere Schwierigkeit und machten Halt in „mosche a milundo".

Auf diesem Marsche begegneten wir, wie uns vorausgesagt wurde, keinem Eingebornen und auch um unser Lager herum war weit und breit kein menschliches Wesen zu sehen.

„Mosche a milundo" heisst in der Sprache der Minungos „am Fusse des Berges". Des anderen Tages sollten wir einen hohen Berg zu überschreiten haben, daher die Träger vielleicht aus eigener Wahl dieser Gegend obige Benennung gaben.

Den angeblich hohen Berg konnten wir aber noch nicht sehen, obwohl wir ihn des anderen Tages gleich kurz nach Beginn des Marsches erreichen sollten.

Beiläufig eine Tagreise nördlich unseres Lagerplatzes hatte der mächtige Häuptling von N'Dumbo a pese seinen Povo.

Die folgende Nacht verbrachte ich in einem fürchterlichen Zustande, nachdem ich wiederholt von heftigen Fieberanfällen derart heimgesucht wurde, dass ich nicht zu hoffen wagte, den folgenden Tag zu erleben. Demzufolge schloss ich mein Tagebuch ab und ergab mich in mein Geschick.

Meine Befürchtung blieb aus, ja ich befand mich bei Anbruch des 12. August verhältnissmässig recht wohl, und nachdem ich nicht auch die Ursache einer abermaligen Verzögerung unserer Reise sein wollte, gingen wir eingedenk des Grundsatzes eines berühmten Afrika-Reisenden wieder weiter. Der Grundsatz lautet, dass man bei Fieber-Erscheinungen so bald als möglich den Lagerplatz wechsle, somit eine andere Luft aufsuche, welch' letztere meistens die Quelle obiger Krankheiten bildet. Wenn man selbst nur eine kurze Strecke weiter zieht, wird sich schon der günstige Erfolg fühlbar machen.

Wir erreichten den Tags vorher erwähnten Berg, doch ist derselbe blos 137 Meter hoch, aber sehr steil und daher schwer zu erklimmen. Man muss hinauf „gehen", da selbst die Reitstiere nur mit grosser Mühe hinaufkommen, und es ganz unmöglich wäre, sich in der Tipoia tragen zu lassen.

Der Marsch ging fortwährend durch lichten Hochwald und um 11 Uhr schlugen wir inmitten der Bäume in „Caïla camoxi" unsere Hütten auf. Auch hier begegneten wir keinen Eingebornen. So sehr man meistens durch die Zudringlichkeit der Besucher belästigt ist und sich von ihnen befreit zu sehen wünscht, so sehr gingen uns auf den beiden letzten Märschen die gesprächigen Sobas ab, und wir sehnten uns nach wiederholten Begegnungen mit ihnen.

Bereits des nächsten Tages, wo wir in „Kikenge" bivouakirten, wurde unser Wunsch erfüllt. Die Leute dieser Gegend sind ruhigen, gutmüthigen Charakters und zeigen durchgehends freundliche Gesichter.

Die Umgebung ist sehr reich an Gummi und Honig, welch' letzterer von besonderer Güte und herrlichem Aroma ist. Das Wachs wird in grosse, aus Campinen geflochtene, trogartige Formen, welche innen mit Lehm gut verschmiert werden, gegossen und wiegen die einzelnen Stücke gewöhnlich 6o bis 100 engl. Pfund. So werden sie von den Eingebornen zum Handel nach Malange gebracht.

Die Märsche der nächsten Tage verflossen in der gewöhnlichen Einförmigkeit. Unsere Lagerplätze wählten wir am 14. August im Kigimbo und am 15. in Camissamba, wo wir gegen Abend bereits bei eintretender Dunkelheit durch das Gebrüll eines Löwen aus unserer Ruhe aufgeschreckt wurden. Noch bevor wir Alle etwas von der gefährlichen Nachbarschaft ahnten, wurde die ganze Heerde, besonders die Stiere, welche mit ganzer Kraft an den Halftern zerrten, unruhig und erregten unsere Aufmerksamkeit; als nun das Gebrüll erscholl, rissen sich auch einige Thiere wirklich los und liefen in den Wald. Dr. Pogge und die mit Flinten versehenen Träger eilten, den König des Waldes aufzusuchen. Das Gebrüll wiederholte sich, die Jagd war aber erfolglos, und nach zweistündiger Abwesenheit kehrten Alle wieder in's Lager zurück. Mittlerweile waren auch die Flüchtlinge wieder eingefangen worden, konnten sich aber die ganze Nacht hindurch nicht beruhigen. Das Geschrei und der fortwährende Gesang der Schwarzen bis spät in die Nacht hinein im Vereine mit den stark angefachten Lagerfeuern mag wohl hauptsächlich die Bestie verscheucht haben.

Am 16. August kamen wir nach einem sehr schönen Marsche durch prächtigen Hochwald in Kissango an. Der Sangeschi, welchen wir an diesem Tage überschritten, ist in der Regenzeit ein sehr gefährlicher Fluss. Er ergiesst sich in den Cucumbi, welcher wieder dem Quango zufliesst.

In Kissango hat Saturnino ein Haus mit einem Waarenlager, über welches ein schwarzer Empregado wacht, welcher den Tauschhandel mit den Eingebornen besorgt. Bei unserer Ankunft war bereits eine gehörige Quantität Gummi und Elfenbein aufgehäuft und harrte des Transportes nach Malange.

Den Vorschlag, im Hause zu übernachten, nahmen wir, eingedenk unseres Aufenthaltes in Mona Balla, nicht an und liessen uns ganz nahe der Sansala die Fondos errichten. So durften wir mit Recht auf eine insectenfreie Nacht rechnen und hatten uns hierin auch nicht getäuscht, denn wir schliefen gut und hatten uns so ausgeruht, dass wir mit Freude unserem nächsten Marsche an den Cucumbifluss entgegensahen. — Wir waren daher unangenehm überrascht, als wir am 17. August wieder eine Verzögerung erlitten, derzufolge wir noch diesen Tag in Kissango blieben.

Bereits am Abend des 16. begann unter den Trägern ein beinahe allgemeiner Strike; sie wollten für den Rest des Weges nach Kimbundu noch mehr Bezahlung haben und erklärten ganz entschieden, vor Erfüllung ihres Begehrens nicht weiter gehen zu wollen. Am Morgen des 17. steigerte sich das Missvergnügen unter den Leuten und fand neue Nahrung in der

Gehässigkeit der Eingebornen, welche die Mehrforderung noch
zu gering fanden und unsere Leute aufhetzten.

Unter solchen Umständen bleibt dem Reisenden, wenn er
weiter kommen will, in der Regel nur der Ausweg, den For-
derungen seiner Leute, freilich nach einigen Abstrichen, nach-
zukommen. So bezahlten auch wir jedem Träger noch eine
halbe kleine peça de Fazenda (4 Yards) und hatten dadurch
wieder Alle für uns gewonnen.

Am 18. August um 6 Uhr Früh brachen wir gegen den
Cucumbi auf und erreichten ihn um 10 Uhr.

Der Fluss war an der Uebergangsstelle beiläufig 20 bis
25 Meter breit und ziemlich tief, das linke Ufer steil abfallend,
das rechte flach. Wir bewerkstelligten den Uebergang auf
Baumstämmen, welche sowohl untereinander als an beiden
Ufern befestigt waren und auf der Wasseroberfläche schwammen.
Da hiess es balanciren und sehr oft musste man sich kriechend
fortbewegen oder verzweiflungsvoll einen Ast zur Rettung erfassen, wenn man nahe daran war, ein unfreiwilliges Bad zu
nehmen. Es war noch kaum ein Drittel unserer Leute auf dem
rechten Ufer angelangt, als acht wild aussehende, über und
über mit rother Farbe beschmierte Eingeborne, mit Flinten
bewaffnet, plötzlich aus dem Walde herausgelaufen kamen und
sich schreiend und keifend am Anfange der Brücke nieder-
setzten. Sie erklärten nun, dieselbe errichtet zu haben und
daher die rechtmässigen Besitzer zu sein; es müsste also für
die Benützung eigens gezahlt werden; eine Forderung, die ich
vollkommen gerechtfertigt fand. Da gab es aber auf beiden
Ufern ein Schreien und Pfeifen, dass man das eigene Wort
nicht verstand. Die Eingebornen nahmen eine sehr drohende
Haltung an und es hätte nicht viel bedurft, so wäre leicht ein
heftiger Streit, wenn nicht ein Kampf zwischen ihnen und
unseren Leuten ausgebrochen.

Wir gaben daher zwei Steinschlossgewehre als Bezahlung,
worauf die Eingebornen mit grosser Freude den Weg frei-
gaben und sich in die Büsche schlugen.

Der Cucumbi entspringt im Lande des „Mona von
Bumba kiburuto" in Kioco; er durchfliesst dieses Land,
sowie jenes des „Mona Caïenge" und „Mona Muaco",

welche beide zu den Minungos gehören. Im Unterlaufe begrenzt er das Land Caboba gegen Osten und bildet bis zur Mündung unterhalb Bansa Cassandsche in den Quango die Grenze zwischen den Bangelas und den Maschinschis.

Unser Uebergang dauerte bis 1 Uhr Nachmittags, also volle drei Stunden, worauf wir nahe des Ufers unser Lager aufschlugen.

Der diesmalige Marsch war sehr anstrengend, Dr. Pogge so wie ich hatten durch das Fieber sehr zu leiden und wir sehnten uns schon das Ende dieser Tour herbei, um doch wieder ordentlich ausruhen zu können.

Am nächsten Tage begannen wir den sanften Anstieg gegen das Mossamba - Gebirge, lagerten in Mona Cuanga und am 20. August in Cacollo, worauf wir am 21. bereits Gebiete betraten, welche zum Flusssysteme des Cassabi gehören.

Bis zum Flüsschen Kicundo reichen noch die Minungos, während von da an das Land der Kiocos beginnt, welches von den Quellen des Quangoflusses bis weit nördlich sich erstreckt und bereits dem Muata Yanvo, dem mächtigsten Fürsten Central-Afrikas, tributär ist. Im Kiocolande gibt es noch weniger Sobas, daher wir im Verlaufe der weiteren Reise nur selten einen zu Gesichte bekamen. Wir lagerten im Gebiete Kicundo.

Auf diesem Marsche überschritten wir auch eine circa 6—8 ☐Meilen grosse, baumlose Ebene, welche mit schönem Wiesengras bedeckt war und dem Auge eine wahre Labung bot.

Auch bot sich uns einige Abwechslung, indem wir das erstemal des afrikanischen oder Kaffernbüffels (Bos caffer) ansichtig wurden. Er heisst in den Negersprachen „Pacassa", im Kiocolande auch „Palanca".

Gerade als wir, aus dem Walde tretend, auf die Wiese kamen, jagte auf eine Entfernung von 3oo bis 4oo Schritten eine Heerde von etwa 6o Thieren an uns vorüber. Die Jagd auf Palancas ist sehr gefährlich, ja gefährlicher als jene auf Löwen oder Panther. Die Thiere sind sehr wild und greifen den Menschen an, sobald sie seiner ansichtig werden. Dabei jagen sie in wildem Galopp mit gesenkten Köpfen auf ihr Opfer los, erfassen es mit den Hörnern und schleudern es hoch im Bogen über sich. So mancher Jäger verlor schon auf diese Art sein Leben.

Als wir endlich auf einer kleinen Anhöhe am Waldessaum unser Lager errichteten, hatten wir noch schöner den Anblick der ganzen Ebene. Da sahen wir in der Ferne wohl einige Hundert dieser wilden Thiere sich tummeln.

Am 22. August lagerten wir nach einem kurzen Marsche bei der Sansala Camba Lomingo.

Am 23. ging es wieder weiter nach Catangala, wobei wir den ersten bereits dem Cassabi angehörenden Fluss Cuilo (Livingstone's Quilo) durchschritten. Die Ufer waren durchaus mit üppig grünenden Bäumen und niederem Strauchwerke besetzt, was einen höchst angenehmen Contrast zu der sonst überall ausgetrockneten und dürren Natur bot.

Der Wasserstand war sehr geringe, so dass wir leicht eine Furth fanden, welche wir durchschritten. Ich liess mich wieder von einem Schwarzen hinübertragen, da man sich auf deren Sicherheit verlassen kann. Unangenehm kann aber eine solche Unternehmung auch werden; das Wasser ist zwar klar und man sieht bis auf den Grund, manchmal geschieht es aber doch, dass der vermeintlich feste Boden nachgibt und der Träger dadurch sein Gleichgewicht verliert und sammt seiner Last in's Wasser fällt. Ich muss gestehen, zur Vorsicht liess ich immer noch einen anderen Mann nebenher gehen, welchem ich die Hand reichte. Mit der anderen Hand packte ich dann meinen Träger nach Möglichkeit bei seinen kurzen Haaren und war auf diese Weise doppelt verankert. Dr. Pogge machte es schliesslich ebenso.

Am 24. passirten wir den Luansche-Fluss (portug. Luange) und grosse Sümpfe (portug. Lamas).

Dieser Marsch war sehr beschwerlich für die Menschen, weit mehr jedoch für die Thiere. Wenn das Ueberschreiten der Flüsse meistens sehr beschwerlich ist, so ist doch damit nicht so viel Gefahr verbunden, wie mit dem Durchschreiten der Sümpfe. Durch die ersteren schwimmen die Thiere durch, und ist das Wasser nicht sehr reissend, so gelangen sie auch alle glücklich auf das andere Ufer; beim Sumpf jedoch ist dies anders. Derselbe erstreckt sich sehr oft auf eine halbe

oder dreiviertel Stunden, wenn nicht weiter, von den Fluss-
ufern, und mühsam muss sich Mensch und Thier Schritt für
Schritt den richtigen Pfad suchen.

Tritt nun der Mensch in eine Tiefe, so kann er bei seinem
geringen Gewichte noch immer von den Leuten herausgezogen
werden.

Stürzt aber ein Stier, so unterliegt seine Rettung
mancherlei Schwierigkeiten; das Thier sinkt immer tiefer. Matt
und geängstigt liegt es nun da, nach einiger Zeit rafft es sich
wieder zusammen und versucht auf die Beine zu kommen, was
meistens gelingt. Manchmal gelingt dies aber nicht und das
Thier erstickt im Sumpfe.

Sehr gefährlich sind besonders die häufig vorkommenden,
tiefen Löcher. Verdeckt durch Schilf und Gras oder durch
eine schwache Erddecke, sind dieselben dem Auge unbemerkbar
und selbst der Instinct der Thiere ahnt nicht die Gefahr.

Tritt nun ein Stier in eine solche Tiefe, dann müssen starke
Menschenkräfte zu Hilfe eilen, um durch Heben mit Stricken
und Stangen das Thier aus der Gefahr des Erstickens zu retten.
In solchen Fällen aber sind zumeist alle Bemühungen umsonst.

Alle unsere Thiere kamen diesmal gut durch die Sümpfe,
nachdem ihnen das ganze Sattelzeug abgenommen wurde und
sie daher nichts zu tragen hatten.

Am nächsten Tage aber, als wir wiederholt Sümpfe zu
durchschreiten hatten, verlor ich meinen besten Stier. Er trat
in eine Tiefe und konnte trotz aller Bemühungen nicht heraus-
gebracht werden.

Wir campirten in „Mutu am Bau" und des Abends
kamen die bei dem versinkenden Stiere zurückgebliebenen
Leute mit dem Bemerken in's Lager nach, dass alle Versuche,
das Thier zu retten, erfolglos waren. Um es nun nicht eines
langsamen, qualvollen Todes sterben zu lassen, gaben wir den
Leuten den Auftrag, es zu erschiessen, was auch geschah.
Gleichzeitig schenkten wir den Trägern das Fleisch dieses sonst
vollkommen gesunden Stieres. Sonderbarerweise verzichteten
sie hierauf und ich war, trotz aller Bemühungen, im weiteren
Verlaufe meiner Reise nicht im Stande, den wahren Grund
dieser Weigerung in Erfahrung zu bringen. Ich dachte vorerst,

das Fleisch des Stieres wäre „Kissile", also verboten. Dies war aber nicht der Fall, denn die Leute aus Angola (unsere Leute waren ja auch aus der Provinz) essen durchgehends das Fleisch des Rindes.

Angeschossene Thiere sind auch keine „Kissile" und ich glaube daher als Ursache der verweigerten Annahme des Fleisches die für das Thier ungewöhnliche Todesart annehmen zu können.

SIEBENTES CAPITEL.

Ankunft in Kimbundu, sowohl Dr. Pogge als ich befinden uns in einem sehr herab-
gekommenen Zustande; Näheres über Kimbundu, Ackerbau, Wasser, Klima; Muata
Yanvo, Itinerarien zur Reise dahin, die Erbfolge in Lunda, Mussumbe und Cabebe, der
Muata Cazembe, die Habgier Yanvo's, dessen Blutgier, Menschenopfer, Lopez do
Carvalho, die musikalischen Instrumente der Neger, der Reichthum von Lunda, Eisen-
industrie und Waffen, Kupfer, Ausfuhrartikel aus dem Inneren an die Westküste, Elfenbein, Wachs, Strohgeflechte der Eingebornen, ein weisser Fetischdiener; Einiges über
die Massongos, Minungos und Kiocos, Begräbnissplätze; mein trauriger Gesundheitszustand bringt mich, in Uebereinstimmung mit Dr. Pogge's Ansicht zum Entschlusse,
nach Europa zurückzukehren; Dr. Pogge gibt die Hoffnung auf Jagdbeute nicht auf;
mein Programm für die Rückreise und Zusammenstellung der Karawane.

Endlich am 26. August erreichten wir nach dreistündigem unbeschwerlichen Marsche „Kimbundu", das Ziel
unserer Reise.

Nach einem Itinerare, welches mir Saturnino vor
unserem Abmarsche von Malange gab und welches die Strecke

Kimbundu.

bis Kimbundu betraf, sollte die Reise blos 36 Tage dauern;
wir brauchten aber 44 Tage, eine Zeitversäumniss, welche
übrigens ganz bedeutungslos ist.

Saturnino hat in Kimbundu ein Haus, in welchem
Waaren zum Tauschhandel aufgehäuft sind. Dieses Magazin

steht unter der Aufsicht einer Negerin, die sich des grössten Vertrauens seitens Saturnino's erfreut. Wir bezogen das Haus eines erst kurz vorher in Sanza verstorbenen Weissen, welcher hier ebenfalls eine Factorei besass, und brachten darin alle unsere Cargos unter. Ich wohnte auch darinnen, während Dr. Pogge sich vor dem Hause einen geräumigen Fondo errichten liess.

Wir kamen Beide in einem sehr traurigen Zustande in Kimbundu an; ich litt hochgradig an Fieberanfällen, Kopfcongestionen und Rheumatismus, Dr. Pogge an Fieber, Rheumatismus, Dysenterie und eine Zeit hindurch an Scorbut.

Dennoch hofften wir, uns nach einigem Aufenthalte wieder erholen zu können.

Mein Wohnhaus in Kimbundu.

Der Reisende kann sich aber nur selten Ruhe gönnen, wenn er den Zweck seiner Mission vom richtigen Standpunkte erfasst, denn alles manchmal selbstverständlich Scheinende ist, wenn vielleicht auch nicht unmittelbar für die Wissenschaft, so doch wenigstens für einen nachfolgenden Reisenden von Wichtigkeit. Eingedenk dieses Umstandes gibt es daher immer etwas zu notiren. Nebstdem sollen auch astronomische Ortsbestimmungen, womöglich auch continuirliche meteorologische Beobachtungen angestellt und Sammlungen in jeder Richtung hin durchgeführt werden, so dass nur sehr wenig Zeit zur Ruhe bleibt. Und diese wird noch von den Schwarzen in Anspruch genommen, welche, um ihre unersättliche Neugierde zu befriedigen, von allen Seiten auf Besuch kommen.

Unsere Hoffnung auf Erholung war daher zu kühn und erfüllte sich nicht.

Kimbundu oder Kibundo, wie die Sansala auch oft genannt wird, liegt an einem kleinen Flüsschen, dem Luwo, welcher ein Nebenfluss des sich in den Kassabi ergiessenden Chicapa ist, auf sandigem Boden, und hat eine beiläufige Einwohnerzahl von 800 bis 1000 Menschen.

Die Hütten bestehen aus Flechtwerk, dessen Zwischenräume mit Lehm ausgefüllt werden, und sind mit Campinen gedeckt. In der Form sind sie zumeist viereckig und geräumig. Nahe den Hütten haben die Leute kleine Grundstücke, auf welchen sie die bereits erwähnte Manioka oder die Erdnuss *(Arachis hypogea)* bauen. Die letztere Pflanze wird in der Negersprache „Ginguba" (spr. Schinguba), von den Portugiesen „Amendoim" genannt und ist sehr weit verbreitet. Die Schwarzen in Angola, sowie auf der Strecke, die ich durch die unabhängigen Länder einhielt, geniessen die „Ginguba" beinahe als tägliches Nahrungsmittel. Sie wird entweder gesotten oder auf Asche geröstet und schmeckt sehr gut.

Die erwähnten beiden Pflanzenarten sind sehr leicht zu bauen, ja sie bedürfen bei der vorzüglichen Fruchtbarkeit des Bodens beinahe gar keiner Nachhilfe, sobald sie angebaut sind. Die Erdnüsse werden in grossen Quantitäten an die Küste und sodann zur Oelbereitung nach Europa gebracht. An essbaren Küchenpflanzen kommt auch noch die „Tomate" *(Solanum lycopersicum)* vor; ich zweifle übrigens nicht daran, dass auch sehr viele unserer übrigen europäischen Küchengewächse hier vorzüglich gedeihen würden. Bananen, Orangen, Ananas, Mangos und dergleichen Obstgattungen gibt es in Kimbundu nicht. Die Kürbisse werden von den Schwarzen zu Calabassen verwendet.

Das Wasser ist schlecht und der Reisende ist hier, wie auch schon auf der ganzen Route auf „Flusswasser" angewiesen. Mangel an Wasser hat man wohl nie, aber von welcher Güte ist es? Eben dieser Umstand, sowie der Genuss „verschiedenen" Wassers trägt sehr viel zur Erkrankung des Europäers bei.

Das Klima von Kimbundu ist gut zu nennen und wenn Vorkehrungen getroffen würden, um gutes Trinkwasser zu erhalten, so könnten Europäer vielleicht auch längere Zeit hindurch an diesem Orte gesund und wohlauf bleiben.

8*

Ich habe daher auch, im Sinne der von Seiner Majestät dem Könige der Belgier im Herbste des Jahres 1876 in's Leben gerufenen „Internationalen Association zur Erforschung Central-Afrikas" an massgebendem Orte vorgeschlagen, in Kimbundu eine Station zu errichten, welche dann für alle von der Westküste in das Innere des Continentes vorgehenden Reisenden als Stützpunkt zu betrachten wäre und diesem Zwecke auch gewiss sehr entsprechen würde.

Es wird von dem Vorhandensein der zur Erhaltung dieser Station erforderlichen Geldmittel abhängen, wann von diesem Vorschlage Gebrauch gemacht wird; bei dem sich in allen Ländern bethätigenden Interesse, welches durch die bisherigen namhaften Beitragsleistungen an die verschiedenen „Afrikanischen Gesellschaften" seinen Ausdruck fand und es ermöglichte, dass bereits Expeditionen.zu dem angestrebten Zwecke nach Afrika gesendet werden konnten, kann mit Recht der Schluss gezogen werden, dass auch dieser Zeitpunkt nicht zu ferne liegt.

Von Kimbundu kann man auf zwei verschiedenen Wegen in die Hauptstadt des Muata Yanvo gelangen. Durch die Gefälligkeit Saturnino's, welcher bereits vor einigen Jahren den damals regierenden Fürsten besuchte und den Weg kennt, kam ich in den Besitz der diesbezüglichen Itinerare, welche ich im Anhange folgen lasse, für deren unbedingte Richtigkeit ich aber natürlich nicht einstehen kann. Ich bemerke aber, dass ich Gelegenheit hatte, mit Eingebornen, welche von Muata Yanvo kamen, zu verkehren, wobei ich ihren Angaben nach vollkommene Uebereinstimmung mit. der von Saturnino notirten Marscheintheilung fand.

Der südliche Weg beansprucht 35 Tagereisen und man passirt 11 Flüsse, daher man diese Route ganz besonders zur Regenzeit wählt, wo die Flüsse weiter stromabwärts gar nicht oder doch nur mit grossen Schwierigkeiten zu passiren wären. Der zweite und kürzere Weg führt von Kimbundu in der Richtung nach Nordosten in 27 Tagen an's Ziel und eignet sich mehr während der Trockenzeit zur Reiseroute.

Die Namen in den Itinerarien bezeichnen jene der betreffenden Sansalas (Dörfer), Flüsse oder auch blos der Sobas in deren Nähe jeden Tag das Bivouak aufgeschlagen wird. Die Neger bestimmen sich die Dauer der Märsche selbst und der Weisse muss sich fügen. Will er an einem oder dem anderen Tage weiter marschiren, als es den Cargadores beliebt, so muss er sie, wie bereits früher erwähnt, hiefür besonders entlohnen.

Der gegenwärtige Muata Yanvo regiert seit Herbst 1874, um welche Zeit sein Vorgänger starb.

Die Erbfolge der Häuptlinge ist bei den meisten Neger-völkern im westlichen Aequatorial-Afrika derart, dass nach dem Tode des Monarchen nicht dessen Sohn, sondern der älteste Sohn seiner ältesten Schwester, also einer seiner Neffen zur Regierung gelangt (para conservar a geração).

Nach den durch Dr. Pogge nach Europa gelangten Nachrichten ist dies jedoch bei Muata Yanvo anders. Nach dem Tode des Muata versammeln sich nämlich die hiezu Berufenen und bestimmen durch Wahl, und zwar unter den Söhnen der verstorbenen Muatas, mit deren Hauptweibern den künftigen Herrscher.

Die Regierungsform ist eine absolut-monarchische und der Muata macht, wie aus meinen weiteren Mittheilungen zu ersehen sein wird, von seinem Rechte auch den umfassendsten Gebrauch.

Die Hauptstadt ist „Mussumbe" („grosses Lager") an Stelle des früheren Ortes „Cabebe". Jeder Regent bezieht eine andere Sansala, wenn sie auch ganz nahe des Sitzes seines Vorgängers liegt. Mussumbe liegt daher auch ganz nahe bei Cabebe und soll ziemlich stark bevölkert sein; freilich nicht durch die dort sesshaften Eingebornen, deren Zahl wohl nicht bedeutend höher sein wird, als in einer anderen Sansala, als vielmehr dadurch, dass fortwährend aus allen Gegenden des grossen Reiches Karawanen mit den an den Muata zu entrichtenden Tributen ankommen und nach kurzem oder längerem Aufenthalte wieder abgehen, um anderen Zügen Platz zu machen, wodurch die Bewohnerzahl des Ortes immer beträchtlich bleibt. Nach den neuesten von Dr. Pogge her-rührenden Nachrichten soll gegenwärtig „Kinsemena" die Hauptstadt von Lunda sein.

Nach Livingstone heisst das ganze Land „Rua", nach Anderen „Lua" und gegenwärtig richtig „Lunda", die Bewohner „Balundas".

Die Benennung „Lunda" ist wohl zu unterscheiden von „Lunda" am Moerosee, welches der Name des Hauptortes des Muata Cazembe ist; man begreift den grossen Umfang des ganzen Reiches Muata Yanvo's, wenn man in Erwägung zieht, dass auch der Cazembe, dessen Land doch so weit im Osten liegt, dem erstgenannten Fürsten tributär ist.

Muata Yanvo ist gegen Weisse überaus misstrauisch und habgierig. Schon Livingstone deutet in seinen ersten Reisebeschreibungen auf die Habgier des damaligen Regenten hin und bedauerte, nicht selbst den Besuch dieses Fürsten unternommen zu haben.

Es kommen manchmal portugiesische Händler zu Muata Yanvo. Bei der Ankunft müssen sie ihn natürlich genügend mit Geschenken versehen und erhält er nicht genug, so nimmt er sich selbst die Ergänzung.

Ich lernte auch einen portugiesischen Kaufmann, Namens Lopez do Carvalho kennen, welcher drei Vierteljahre bei Muata Yanvo des Handels wegen blieb. Durch seine Erzählungen fand ich Vieles, was ich schon früher hörte, vollkommen bestätigt.

In Malange bereits machte man uns aufmerksam, dass, falls es uns gelingen sollte, nach Mussumbe zu gelangen, Muata Yanvo wahrscheinlich an unseren gut gearbeiteten Blechkoffern so viel Wohlgefallen finden dürfte, dass er uns alle wegnehmen würde.

Auch unserem Pulver und den Steinschlossgewehren prophezeite man dasselbe Schicksal.

Mit den Gegengeschenken ist er sehr karg. Dafür aber veranstaltet er mitunter ganz eigenthümliche Festlichkeiten zu Ehren seines weissen Gastes.

Das Volk versammelt sich hiezu möglichst zahlreich beim „Libata" (Gehöfte) des Muata. Gesang und Tanz unter Begleitung der im äquatorialen Westafrika überall vorkommenden „Marimba" und „Kipuita" leiten das Fest ein und füllen den grössten Theil desselben aus. Zum Schlusse folgen dann Hinrichtungen einiger Unterthanen, welche aber, nebstbei gesagt, nicht einmal Verbrecher sein müssen. Auch nimmt er gelegentlich seine Opfer aus den Zugereisten. Wer das Unglück hat, dem Muata Yanvo aufzufallen, wenn sich dieser mit dem Gedanken einer Massenschlächterei trägt, kann mit dem Leben abschliessen; alle Fetische des Landes werden ihm nicht mehr helfen können, denn der Muata kennt keinen Pardon. Alle Bitten des Weissen, diese Gräuelthaten zu unterlassen, sind umsonst.

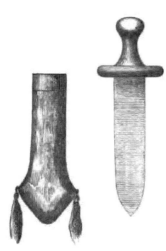

Schwert aus Lunda.

Der Delinquent wird an einen bis zur Schulterhöhe reichenden, in den Boden eingerammten Pfahl gebunden und der allseitige Lärm beginnt von Neuem.

Während dem tanzt ein Schwarzer, ich nenne ihn den Scharfrichter, mit einem circa 6 Decimeter langen und 1·5 Decimeter breiten eisernen Schwerte (diese werden alle in Lunda selbst erzeugt) vor dem Unglücklichen hin und her und schlägt ihm endlich von rückwärts den Kopf ab, worauf der Muata sein Wohlgefallen durch Klatschen mit den Händen kundgibt.

Diese Mordscene wiederholt sich nun bis zur Befriedigung der Blutgier des Fürsten.

Bei Lopez do Carvalho wurden, wie mir dieser erzählte, 23 Menschen (Männer, Weiber und Kinder) hingerichtet, bei Anderen weniger, und man soll daraus ersehen können, welchen Grad der Achtung der Muata gegenüber dem einen oder dem anderen Reisenden hat.

Die Körper der Hingeschlachteten werden verscharrt, die Köpfe über die Umzäunung des Libata geworfen, wo sie liegen bleiben und kein Eingeborner wagt es, je gegen diese Gräuel zu protestiren.

Ich habe wiederholt der „Marimba" und „Kipuita" Erwähnung gethan und will daher Näheres über die in diesen Gegenden üblichen musikalischen Instrumente hier folgen lassen.

Die „Marimba" ist wohl das ausgebildetste Instrument der Neger und in ihrer Construction der in Europa gebräuchlichen „Holzharmonika" sehr ähnlich. Ausgehöhlte Kürbisse von verschiedener Grösse werden, mit der Oeffnung nach oben und in einem Halbkreise von beiläufig 1·7 Meter geordnet, unter einander zu einem festen Systeme verbunden. Auf den Oeffnungen der Kürbisse sind schmale Brettchen lose befestigt und auf die letzteren schlägt der Musiker mit einem

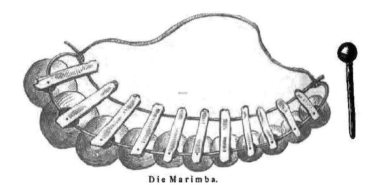

Die Marimba.

Schlägel (dessen Kopf aus Gummi gebildet ist), wodurch, abhängig von den verschieden grossen Kürbissen, auch verschiedene Töne hervorgebracht werden. Bei dem Spiele auf der Marimba bedient sich der Betreffende natürlich zweier Schlägel.

Die Eingebornen erlangen grosse Geschicklichkeit im Marimbaspiel und fürwahr, man wird von einem Concerte auf zwei Instrumenten ganz angenehm überrascht. Gute Marimbaspieler stehen übrigens bei den Eingebornen sehr hoch im Ansehen.

Die „Kipuita" ist eine Trommel. Ein 0·8 Meter bis 1 Meter langer Baumstrunk wird entweder theilweise oder auch der ganzen Länge nach ausgeböhlt und die Oeffnung oder im letzteren Falle beide mit Thierhäuten straff überzogen. Die

Die Kipuita.

Kipuita wird meist auf den Boden aufgestellt und zwischen den Beinen festgehalten, während das Trommelfell mit den Ballen der beiden Hände bearbeitet wird.

Die „Viola" besteht aus einem Holzbogen, dessen Enden durch eine Sehne verbunden sind, auf

Die Kipuita.

welche der Neger mit einem kurzen Holze schlägt oder selbe ausschnellen lässt. Zur Verstärkung des Tones ist an dem Bogen ein halber Kürbiss bleibend befestigt; dieser wird während des Spieles mit der Schnittfläche an den Brustkasten angedrückt, wodurch die bessere Resonanz erzielt wird. Diese Art der Musik, wie sie mit der „Viola" ausgeübt werden kann, klingt in ihrer Eintönigkeit fürchterlich für europäische Ohren. Begreiflicherweise kann blos ein Ton hervorgerufen werden und die einzige Abwechslung entsteht durch die mehr oder minder schnelle Aufeinanderfolge des Ausschnellens der Sehne.

Die Viola.

Das „Kissandschi" besteht aus einem kleinen Brette, auf welchem verschieden lange, nach der Grösse geordnete flache Eisenstäbchen derart angebracht sind, dass sie mit der Mitte auf einem hölzernen Steg aufruhen, während das eine Ende an dem Brette befestigt ist. Der Musiker erfasst das Instrument mit beiden Händen von aussen und hält es vor die Mitte des Leibes. Er spielt ausschliesslich mit dem Daumen, indem er abwechselnd eines der freistehenden Enden der Eisenstäbe ausschnellen lässt, wodurch verschiedene Töne hervorgebracht werden, welche in ihrer mehr oder minder günstigen Zusammenstellung dem Zuhörer ein Urtheil über das musikalische Talent des Spielers gestatten. Man trifft auch Kissandschis, bei welchen statt der Stäbchen aus Eisen solche aus Holz verwendet werden.

Das Kissandschi.

Der „Lubembe" endlich ist ein musikalisches Instrument, welches ausschliesslich in Lunda vorkommt. Es ist aus Eisen verfertigt und wohl am allerbesten mit einer übergrossen eisernen Kuhglocke (jedoch ohne Zunge) zu vergleichen. Bei Muata Yanvo haben die Lubembes die in der nebenstehenden Illustration angezeigte Gestalt. Der Lubembe wird mit einem Schlägel von aussen bearbeitet und man kann ihm durch entsprechendes Anschlagen (oben oder unten) viererlei Töne entlocken. Das Instrument wird meist im Vereine mit der Kipuita verwendet; Muata Yanvo benützt es ganz speciell zum Zeichengeben beim Beginne der Festlichkeiten oder um allseitige Ruhe zu gebieten, wo es, wie der chinesische Tam-tam, ganz vorzügliche Dienste leistet.

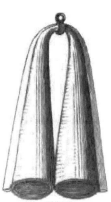

Der Lubembe.

„Lunda" ist überaus reich an Eisen und Kupfer, demzufolge schon selbst die Eingebornen sich daran gemacht haben, diese Metalle für ihre Zwecke zu verarbeiten. Sie machen sich die Spitzen für ihre Pfeile, welche sie, nebenbei gesagt, nie vergiften, weiters Erïenges (Arm- oder Fussringe) aus Eisen oder Kupfer und Schellen ausschliesslich aus letzterem Metalle; ferner Wurfspiesse, Messer, Hacken und Beile. Auch der Lubembe ist ein Fabricat des Landes.

Sie räumen dem Eisen unbedingt den Rang vor dem Kupfer ein. Eiserne Erïenges darf somit blos der Muata tragen, während sich der kupfernen jeder Eingeborene bedienen darf.

Bei Muata Yanvo werden die Armringe speciell „Sambusch"
genannt.

Hacken und Beile (bei Muata Yanvo „Medambalas" und
in Angola „Machados", port., genannt) werden in Lunda sehr
zierlich erzeugt; man findet nicht leicht zwei Exemplare, welche
mit derselben Zeichnung versehen wären. Die Medambalas
werden auch als Waffen benützt, zu welchem Zwecke sie mit
Widerhaken versehen sind, welche bedeutende Verletzungen
verursachen können.

Eine weitere Waffe der Eingebornen von Angola bis
Lunda ist der „Purrinho". Er ist aus dem sogenannten „pão
do ferro" (Eisenholz) gefertigt und wird nach Art einer Keule
gehandhabt, ja sehr oft dem Feinde entgegengeschleudert.

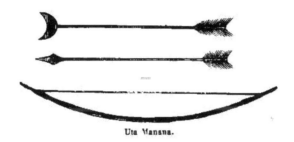

Uta Manana.

Die Eingebornen in Kimbundu setzen vor jedes Wort,
welches eine Waffe bezeichnet, das Wort „uta" (Waffe), so
dass sie „medambala" und „uta medambala" unterscheiden.

„Uta manana" bezeichnet den Bogen, welcher im Vereine
mit „uta mufulla" (Pfeil) als Waffe dient zum Unterschiede
mit „manana", ein Bogen überhaupt, z. B. bei der Viola.
„Uta mucuba" ist die Benennung der Wurfspiesse in Kimbundu
und „uta calembelembe" jene für dieselbe Waffe südlich unter
N'Dumbo a tembu.

Das Kupfer, welches von Lunda aus gegen die Westküste des Handels wegen gebracht wird, ist stets in massiven
Stücken von circa 1·5 bis 2 Kilogramm zusammengeschmolzen.
Diese Stücke haben die Form eines gedrückten Kreuzes,
und zwar nicht ohne Grund. Befördert ein Schwarzer mehrere

Stücke, so legt er sie alle aufeinander und kann sie, nachdem die Baststricke zwischen den Kreuzesarmen sehr festen Halt finden, zu einem Pack gut zusammenschnüren, was bei einer anderen Form der einzelnen Theile nicht so leicht möglich wäre. Ein solches kreuzförmiges Stück Kupfer, wie ich auch eines in meinem Besitze habe, wird in Kimbundu „Uwanda" genannt.

Die Eingebornen bedienen sich zum Ausschmelzen des Metalles eigener Blasbälge von ähnlicher Construction, wie selbe auch von den Schwarzen an der Westküste und in Südafrika gebraucht werden.

Weiters wird von Lunda an die Westküste ausgeführt: Elfenbein, Wachs, Ginguba, Palmnüsse u. dgl. Um das erstere gewinnen zu können, muss man schon sehr weit in's Innere gehen, nachdem die Elephanten in Afrika schon an Zahl bedeutend abgenommen haben. Die Orte, wo jetzt noch Elephanten zu treffen sind, liegen viel näher zur Ost- als zur Westküste des Continentes, daher auch von der ersteren ungleich mehr Elfenbein in den Handel kommt. Seit einer Reihe von Jahren schon gehen wiederholt portugiesische Kaufleute, besonders aus Benguella über Bihé nach Cazembe und sogar nach Mozambique, um von dort „Marfim" auf demselben Wege wieder zurück an die Westküste zum weiteren Handel zu bringen. Sie ziehen den Landweg durch den Continent absolut dem Seewege um das Cap herum vor.

Das Elfenbein wird von den meisten Negerstämmen der Umgebung Kimbundus „maso binsambo" genannt. „Maso" heisst Knochen und „Samba" der Elephant. Das Wort „marfim" ist portugiesisch und man unterscheidet im Handel zweierlei Arten: „marfim verde" und „marfim morto". Unter dem ersteren, dem „grünen" Elfenbein, versteht man die Stosszähne frischgetödteter Elephanten, während das „todte" Elfenbein jenes ist, welches im Walde, manchmal unter einer ganz beträchtlichen Erddecke, gefunden wird. Beide Arten unterscheiden sich auch schon im Ansehen. Die erstere ist weiss, oder doch nur gelblich, die letztere hingegen vom langen Liegen braun und oft auch schwarz; das todte Elfenbein steht auch bedeutend niedriger im Werthe, da bei dem Zahn oft sehr viel Beinsubstanz abgeschliffen werden muss, bis man auf die schön weisse Farbe kommt.

An die Westküste kommt jetzt schon zumeist nur todtes Elfenbein durch die Eingebornen in den Handel. Die einzelnen Zähne gehen alle nach dem Gewichte und sind auch in der Regel nicht sehr gross. Das Durchschnittsgewicht eines Zahnes beträgt nach Custodio's Angabe 12 bis 20 Kilogramm. Immerhin sah ich bei dem genannten Herrn in Malange gelegentlich meiner Rückreise zwei prachtvolle Zähne, von denen jeder 72·5 Kilogramm wog. Man kann sich einen beiläufigen Begriff von der Grösse und Stärke dieses Elephanten machen, wenn man bedenkt, dass er in den Stosszähnen allein schon eine Last von 145 Kilogramm = 290 Zollpfunden zu tragen hatte.

Hühnerkörbe.

Die Eingebornen von Kioco verfertigen aus Campinenstroh sehr zierliche Körbchen in den verschiedensten Formen. So mancher Europäer würde ungläubig über die Echtheit des Ursprunges auf diese Erzeugnisse der „Wilden" blicken. Kleine, offene Körbchen in verschiedenen Farben werden „N'Galu" genannt. Aehnliche werden auch in Angola, besonders in Pungo n'Dongo erzeugt und werden von den Negern, ebenso von den Portugiesen „Balaio" genannt.

Auch die Körbe, in welchen die Eingebornen ihre Hühner weiter befördern, sind recht schön gearbeitet.

Kleine Körbchen mit Deckel heissen „Buiri" und geflochtene Säcke „Capuringas".

In ganz Lunda ist ebenfalls der „Fetischdienst" die allein herrschende Religion und die Amulette oder Fetische werden auch hier „Kitecas" genannt.

Während meines Aufenthaltes in Kimbundu hatte ich Gelegenheit, einen Europäer kennen zu lernen, welcher ebenfalls der Fetischreligion huldigte, ja ich hörte später, dass dies unter den Weissen der Westküste durchaus keine Seltenheit sei.

Der erwähnte Mann kam von Bihé des Handels wegen und wurde, nachdem er bereits alle seine Waaren für Elfen-

Kimbiri.

bein abgegeben hatte, auf der Heimreise, vier Tagereisen östlich von Kimbundu, sehr stark vom Fieber befallen. Er bildete sich ein, blos in Kimbundu gesund werden zu können und ging daher auch mit zweien seiner Leute dahin zurück. Die anderen Träger, welche nicht mitgehen wollten, bezogen ein Lager und sollten bis zu seiner Rückkunft auf ihn warten. Sie thaten dies jedoch nicht, und während er krank in Kimbundu lag, stahlen sie die eingetauschten Artikel, theilten sie unter sich, entliefen sodann und der Mann war ein Bettler.

Als ich ihn sprach, bemerkte ich ihm, dass ich gerne bereit sei, eine Quantität Chinin zu seiner Heilung bringen zu lassen, welchen Antrag er jedoch in nichts weniger als freundlichen Worten zurückwies. Gleichzeitig wies er auf ein grosses, bei seinem Kopfe hängendes Antilopenhorn, welches mit Sand, Asche u. dgl. gefüllt war, indem er mir bedeutete, dies sei sein Fetisch, welcher ihm die Krankheit auch ohne anderseitiges Zuthun vertreiben werde.

Er hatte ein heftiges intermittirendes Fieber, von welchem der Europäer unter den Tropen so oft erfasst wird und alles

Kimbiri.

Zureden, sich des Chinins zu bedienen, fruchtete nichts. Sein Fetisch nützte ihm aber begreiflicherweise gar nichts und nach fünf Tagen starb er.

Die von mir bis Kimbundu durchreisten Volksstämme unterscheiden sich von einander ganz besonders in ihren Charakter-Eigenschaften. Während die Minungos fast durchgehends bösartig, wild und ungeberdig sind, zeichnen sich die Massongos, ganz besonders aber die Kiocos durch ihr friedliebendes Wesen aus.

Das Salben des Körpers mit Oel, das Bemalen des Gesichtes mit rother Farbe, die Sitten und Gebräuche, sowie Lebensweise und Beschäftigung sind aber bei allen gleich.

Die Massongos unterscheiden sich ferner von den Minungos und Kiocos in der Wahl des Ortes, wo sie ihre Todten begraben. In den Ceremonien beim Begräbnisse aber sind sie wieder gleich. Die Massongos haben ihre Gräber (Kimbiri) immer längs der Wege, ja manchmal mitten darin, so dass man um den Erdhügel herumgehen muss, und folgen hierin der auch bei dem Bundavolke in Angola herrschenden Sitte, während die beiden anderen Völker stets weit vom Wege abseits liegende, schwer aufzufindende Orte als Grabstellen wählen.

Ein einfacher Erdaufwurf, auf welchem manchmal ein Todtenkopf und Gebeine, immer aber Scherben irdener Gefässe oder zerbrochene Calabassen liegen, kennzeichnet die Ruhestätte ihrer Todten. Gewöhnlich ist dann noch eine lange Stange, an welcher einige Kleiderfetzen oder ein Féll flattern, in die Erde gesteckt, und wurde der Todte im Leben besonders geehrt, so ist der ganze Platz noch mit einer Hecke eingezäunt oder darüber gar ein Flugdach (eine Sombra) errichtet. —

Die Tage meines Aufenthaltes in Kimbundu verflogen unter fortwährender Beschäftigung sehr schnell, aber nicht zum Vortheile meines Befindens.

Mein sehr zerrütteter Gesundheitszustand liess mir keine Hoffnung, die Reise in's Innere fortsetzen zu können. Das Fieber, dieser gefährliche Gast eines jeden Europäers (die Schwarzen leiden wohl auch darunter, aber nicht im selben Masse), welches beinahe jeden Nachmittag wiederkehrte, und der durch den raschen Wechsel der Nachttemperatur (in der Zeit von 2 Uhr bis 5 Uhr Früh) hervorgerufene Rheumatismus brachten mich im Vereine mit der fortwährenden Unruhe, Aufregung, Sorge und den auf mir lastenden Arbeiten in einen bejammernswerthen, nicht zu schildernden Zustand und gleichzeitig zur Ueberzeugung, dass ein längerer Aufenthalt unter den afrikanischen Tropen unbedingt meinen Tod nach sich ziehen würde.

Nach genauer und wiederholter Erwägung dieser Umstände und nach Berathung mit Herrn Pogge, welcher meine

Ansicht über meinen körperlichen Zustand theilte, entschloss ich mich mit schwerem Herzen, den weiteren Vorstoss gegen das Innere zu unterlassen und durch neue Gegenden an die Küste und sodann nach Europa zurückzukehren. Dr. Pogge, welcher in Kimbundu einen starken Scorbut bekam und sonst auch durch Fieberanfälle und Dysenterie sehr viel litt, wollte nicht so bald sein durch bedeutende pecuniäre Opfer erkauftes Jagdrecht aufgeben und beabsichtigte in Kimbundu zu bleiben, um, wenn sich seine Gesundheit bessern sollte, vielleicht noch weitere Touren unternehmen zu können.

Nachdem somit mein Entschluss zur Rückkehr nach Europa und zur Trennung von Herrn Pogge feststand, erübrigte für mich nur mehr die Zusammenstellung des Reiseprogrammes, meines Gepäckes, sowie der Karawane.

Was die erstere betrifft, so wollte ich, um wieder neue Länder und Völkerstämme kennen zu lernen, die Rückreise nicht auf demselben Wege unternehmen, wie die Hinreise. Ich wählte daher die Route durch die Länder der „Maschinschis" und „Bangelas", und zwar nicht dieselbe, welche Livingstone bei seiner Reise nach Cassandsche einschlug.

Man rieth mir von allen Seiten ab, durch diese Gebiete zu' ziehen und die Schwarzen behaupteten, die Eingebornen dort wären gegen alle Karawanen sehr räuberisch gesinnt; es seien wiederholt und erst in jüngster Zeit Kaufleute, welche des Handels halber in's Cassandschethal zu den Bangelas kamen, ausgeplündert worden. Man sagte mir sogar ganz kurz, es sei für mich unmöglich, auf diesem Wege durchzukommen, und die berüchtigten Maschinschis würden mich sicher erschlagen.

Ich muss gestehen, dass mich dieses traurige Prognostikon in meiner Absicht etwas wankend machte und vielleicht hätte ich sogar meinen Plan wirklich geändert, wenn mir nicht ein Umstand eingefallen wäre, auf den offenbar die Schwarzen nicht dachten.

Ich habe bereits früher der Ursachen erwähnt, warum das Cassandschethal nicht mehr den Portugiesen gehört und daraus zog ich den Schluss, dass sich der Hass der dortigen Eingebornen ganz speciell gegen die europäischen Unterthanen der Regierung in Loanda kehrt. Die Neger in diesen Gegenden kennen von den „Sinsungus" (Weissen) blos den „Portuguez" und den „Inglez". Andere Nationen sind begreiflicherweise dort unbekannt.

Nachdem nun die manchmal dort reisenden Kaufleute ausnahmslos Portugiesen sind, so hoffte ich, dass die Eingebornen einem „Ingleze" keine besondere Schwierigkeit in den Weg legen werden, um ihre Länder durchreisen zu können. Gestützt auf diese Ansicht blieb ich daher fest in meinem Entschlusse, die gewählte Reiseroute unter allen Umständen einzuhalten.

Auch bezüglich der Marschdauer zog ich diesen Weg dem zuerst zurückgelegten vor. Nach den Angaben der Schwarzen konnte ich in 20 Tagen bereits Sanza erreichen; diese Marschdauer, jener für die Reise nach Kimbundu mit 36 Tagen entgegengehalten, gibt immerhin eine nicht zu unterschätzende Zeitersparniss von 16 Tagen. Freilich muss man auch zu diesen 20 Tagen noch eine Verzögerung zuschlagen, wie es auch in Wahrheit zutraf, immerhin aber ist dieser Weg die nächste Verbindung Kimbundus mit Angola.

Die Auswahl meines Gepäckes und der Tauschartikel war sehr bald getroffen. Meine Instrumente, mit Ausnahme jener, welche ich Herrn Pogge überliess, nahm ich mit mir zu meinem Gebrauche, desgleichen meine Personalausrüstung, sowie leider viel zu wenig Tauschwaaren.

Ebenso schnell ging die Aufnahme meiner Träger. Es gelang mir, Leute in Dienst zu bekommen, welche in Cula muxita bei Malange zu Hause waren. Durchgehends kleine, untersetzte Männer, aber stark und ausdauernd, wie ich im Verlaufe der Reise wiederholt zu beobachten Gelegenheit hatte.

Ich nahm für mich eine Tipoia mit, benöthigte daher sechs Mann zum abwechslungsweisen Tragen derselben. Der vorzüglichste unter diesen, ein gewisser João Irmão, welcher, wie die Folge zeigte, sich mir stets wirklich treu und ergeben bewies und sehr verwendbar war, hatte die Aufsicht über alle Leute meiner kleinen Karawane und war zugleich mein Dolmetsch. Für mein Gepäck benöthigte ich blos 11 Träger, deren Eintheilung im Anhange ersichtlich ist.

Tom und Manu, meine beiden Sklaven, nahm ich ebenfalls mit mir, während ich den dritten, welchen mir Major
Marquez schenkte, nämlich Sim, an Herrn Pogge abtrat.

Manu versah bei mir die Stelle eines Koches.

Jeder der gemietheten Träger bekam für die Reise bis
Malange wieder 10.000 Reis, wie auf der Herreise, was in
Anbetracht der grossen Differenz der Marschdauer immerhin
sehr gut gezahlt war.

ACHTES CAPITEL.

Abmarsch von Kimbundu gegen Nordwesten; nochmals vom Pacassa; Beginn der Regenzeit; gute Harmonie mit meinen Leuten, wir überschreiten wieder das Mossamba-Gebirge und kommen zu den räuberischen Maschinschis, herrlicher Ueberblick von der Höhe über das Quangothal; die Vegetation nimmt auffallend zu, Raublust der Maschinschis; Termiten, grosser Streit unter meinen Trägern, mein Revolver stellt die Ordnung wieder her, ich übe ärztliche Praxis; meine erste Pantherjagd; Uebergang über den Cucumbifluss; der Soba von Bansa Cassandsche, die Bangelas; ich übersetze den Quango im Canoa, der Pilot will wortbrüchig werden; grosse Gefahr für die ganze Karawane; grosse Wälder; José Joaquim Barreiros Callado und Antonio Manuele Lemus in N'Bungu, mein Ausflug nach der Feira, Tom und Manu bestehlen mich und entlaufen, werden aber von den Wuangas gefangen und von mir ausgelöst; Monte Cassala, ein Marabutschwarm; Freundschaft des Sobas von Lucalla, Rio Luhi; Bananen und Pisang, Tabak am Loariflusse, Ariamba, das Catenia-Gebirge; wieder im Songogebiete; ich passire die Talamongonga; Sanza.

Endlich war ich wieder reisefertig und konnte am 14. September, also nach 19tägigem Aufenthalte, Kimbundu wieder verlassen.

Nach kurzem Abschiede von Dr. Pogge, welcher gerade wieder ein starkes Fieber hatte, trennten wir uns um 9 Uhr des Morgens und ich schlug vorerst wieder denselben Weg ein, den ich schon einmal zurückgelegt hatte.

An den ersten drei Marschtagen bezogen wir in „Mutu am Bau", „Cauila" und „Catangala", so ziemlich an denselben Orten wie am 25., 24. und 23. August unser Lager.

Am ersten Platze hatte ich diesmal auch Gelegenheit, die Bedeutung des Namens in Erfahrung zu bringen. Obiger Name heisst in wörtlicher Uebersetzung „Kopf des Pacassa". Dieses Thier, dessen ich bereits früher erwähnte, führt also ausser diesem Namen und „Palanca" auch noch jenen: „Bau". Wie es kam, dass diese Gegend den sonderbaren Namen erhielt, erzählten mir mit Hilfe meines Dolmetsch die Eingebornen wie folgt: Ein Jäger (Schwarzer) liess, nachdem er einstmals in diesem Gebiete einen Büffel erlegte, dessen Kopf am Wege liegen. Ein Tags darauf mit seiner Karawane in der Nähe lagernder Mulatte fand ihn, und wenn er in der Folge seinen Leuten diesen Platz in's Gedächtniss zurückrufen wollte, so sprach er vom hingelegten Büffelkopf (tularu mutu am Bau"); seither behielt die Gegend diesen Namen.

Nachdem wir bereits im Beginne der Regenzeit reisten, fanden wir auch schon viele Sümpfe vor, welche unsere Marschgeschwindigkeit bedeutend hemmten. Ich freute mich jetzt insbesondere, keine Reitstiere mehr mitgenommen zu haben; wenn man die Tipoia benützt, kann man immer des Reitstieres entbehren. Auch sind in der Regenzeit die Flüsse bedeutend angeschwollen und mitunter sehr reissend. Ich fand dies schon beim Luanscheflusse, und hätte ich einen Stier mit mir gehabt, ich glaube in diesem Flusse hätte ich ihn verloren, denn das Wasser hatte eine sehr grosse Geschwindigkeit.

Auch die Gewitter traten regelmässig jeden Tag ein; freilich waren sie noch von kurzer Dauer. Während wir in Cauila campirten, war in der Ferne ein recht heftiges Gewitter; die Ränder der Regenwolken bescherten auch uns mit erwähnenswerthen Ergüssen. Meine Leute verstanden es aber so gut, wasserdichte Fondos zu machen, dass ich, ganz behaglich auf meinem Lager ausruhend, das Unwetter vorüberziehen lassen konnte, ohne für diesmal über die Vehemenz der Tropenregen unangenehme Erfahrungen sammeln zu müssen.

Auch den 17. September musste ich noch in Catangala ausharren. Meine Leute gaben an, sie müssten sich in der Nähe Fuba und „peixes" kaufen, was aber eine Lüge war. Sie hatten genug Mundvorrath für acht Tage mit sich und wollten blos einen Rasttag haben.

Am 18. September gingen wir vom alten Wege ab, und verfolgten zumeist die Richtung nach Nordwesten, passirten den Rio Camisense, dann den Cuilo und den Rio Cawembe, worauf wir nach fünfstündigem Marsche in Camiënge das Lager aufschlugen.

Am 19. September thaten wir dies nach einem Marsche von gleicher Dauer in Camissamba. Auf dieser Tour jagte ich einen meiner Tipoia-Träger mit der Bemerkung fort, dass er wohl einen guten Träger für Gummi und Brennholz, aber nicht für die Tipoia abgeben könne. Auch prügelten ihn die Anderen ganz weidlich durch. Dieser Schwarze liess mich mit der Tipoia fallen; ob absichtlich oder nicht, weiss ich nicht, aber Grund hätte er hiezu sicher nicht gehabt. Ein unglücklicher Sturz kann dem in der Tipoia Sitzenden das Leben kosten, da er von den am Bordaõ befindlichen Eisentheilen, ja selbst vom Bordaõ erschlagen werden kann. Ueber Bitten meines Dolmetsch gab ich dem Manne sodann eine Kiste zum Tragen.

Ich gewann schon in den ersten Tagen der Reise meine Träger lieb. Wenn man so mitten in der Wildniss ganz allein auf die Schwarzen angewiesen ist, so gibt sich dies von selbst; wenn man immer mit ihnen verkehrt, bemerkt man Manches nicht, was sonst Tadel finden würde. So war es nun auch bei mir. Ich hatte wenig Proviant mit mir, daher ich mich zur „Fuba" bequemen musste, dafür aber auch meinen Reis und Zwieback wieder mit den Leuten theilte.

Auch war uns das Glück günstig. In der Regenzeit, bei dem überall wuchernden Grün, hebt sich die Farbe der Antilopen besser vom Hintergrunde ab und so kam auch ich wiederholt in die Gelegenheit, ein solches Thier zu erlegen. Ein Uebriges thaten meine Leute und so hatten wir manchmal frisches Fleisch, was uns bei dem Mangel an Ziegen und Schafen eine wahre Wohlthat war. Leider waren diese Festtage selten und ich hatte viel vom Hunger zu leiden.

Des Abends sassen gewöhnlich alle Leute um meinen Fondo herum, vor welchem ein grosses Feuer angemacht war, und wir erzählten uns gegenseitig Neues, indem ich zeitweise ein „matabich" herumreichen liess, um die Zungen etwas zu lösen.

Mit dem heutigen Marsche begannen wir bereits das „Mossamba-Gebirge" zu überschreiten; am 20. September setzten wir unseren Weg weiter fort und indem wir die westliche Lehne bergab schritten, erreichten wir nach sechsstündigem Marsche den „Fuss des Gebirges" oder, wie sich meine Träger mit einem Gemisch von Portugiesisch und der Negersprache ausdrückten: „Basso de Muenge". Auch hier ist der Name „Mossamba" unbekannt und „Muenge" heisst Gebirge.

Wir waren wieder im Quangothale angelangt und bezogen unser Lager. Mit „Basso de Muenge" war bereits die westliche Grenze der Kiocos überschritten und wir befanden uns im Gebiete der allseits gefürchteten Maschinschis.

Erst auf diesem Marsche konnte ich einen tieferen Blick in die Pracht der afrikanischen Tropen thun.

Die beginnende Regenzeit hatte den Bäumen und Wiesen ihren grünen Schmuck in einem Colorit wiedergegeben, das man bei uns in Europa nicht kennt. Das saftige Grün der Wiesen und das an den verschiedensten Schattirungen reiche Grün der Bäume übte einen so überraschenden Eindruck auf mich aus, dass ich, die Tipoia verlassend, oft staunend dastand in der Bewunderung der so herrlichen Schöpfung.

Nach einem Marsche durch Wald und hohe Campinen, welche die Aussicht vollkommen hinderten, stand ich beinahe am Kamme des Mossamba-Gebirges und genoss eine herrliche und überwältigende Rundschau über einen grossen Theil des Quangothales, ohne den Fluss selbst sehen zu können, da die zwischen dem Gebirge und dem Flussbette sich hinziehenden Terrainfalten die Aussicht auf den Fluss hinderten. Was mich aber besonders überraschte, war die Formation der nach Norden liegenden Abfälle des Gebirgszuges. Es schien, als würde sich eine Terrasse an die andere, jede mit steilen Abfällen (selbst bis zu 90⁰) anschliessen und doch sind diese Terrassen untereinander getrennt; jede bildet eine Rippe und zwischen je zweien fliesst ein Bach, in der Regenzeit ein Fluss. Ausserdem sind jedoch die Abfälle des Gebirges mit Wasserrissen und kleinen Bächen wie übersäet, und zahlreiche Wasseradern durchziehen nach allen Richtungen das Thal, zu dessen Ueppigkeit beitragend.

In der Regenzeit lebt die ganze Natur auf und mit ihr erfreuen auch wieder die gefiederten Bewohner des Waldes durch ihren fröhlichen Gesang den Reisenden. Hie und da sieht man auch kleine Rudel zartfüssiger Antilopen Nahrung suchen oder in eiligem Laufe durch die Campinen sausen und über dem Ganzen kreisen Adler oder sonstiges Raubgefieder, stets bereit, einen harmlosen Vogel, der sich zu sehr aus seinem schützenden Laubdache herauswagt, zu erfassen.

So weit das Auge reicht — grün und wieder grün; kein Haus, kein Dorf! Wohl sind im Thale viele Wohnplätze der Neger, sie bestehen aber blos aus Campinenhütten, welche man nur schwer durch das deckende Grün der Bäume erschauen kann. Wie ich bereits erwähnte, waren wir mit dem letzten Marsche im Gebiete der Maschinschis (das Land heisst Schinschi) angelangt, ohne aber noch einen dieser Leute zu Gesichte bekommen zu haben. Auch bei der weiteren Reise durch das Land bis an den Quango und Cucumbi (westliche Grenze der Maschinschis) begegneten wir beinahe erst bei dem letztgenannten Flusse einigen Eingebornen.

Die Gegend ist überhaupt sehr schwach bevölkert und so kam es auch, dass wir keine einzige Sansala passirten.

Die Eingebornen sind faul und ohne den geringsten Gedanken an eine Arbeit, nur wenn sie erfahren, dass eine grössere Handelskarawane ihr Gebiet durchzieht, da eilen sie, um dieselbe zu plündern. Hinter den deckenden Campinen verborgen, lauern sie, hart am Wegrande hockend, mit Gewehren, und kommen die nichts Arges ahnenden und unter ihrer schweren Last keuchenden Cargadores des Weges, so feuern sie ihre Waffen in die Luft ab; die Träger lassen gewöhnlich die Cargos fallen und — fliehen, denn Muth gehört nicht zu den Tugenden des Negers. Die Räuber schlagen sich unterdessen mit ihrer Beute in die Campinen. Man muss verzichten, je wieder etwas von den Waaren zurück zu bekommen.

Auch während der Nacht ist es hier mehr als irgendwo geboten, stets die Waffen bei sich zu halten.

Nach Angola kommen die Maschinschis nie und ihre kleinen Handelsgeschäfte erledigen sie im Cassandschethal durch die Bangelas.

Am 21. September durchschritt ich das tiefeingeschnittene Bett des Cuiloflusses, an dessen Ufern prachtvolle Palmenhaine stehen. Der Fluss hatte eine Breite von 3o Schritten, war jedoch sehr seicht, so dass wir durchwaten konnten; der Regen hatte eben noch nicht so lange gewährt, um das tiefe Bett füllen zu können.

Auf diesem Marsche passirte ich auch eine kleine Ebene, welche mit unzähligen Termitenbauten in den sonderbarsten

Formen wie ' übersäet war. Bald hatten sie die Gestalt grosser Schwämme, bald wieder jene einer 1 bis 2 Meter langen, am Boden blos circa 2 Decimeter im Durchmesser betragenden Nadel, welche zudem noch geneigt dastand, und oft waren auch ganze Berge in der Höhe von 3 bis 4 Meter zu sehen. Die äussere Fläche dieser bizarren Figuren ist vollkommen fest und wasserdicht. Im Innern sind Gänge nach allen Richtungen gebaut. Ist das Termitenvolk bei der Arbeit, so ist es wohl nicht rathsam, den Bau zerstören zu wollen, denn die Thierchen vertheidigen ihn auf die furchtbarste Weise. Ist das Werk jedoch beendet, so bleiben sie nur kurze Zeit darinnen und

Termitenbauten.

ziehen dann an einen anderen Ort, um wieder neue Zeugen ihrer rastlosen Thätigkeit aufzuführen.

Diese Masse von Termitenhaufen waren nahe unseres Bivouakplatzes in Munene und, als ich des Abends bei eintretender Dunkelheit hinblickte, gewährten dieselben vollkommen das Bild eines grossen Friedhofes. Es schien, als wären da durchgehends Denkmäler, von menschlicher Hand geformt, aufgestellt. Ich schätzte die Zahl der dort vorhandenen Termitenbauten auf wenigstens 600 bis 800.

Am 22. September marschirten wir bis Camansamba.

Durch das „Schinschiland" dauerten die Märsche bedeutend länger als früher, nachdem meine Leute etwaige Angriffe der

Maschinschis fürchteten und sich daher beeilten,'bald an den Cucumbifluss zu kommen.

Nachmittag fingen meine Leute aus mir unbekannter Ursache zur Abwechslung an, sich zu raufen. Der Streit schien bereits beigelegt, entstand aber von Neuem und einer der Raufenden warf seinem Gegner ein thönernes Trinkgefäss (caneca) derart auf den Kopf, dass es zerbrach und dem Beworfenen eine 8 Centimeter lange klaffende Wunde am Scheitel beibrachte. Damit hatte die Rauferei wohl den Culminationspunkt erreicht und einer der Ruhigeren holte mich aus meinem Fondo heraus, um Ruhe zu machen. Als ich mit dem Revolver zu den Streitenden kam, hatten sich bereits beide Parteien gegen den Missethäter gekehrt, um ihn zu lynchen, und ich hatte einen wirren Knäuel von übereinander kollernden Leuten vor mir, welchen ich nur mit grosser Mühe lösen konnte. Bei dem grossen Lärm und dem wüsten Geschrei war es mir sehr schwer, mit der Stimme Ruhe zu gebieten. Ich bedeutete den Leuten, dass sie in Ruhe auseinander zu gehen hätten, widrigenfalls ich rücksichtslos in den Menschenknäuel schiessen würde, treffe die Kugel wen immer — doch meine Mahnung blieb ohne Erfolg. Ich feuerte einen Schuss vorerst in die Luft ab, um die Leute zu überzeugen, dass es mir mit meiner Drohung Ernst sei, worauf sich der Knäuel etwas zu lösen begann. Die Besonneneren mahnten zur Ruhe. Auf den zweiten Schuss, den ich ebenfalls in die Luft abgab, sprangen die Uebrigen mit Geschrei auseinander, als spürte ein jeder von ihnen schon die Kugel im Leibe. Jetzt erst konnte ich den bereits übel zugerichteten Hauptruhestörer vor weiteren Angriffen schützen, indem ich ihn unter Assistenz meines Dolmetsches „João Irmão" und eines anderen Schwarzen in meinen Fondo führen liess.

Fortwährend umschlichen die Anderen meine Hütte — sie hätten den Inhaftirten gar so gerne noch tüchtig durchgebläut. „Irmão" bewachte aber Alle sehr gut, endlich liessen sie von ihrer Rache ab und die Ruhe wurde weiter nicht mehr gestört.

Mittlerweile erfüllte der Verwundete mit seinem Klagegeschrei die Luft, und da die Leute wussten, dass ich in meinem mit dem Genfer Kreuze bezeichneten Medicinkasten verschiedene Heilmittel mit mir führte, so baten sie mich, die Schmerzen des Verwundeten zu mildern.

Ich stillte demzufolge das Blut und liess meine chirurgischen Kenntnisse durch die Anlegung dreier Knopfnähte glänzen. Die Heilung der Wunde nahm einen sehr schnellen Verlauf. Man muss bedenken, dass der Mann die weiteren Märsche alle mitmachte, wobei er stets sein Cargo wie jeder Andere meiner Leute trug, dass ihm während dessen immer die Sonne auf den unbedeckten Scheitel brannte, da er unter gar keiner Bedingung meinen Strohhut aufsetzen wollte und dass er daher ausschliesslich auf den Lagerplätzen in der Lage war, Umschläge auf die Wunde zu machen. Letzteres geschah freilich mit grösster Pünktlichkeit.

Am Abend des vierten Tages nach der Verwundung waren die Wundränder so weit verwachsen, dass ich die Nähte lösen und durch Heftpflaster ersetzen konnte.

Meine Schwarzen konnten nicht genug staunen und nannten meinen Medicinkasten von da an den „fetiço".

Am 23. September ging die Reise wieder weiter und wir campirten nach Passirung der abseits gelegenen Sansala Sansaue und des Flusses Lutete am linken Ufer des letzteren. Wir hatten somit den grössten Theil des Weges durch das Schinschigebiet bereits zurückgelegt. Des anderen Tages sollten wir den Cucumbifluss erreichen.

Des Nachmittags am 23. kamen eiligst drei Maschinschis in's Lager und benachrichtigten meine Leute, dass in der Nähe des Luteteflusses — zwei „tigres" (Panther) seien; sie forderten uns zugleich auf, mit ihnen den Thieren nachzugehen. Wir hielten dies zuerst für eine Finte, aber „Irmaõ" rieth mir, den Leuten zu vertrauen.

Es war 4 Uhr Nachmittags als ich, begleitet von sechs verlässlichen Cargadores, Manu mit der Jagdtasche und den drei Maschinschis, auf die Suche ging. Einer der Eingebornen führte uns; meine Leute waren mit Steinschlossgewehren, ich mit einer guten Lancaster-Centralfeuerwaffe versehen.

Nach einem zweistündigen Marsche, während welchem wir bereits anfingen, gegen die Eingebornen misstrauisch zu werden, kam der Führende in eiligem Laufe auf uns mit der Nachricht zu, die Thiere seien bereits in der Nähe. So still als möglich schlichen wir, in einem Bogen aufgestellt, vorwärts.

Da kamen wir auf eine Waldblösse, auf deren gegenüberliegenden Seite die beiden Thiere im Vollbewusstsein ihrer Kraft auf und ab schritten, indem sie mit ihren langen Schweifen die Erde fegten.

Wir wurden nicht bemerkt und traten schnell hinter die Bäume. Wir durften jedoch nicht säumen, wollten wir die Thiere erlegen. Auf ein Zeichen von mir fielen zugleich vier Schüsse und das kleinere Thier brach zusammen, das andere, grössere, bäumte sich hoch auf und wusste offenbar nicht, gegen welche Seite es sich zu wenden hätte, um seinen Angreifer zu erreichen; da gab ich einen zweiten Schuss auf das Thier ab, es stürzte in grossen Sätzen mit wildem Gebrüll über die Waldblösse und sauste auf eine Entfernung von 15 Schritten zwischen den Bäumen an mir vorüber. Die Bestie kehrte nicht mehr zurück.

Mittlerweile hatte der tödtlich getroffene Tiger verendet.

Es war ein junges Männchen von goldgelber Farbe und schön gezeichnet. Er hatte drei Eisenstücke (von den Ladungen der Steinschlossgewehre) in der linken Flanke, mein Spitzgeschoss ging bei den Schläfen durch den Kopf.

Ich freute mich herzlich, dieses Thier erlegt zu haben, und zwar umsomehr, als sich das Ganze schnell und so wenig aufregend abwickelte, wodurch ich zu der Ueberzeugung kam, dass ich, indem ich all' das Schaurige, welches ich über derlei Abenteuer gelesen hatte, glaubte, mir vorher eine ganz irrige Vorstellung von einer „Pantherjagd" machte.

Wir kehrten im Triumph mit dem erlegten Thiere in's Lager zurück, worauf meine Leute das Fell abzogen, um es mir zu überbringen.

Sie bettelten mir alle Krallen und die meisten Zähne der Bestie ab. Irmão sagte, sie nehmen die Theile eines wilden Thieres, welches ein „Branco" (Weisser) erlegte, als „Fetische für die Jagd", also als Amulette gegen Fehlschüsse.

Den drei Maschinschis schenkte ich 6 Yards Fazenda, worauf sie sehr vergnügt das Lager verliessen.   .

Am 24. September erreichten wir schon um 8 Uhr Früh den Cucumbi.

Wir trafen dort bereits einen Schwarzen mit seinem Canoa, bereit, uns an's andere Ufer zu übersetzen. Er verlangte für diese Verrichtung eine mittlere „Peça de Fazenda" (mit 8 Yards) im Werthe von etwas über 5 fl. österr. Währ. oder 10 Mark, mit welcher Forderung ich einverstanden war und ihn bezahlte.

Er überführte uns in Partien zu zwei, drei bis vier Mann sammt den Cargos. Ich gab ihm nach beendetem Uebergang noch 2 Yards als „matabich".

Bei derartigen Flussübersetzungen muss der Weisse immer der Letzte sein, welcher überführt wird; würde er trachten, unter den Ersten auf's andere Ufer zu kommen, so würde er den Verdacht der Feigheit auf sich laden.

An der Uebergangsstelle war der Fluss 100 Schritte breit und 2 bis 4 Meter tief. Um 10 Uhr 35 Minuten, also nach 2·5 Stunden, waren alle Leute am linken Ufer angelangt und wir setzten den Marsch wieder fort.

Um 11 Uhr 5 Minuten kamen wir in Bansa (heisst hier: Sansala) Cassandsche an, wo wir blieben.

Bansa Cassandsche liegt in der Gabelung des Cucumbi- und des Quangoflusses, also noch am rechten Ufer des letzteren, und ist wohl zu unterscheiden von dem schon wiederholt erwähnten Orte Cassandsche, jetzt Feira, welcher am linken Ufer und weiter ab vom Quango liegt.

Der Soba dieses Ortes ist der mächtigste Häuptling des ganzen Thales und sehr gefürchtet.

Bevor ich den Soba selbst noch sah, liess er mir eine leerstehende „cubata" (so werden hier die stabilen Negerhütten genannt) als Wohnung antragen; ich dankte jedoch schön für das eventuelle Vergnügen, von Mawatas gepeinigt zu werden und meine Leute errichteten mir wieder einen luftigen Fondo.

Der Versicherung des Sobas, die Hütte sei rein, mass ich keinen Glauben zu, denn — was gilt das Wort eines Schwarzen!? Ob Häuptling oder sonst ein Neger, immer ist er geneigt, den Weissen durch unrichtige Angaben zu betrügen oder irrezuführen. Es gibt nur wenig Ausnahmen.

Nachdem ich mich im Fondo eingerichtet hatte, kam der Soba, umgeben von vielem Volke, zum Besuche; die Strohmatte, welche hier „Dischisa" genannt wird, wurde vor meine Hütte gelegt und der Häuptling hockte sich nieder. Es war während der ganzen Reise von Kimbundu der erste Soba, den ich traf und ich erhoffte umsomehr einige Geschenke, namentlich eine Ziege oder ein Schaf, als ich bisher sehr oft hungern musste und im günstigsten Falle ein Huhn bekam. Ich hatte zu wenig Tauschwaaren, um mehr Lebensmittel einhandeln zu können.

Ich irrte mich aber, denn der Soba brachte nichts, verlangte aber von mir Einiges. Ich liess ihm durch Irmão bedeuten, dass ich, aus dem Inneren kommend, nur das zur Reise Nöthigste besitze und daher nichts geben kann. Er sah auch die Glaubwürdigkeit meiner Angaben ein.

Ich gab ihm aber dennoch eine Flasche Rum und machte mir ihn dadurch zum Freunde. Als ich ihm aber gar noch eine gewirkte, färbige Schlafmütze, das Symbol der Gemüthlichkeit, schenkte, wurde er überaus zutraulich und freundlich. Wir sprachen von den verschiedensten Gegenständen und endlich auch von meinem nächsttägigen Marsche, an welchem ich den Quangofluss zu überschreiten hatte.

Auch dort muss man für das Ueberführen ein Stück riscado zu 8 Yards geben. Indem mir der Soba den Preis mittheilen liess, bemerkte er auch, er wolle und müsse denselben noch diesen Tag erhalten. Ich wollte mich aber auf eine Vorausbezahlung nicht gerne einlassen, da ich fürchtete, Tags darauf nochmals zahlen zu müssen. Der Soba versicherte mich, mit der einen Zahlung sei Alles in Ordnung. Das Canoa gehöre ihm, der Schiffer sei sein Unterthan und müsse mich ohne weitere Zahlung auf's linke Flussufer bringen.

Zudem rieth mir Irmão, nicht lange zu zögern, sonst kämen wir innerhalb einiger Tage gar nicht weiter, und so entschloss ich mich zu zahlen.

Da kam der vielbesprochene Schiffer des Weges und wie ich dachte, kam die Sache jetzt anders.

Der Pilot wollte von den Abmachungen seines Sobas durchaus nichts wissen und begehrte von ihm die 8 Yard unter

Hinweis darauf, dass er die Ueberführung, also die Arbeit, zu leisten habe, ihm daher allein die Bezahlung gebühre.

Hierauf erfolgte höhnisches Gelächter des Sobas und Beginn eines allgemeinen, sehr laut geführten „Palavers". Als der Schiffer zu mir kam, jagte ich ihn weg, indem ich nichts mehr zahlen wollte.

Der Soba, welcher die Ansicht seines Unterthanen durchaus nicht als richtig anerkennen wollte, hatte mittlerweile den allgemeinen Lärm und die Unordnung benützt und war mit seinen Getreuen und dem Stück riscado eiligst — davongegangen.

Um dem Geschrei ein Ende zu machen, versprach ich dem Schiffer für seine persönliche Mühewaltung 4 Yards Fazenda, welche er aber erst des anderen Tags unmittelbar vor der Ueberfahrt erhalten sollte. Er war damit sehr zufrieden und versprach zeitlich des Morgens sich einzufinden.

Bansa Cassandsche ist der erste von den sogenannten „Bangelas" bewohnte Ort. Die Bangelas wohnen vom linken Cucumbi- und Quango-Ufer bis einschliesslich des das Catenia-Gebirge benannten Theiles der Talamongonga, wo dann wieder die Massongos beginnen.

Früh am Morgen des 25. September schickte ich dem Soba zur Befestigung unserer Freundschaft noch eine Flasche Branntwein, worauf er höchst erfreut selbst kam, um seinen Dank auszusprechen. Er brachte auch den Piloten mit, welcher gleich mit mir an den Quango gehen musste.

Der Uebergang über diesen Fluss ist schwieriger, weil das Canoa des Sobas so kurz ist, dass nebst dem Schiffer blos zwei Personen in sehr gebückter Stellung und ein Cargo Platz finden. Der Fluss ist circa 120 bis 140 Schritte breit und 2 bis 4 Meter tief.

Nachdem der Pilot seine Bezahlung von mir erhalten hatte, gab er seinem Sohne die Fazenda in Obsorge und begann mit der Ueberführung meiner Leute.

Als nun bereits die halbe Anzahl meiner Leute am linken Ufer angelangt war, weigerte er sich, den Rest ebenfalls hinüber zu schiffen und verlangte, mit seinem Canoa inmitten des Flusses bleibend, noch 4 Yards riscado. — Da gerade einige

Eingeborne des Weges kamen, so unterbrach er vollständig „meine" Ueberfahrt und beförderte diese Leute.

Da wurde mir die Geschichte zu toll; ich nahm dem Buben die 4 Yards der Bezahlung wieder weg und griff abermals zum Revolver. Inzwischen lärmten und schimpften meine Leute an beiden Ufern und warfen sogar Steine nach dem Piloten. Ich erklärte ihm, ich gäbe ihm einige Zeit zur Ueberlegung. Setzt er sodann nicht wieder die Ueberschiffung meiner Leute fort, so werde ich ihn niederschiessen und wir würden uns dann das Canoa nehmen, um ohne seine Hilfe auf's andere Ufer zu gelangen.

Schon in den nächsten 10 Minuten hatte er es sich zu seinen Gunsten überlegt und vollführte weiter sein Versprechen, worauf ich ihm natürlich dann wieder seine confiscirten 4 Yards zurückstellte.

Um 10 Uhr 10 Minuten war der Uebergang beendet und eben wollten wir wieder den Marsch fortsetzen, als die drei, bereits am 23. September erwähnten Maschinschis dahergerannt kamen, um uns ein grosses, frisches Pantherfell zu bringen. Es war jenes des auf der erwähnten Jagd angeschossenen Thieres, welches ganz nahe von unserem damaligen Lagerplatze nach unserem Abmarsche durch die Eingebornen verendet aufgefunden wurde.

Natürlich entschädigte ich die drei Eingebornen für den weiten Weg und theilweise für das Fell.

Wir campirten diesen Tag in „terra de Muhica".

Am 26. September passirten wir die „Bansa Camalanga" und „Bansa Muconda" und lagerten in „terra de Caschimba".

Des Nachmittags gab es wieder eine kleine Rauferei meiner Leute, welche sich sogar mit armdicken Knitteln gegenseitig auf die Köpfe schlugen. Mit Unterstützung meines Revolvers gelang es mir auch diesmal Ruhe zu schaffen.

Bei dem Tumult wurde eine mit Pulver gefüllte Caneca umgestossen und der Inhalt ziemlich weit im Grase herumgestreut. Einem meiner Träger, mit Namen Francisco, gab ich den Auftrag, Wasser zu holen und selbes auf das Pulver zu schütten, nachdem es nicht möglich war, alle Körner im Grase aufzulesen.

Des Nachts um 11 Uhr — ich lag noch schlaflos auf meinem Lager — erfolgte eine heftige Detonation. Ich sprang aus meinem Fondo, da brannte schon die nächste Hütte von mir und auch die zweite fing Feuer. Wenn die Leute nicht schnell bei der' Hand gewesen wären, so hätten leicht alle Hütten und Sombras (Schutzdächer) ein Raub der Flammen werden können, wobei ich wohl mein ganzes Gepäck eingebüsst hätte.

Und die Ursache des Brandes?

Francisco hatte meinen Befehl nicht ausgeführt und einer der Neger, welcher von dem zerstreuten Pulver nichts wusste, machte sich ganz ruhig an derselben Stelle ein Feuer für die Nacht. Er verbrannte sich bei der Explosion beide Füsse bis zu den Knieen ziemlich stark, war marschunfähig und musste zurückbleiben, als wir am 27. September Früh' unsere Reise fortsetzten.

Mittlerweile war die Regenzeit schon sehr vorgeschritten und ich beschloss, um baldigst wieder nach Sanza zu kommen, möglichst grosse Märsche zu machen. In der Regenzeit beginnen die täglichen Regengüsse ziemlich genau um dieselbe Stunde. Früh nach Sonnenaufgang ist in der Regel klarer, wolkenloser Himmel und daher die beste Zeit zum Beginn des Marsches. Gegen Mittag sammeln sich nach und nach die Wolken und ehe man sich versieht, bricht der Regen los. Um diese Zeit muss man also schon in einem Fondo in Sicherheit sein. Der Tropenregen dauert zwar nicht lange, der Niederschlag ist aber so gross und vehement, dass nach 10 Minuten bereits über jedes abschüssige Terrain ganze Bäche fliessen. Nach einer Pause von höchstens 1 bis 1·5 Stunden kommt dann wieder ein weiterer Erguss und so geht es fort des Nachmittags und während der Nacht. Man kann sich nur sehr schwer einen Begriff von der Dichte des Tropenregens machen, wenn man ihn nicht selbst erlebt hat.

Erst nach 12 Uhr Mittags kamen wir in Pafu an, wo wir übernachten wollten. Hier hat ein Portugiese eine Waaren-Filiale, über welche ein Mulatte als „Empregado" gestellt ist. Die Hütte, in welcher Alles untergebracht ist, ist ziemlich schlecht und klein. Ich leistete der Aufforderung des Mulatten Folge und beschloss die Nacht in der Hütte zu verbringen.

Die Mawatas vertrieben mich aber und ich zog es vor, unter freiem Himmel zu schlafen, nachdem wir gerade eine sehr schöne und angenehme Nacht hatten.

Meine ohnehin so herabgekommene Gesundheit erlitt in dieser Nacht den ärgsten Stoss und nachdem ich mit grosser Mühe mein Tagebuch abgeschlossen hatte, in der Hoffnung, dass dasselbe vielleicht doch nach Europa gelangen werde, erwartete ich in der vollsten Ueberzeugung meines nahen Todes unter fürchterlichen Kopfschmerzen und den heftigsten Fieberanfällen von Minute zu Minute den Eintritt der Katastrophe, während meine Leute bei den Lagerfeuern lärmten und sich an dem eintönigen Geklimper der Viola ergötzten.

Die Schmerzen liessen mich keine Ruhe finden und so erwartete ich den Anbruch des nächsten Tages mit wahrer Sehnsucht. Mein Zustand blieb Vormittag stets derselbe, so dass ich nicht transportfähig war; diesen Tag hätte ich ohnedem übrigens auch in Pafu bleiben müssen, nachdem sich einer der Leute verlaufen hatte und gesucht werden musste.

Nachmittags wurde mir, Dank der grossen Quantität des genossenen Chinins, wider alles Erwarten wohler und schon des Abends war ich, wenn auch noch schwach, doch auf den Beinen und beseelt von dem festen Entschlusse, am nächsten Tage meine Reise fortzusetzen.

Am 29. September passirte ich in einem sehr anstrengenden Marsche Calunga a Kilombo, einen prächtigen Palmenhain bei N'Gama, die Bansa Cansambe, wo grosse Matos (Wälder) beginnen, und den in einem mächtigen Felsenbette dahinfliessenden rio Cueji (spr. Kueschi, wohl zu unterscheiden von Cuiji). In N'Bungu campirten wir.

Hier hat der Portugiese José Joaquim Barreiros Callado, welcher in Pafu die Filiale hat, ein grosses Haus und eine bedeutende Wirthschaft, welche sich durch besonders reichen Viehstand auszeichnet. Ich sah noch nie in Afrika so viele Rinder, Schafe, Ziegen und Schweine in einer Heerde beisammen.

Callado ist nur selten in N'Bungu und so traf es sich auch, dass er bei meiner Ankunft daselbst in der „Feira" war.

Sein Empregado, ich glaube er ist mehr Theilhaber des Geschäftes, ist eine Mulatte und heisst Antonio Manuele Lemus.

Er lud mich zwar ein, in seinem Hause, beziehungsweise in jenem Callado's zu übernachten, nachdem ich aber hier ausnahmsweise nicht die sonst gewohnte portugiesische Gastfreundschaft fand und daher fürchtete, lästig zu fallen, zog ich es vor, wieder einen Fondo zu beziehen.

Hier erfuhr ich auch von „Irmão", dass Saturnino und Callado arge Feinde wären, und ich glaube daher annehmen zu können, dass Ersterer nur deshalb nicht wollte, dass wir durch das Cassandschethal zogen; denn von den Unruhen und Kämpfen, von denen uns in Malange so viel erzählt wurde, war auch keine Silbe wahr.

Ich fand nun umsomehr Interesse, Callado kennen zu lernen, und entschloss mich, theils aus dieser Ursache, theils um die Feira kennen zu lernen, am nächsten Tag nach diesem Orte zu gehen, während meine Leute in N'Bungu zurückbleiben sollten. Der mittlerweile von Pafu nachgekommene Empregado und zwei Neger sollten mich begleiten. Ich und der Mulatte erhielten von Lemus jeder einen Reitstier.

Am 3o. September wurde demnach auch die Partie unternommen; ich erreichte jedoch meine Absicht nur theilweise, indem ich mit Callado nicht zusammentraf. Kurz vor meiner Ankunft in der Feira ritt er von dort ab; wohin, wusste Niemand.

Mein Ritt nach der Feira dauerte 4 Stunden. Ich fand bezüglich der ehemaligen Pflanzungen Alles bestätigt, was ich in Malange schon hörte und bereits an anderer Stelle erwähnte. Jetzt wohnt ausser den Negern blos ein Weisser mit einigen Mulatten dort. Am Nachmittag des 3o. kehrte ich noch nach N'Bungu zurück. Callado traf ich wieder nicht und fast schien es mir, als wollte er ein Zusammentreffen mit mir, dem Freunde Saturnino's, absichtlich vermeiden.

Während des nächsten Marsches am 1. October begannen wir auf sanften Böschungen den Aufstieg gegen die östliche Lehne der Talamongonga und passirten die Sansala Wuanga um 11 Uhr.

Als wir um 1 Uhr Nachmittags im Walde unser Lager aufschlugen und meine Träger nachgekommen waren, fehlten meine zwei Muleques Tom und Manu, und da sie frisches

10*

Fleisch zu tragen hatten, mir nebstdem auch noch eine Büchse mit Butter, sowie ein vorzügliches englisches Beil fehlte, so schöpfte ich mit Recht Verdacht, die beiden Jungen hätten mich bestohlen und wären davongelaufen.

Nachmittags noch schickte ich drei Cargadores aus, um die Muleques zu suchen und zurückzubringen. Damit wir bald wieder beisammen seien, musste ich am 2. October noch auf demselben Lagerplatze bleiben. Von einem Weitermarsche konnte übrigens an diesem Tage ohnehin keine Rede sein, denn in der Nacht fing es derart zu regnen an, dass die Wege sehr aufgeweicht und überaus schlüpfrig waren, so dass man nur schwer gehen konnte.

Im Laufe des Tages kam einer der drei Träger mit der Nachricht zurück, die Muleques seien gefunden. Nachdem sie nämlich durchgegangen waren, wurden sie von den eingebornen Wuangas gefangen und dort als Sklaven erklärt. Die Wuangas waren aber bereit, die zwei Missethäter gegen Lösegeld herauszugeben und verlangten 6 Flaschen Branntwein und 6 Peças de Fazenda (48 Yards). Das schien mir etwas viel, nachdem ich aber die Muleques dennoch auslösen wollte, da sonst ihr Los ein fürchterliches gewesen wäre (die Neger behandeln ihre Sklaven noch schlechter als der Weisse), so schickte ich durch den Träger an die Wuangas 2 Flaschen Branntwein und blos 2 Peças de Fazenda, um die Jungen wieder zu erhalten, welche auch spät Abends zurückgebracht wurden.

Am 3. October hatte ich abermals einen anstrengenden Marsch bis an's linke Ufer des Luhiflusses.

Gleich zu Anfang des Marsches führte mich der Weg am Fusse des „Monte Cassala", im Lande Cabocò, vorbei. Der Monte Cassala ist ein circa 5oo Meter über das umliegende Terrain sich erhebender Höhenrücken, dessen Wände sehr steil sind. Hier bietet sich oft die sehr ergiebige Jagd auf Marabuts (*Leptoptilus crumenifer*), nachdem oft grosse Schwärme dieser Vögel in den Felsen des Cassala ihre Zuflucht nehmen. Die Schwarzen jagen diese Thiere blos des Fleisches, nicht der Federn wegen, welch' letztere sie den Lüften übergeben.

Der weitere Weg führte nun durch zahlreiche Bäche und Wasserrisse und manchmal an 20 Meter hohen senkrechten

Abstürzen vorüber, bis die Sansala Cambollo erreicht war.
Kurz nach der Sansala Lucalla endlich passirte ich den Luhi,
an dessen linkem Ufer wir auf einer Anhöhe unser Lager aüf-
schlugen. Bald darauf kam auch der Soba, ein recht gemüthlicher
Schwarzer, auf Besuch und brachte Esswaaren mit. Das war
eine grosse Wohlthat für mich, denn seit der Flucht meiner
Muleques, also schon durch zwei Tage, litt ich Hunger. Seinen
Weibern schenkte ich Perlen, worüber sie sehr grosse Freude
zeigten und schnell für mich noch Fuba und Hühner brachten.
Der Soba blieb lange bei mir und wir schwatzten bis in die
Nacht hinein. Von dem Wenigen, das ich noch hatte,
beschenkte ich ihn so gut als möglich und er gab mir als An-
denken seine — Pfeife. Unter allen Schwarzen machte der
Soba von Lucalla den besten Eindruck auf mich.

In Lucalla traf ich wieder einige Neger, welche von der
in kurzer Zeit in Angola heimisch gewordenen Landplage, von
dem Sandfloh, zu leiden hatten. Der Sandfloh (Rhynchoprion
penetrans) oder Chichao, Jigger, Nigua, ist in Brasilien heimisch
und wurde im Jahre 1873 durch ein von Bahia nach Ambriz
kommendes Segelschiff im Ballaste nach Angola gebracht. Das
Ausladen des den Ballast bildenden Sandes erfolgte, entgegen
der Vorschrift, dass er in's Meer versenkt werden müsse, an der
Küste bei Ambriz.

Die Zeit von drei Jahren genügte zur Verbreitung dieses
Thieres nördlich bis zum Congo, südlich bis über Benguella
hinaus und eine beträchtliche Strecke gegen das Innere des
Continentes. In Lucalla (circa 70 geogr. Meilen von der Küste)
war (1875) der östlichste Ort, wo ich den Sandfloh traf.

Dieses Insect, von den Negern wieder nur „bicho" (sprich
bischo) genannt, bildet eine wahre Landplage und wird durch
das fortwährende Wandern der Eingebornen gegenwärtig wahrscheinlich schon sehr weit im Innern zu treffen sein. Das
Weibchen bohrt sich in die Haut des Menschen, besonders
gerne an den Zehen und Fingern ein und es ist vorerst nur
bei der genauesten Untersuchung das Vorhandensein des Thieres
zu constatiren. Schmerzhafte Erscheinungen treten erst auf,
sobald das Thier die Eier legt, worauf die Stelle bedeutend

anschwillt. Gleich beim ersten Bemerken muss das Insect herausgeschnitten werden, da die Erfahrung lehrt, dass, wenn dies vernachlässigt wird, die fürchterlichsten Verstümmlungen eintreten. Die Operation ist anfangs leicht, bei weit vorgeschrittener Entwicklung jedoch sehr schmerzhaft und gefährlich, besonders wenn das Thier, wie es gewöhnlich vorkommt, tief unter den Nägeln sitzt.

In Dondo schon sah ich Leute, die an den Füssen mit diesem Uebel behaftet und zum Gehen unfähig waren. Sie mussten an ein und derselben Stelle sitzen bleiben und verrichteten auch so die ihnen zugewiesenen Arbeiten, gepeinigt von den grössten Schmerzen. Die Füsse waren angeschwollen und theilweise schon in Eiterung übergegangen. Erst das Eintreten des Brandes macht diesen fürchterlichen Leiden der Leute ein Ende.

Sowohl Schwarze als Weisse werden von dem Thiere angegriffen. Reinlichkeit, besonders Waschen mit Carbolsäurewasser, wenigstens mit Alkohol, sind die besten Vorbeugungsmittel. —

Des anderen Tages (4. October), als ich wieder aufbrach, kam der Soba nochmals, um Abschied zu nehmen.

Der Marsch an diesem Tage bot nichts Abwechselndes.

Wir passirten die Sansalas von Mucamba, Gudi und Kissamba; bei der letzten blieben wir über Nacht.

Der Marsch am 5. October war noch immer auf der östlichen Lehne der Talamongonga. Wir überschritten den tief eingeschnittenen, durch seine herrlichen Ufer bemerkenswerthen Loarifluss. Fort ging es in grosser Abwechslung, bald durch prächtige Palmenhaine, oder vorüber an tiefen Abstürzen, bald bergauf und bergab, zwischen Bäumen und Schlingpflanzen, über Bäche und vorüber wieder an den wohl sehr schönen, aber garstig riechenden Tabakpflanzungen.

Der an der Westküste Afrikas wachsende Tabak ist ungemein scharf und wird ausschliesslich von den Schwarzen verbraucht. Weiter im Inneren, in Lunda, gedeiht kein Tabak, wenigstens wird keiner gebaut, und der Reisende thut daher gut daran, stets „tabaco dos pretos" in ziemlichen Quantitäten zum Tauschhandel in's Innere mitzunehmen.

Man bekommt ihn in Angola, wo er von den Eingebornen in der Form von kleinen 0·5—1 Decimeter hohen Conusen verkauft wird.

Alle Neger rauchen den Tabak in der Pfeife. Jene des Sobas von Lucalla war von europäischer Construction, sonst aber, und zwar gewöhnlich, thut ein zu diesem Zwecke hergerichteter Kürbiss, welcher zum Theile mit Wasser gefüllt wird, dieselben Dienste. Pfeifenrohr wird nicht benöthigt, da der Rauchende den Mund unmittelbar an die eine Kürbissöffnung andrückt. Das Rauchen auf diese Weise ist ungleich betäubender und kann Jeder nur drei bis vier Züge machen.

In manchen Gegenden wird statt Tabak auch „Ariamba" geraucht. Diese hanfartige Pflanze wächst überall, besonders am Congo, und soll stärker wie der Tabak sein.

Im weiteren Marsche berührte ich Museca, Budinschi und Uari a M'Bambi, an welchem Orte ich blieb.

Auf dem nächsten Marsche gings vorüber an den Sansalas Ganambelenge und Cambondo und um 9 Uhr 3o Minuten Vormittags hatte ich den höchsten Punkt (1438 Meter) des Weges über die Talamongonga erreicht. Der Rückblick von diesem Punkte auf das Cassandschethal ist wohl herrlich, aber nicht mit dem Panorama vom Mossamba-Gebirge aus zu vergleichen.

Der Theil, wo ich den Aufstieg vollbrachte, heisst speciell das Catenia-Gebirge, und aus den Schluchten desselben kommt auch der kleine, dem Quango angehörende Fluss Catenia.

Der Abstieg ging nun sehr leicht und schnell von statten. Wir gingen bei der Sansala Cunga, deren ich bereits bei den Massongos Erwähnung that, vorüber, passirten den Cuijifluss und hielten nach diesem höchst anstrengenden Marsche unsere Mittagsrast bei der Sansala Kiluandsche.

Auf diesem Marsche hatten wir bereits die Grenze zwischen den Bangelas und Massongos überschritten.

Meine Leute wollten in Kiluandsche auch über Nacht bleiben. Ich fühlte mich aber durch die an Aufregungen und Gefahren reichen Märsche sehr unwohl und beschloss, mit dem Nothwendigsten und meiner Tipoia vorauszugehen, nachdem ich blos mehr zwei Märsche nach Sanza hatte. Meine Leute mit den Cargos sollten mich in Malange einholen.

Ich brach daher am Nachmittag des 6. October um 4 Uhr wieder von Kiluandsche auf. Unter starkem Regenguss traf ich in Gundo scha Pungo ein, wo ich bereits ein Lager vorfand. Wie gross war meine Freude, als ich hier unvermuthet einen Bekannten aus Sanza traf. Es war dies Herr Antonio Lopez de Carvalho, welcher als Empregado des Augusto Machado in Sanza behufs Handels nach der „Feira" ging; er hatte 120 Träger mit sich.

Carvalho bemühte sich, seine Hütte so bequem als möglich für mich einzurichten, während er wo anders seine Zuflucht nahm. Wir blieben aber bis spät in die Nacht hinein sitzen und verplauderten die Zeit; unterdessen und die ganze Nacht hindurch fiel der Regen in Strömen, so dass Carvalho des andern Morgens wegen der schlechten Wege seinen Aufbruch verschieben musste.

Ich ging um 7 Uhr 15 Minuten Früh von Gundo scha Pungo ab und machte einen sehr starken Gewaltmarsch. Ich passirte die Sansala Caïongo, die Terra Catombe und Camalenda und kam um 5 Uhr 15 Minuten Nachmittags, nachdem während des Tages blos im Ganzen eine Stunde gerastet und weder von mir noch von den Leuten ordentlich gegessen wurde, wieder in Sanza an.

Hier wurde mir eine überaus herzliche Aufnahme zu Theil. Augusto Machado war während meiner Abwesenheit mittlerweile nach Europa gegangen und so traf ich blos seine beiden Brüder nebst dem Compagnon, Herrn Julio Ferreira Marquez.

Allerseits war man bemüht, Alles aufzubieten, um mich wenigstens theilweise für die Unbilden der Reise zu entschädigen, denn meine Gesundheit war arg zerrüttet.

Trotzdem ich speciell von dem neunstündigen halbmond-förmigen Liegen in der Tipoia und dem beständigen Rütteln und Schütteln sehr angegriffen und ermüdet war, liess mich die Freude, wieder unter civilisirten Menschen zu sein, doch keine Ruhe finden und wir blieben noch bis gegen die Mitternachtszeit unter fröhlichem Geplauder beisammen sitzen.

NEUNTES CAPITEL.

Malange; Betrachtung der von mir durchwanderten Reiserouten; Dondo und St. Paulo
do Loanda; mein körperlicher Zustand; herzliche Aufnahme an der Küste; Cameron;
meine Rückreise nach Europa längs der ganzen Westküste Afrikas bis Sierra Leone;
die Canaren; Madeira; Rückkehr nach Oesterreich.

Am 8. October hielt ich Rasttag, um Tags darauf desto
munterer nach Malange weitergehen zu können, wo ich nach
zwei Märschen auch glücklich am 10. October ankam.

Auf dieser zweiten Reise fand ich, dass im Allgemeinen
das in Angola circulirende Gerede von der Raublust der
Maschinschis und Bangelas bei beiden Völkern, besonders bei
den letzteren, arg übertrieben ist. Wahr ist es, dass sich mir
alle Eingebornen mit Misstrauen und Argwohn näherten, wie
sie es wohl jedem Weissen gegenüber thun und für welche
Handlungsweise sicherlich auch Gründe zu finden wären. Wird
man aber mit ihnen näher bekannt, so findet man, dass sie
eigentlich ganz gutmüthige Leute sind.

Beim Handel sind die beiden genannten Stämme wesentlich
von den Kiocos und Massongos verschieden. Gibt man ihnen
bei einem Geschäfte nicht schnell das, was sie verlangen, so
gehen sie fort und kehren nicht mehr zurück. Die Massongos
aber lassen handeln.

Perlen sind bei allen Eingebornen sehr beliebt und man
kann daher damit die besten Geschäfte abwickeln.

Eine Eigenthümlichkeit der Haartracht, welche ich
anderswo nicht traf, fand ich bei den Bangelas-Männern. Sie
rasiren nämlich das Kopfhaar derart aus, dass der stehen-
gebliebene Theil die verschiedensten Figuren bildet. Manche
scheeren auch den Kopf ganz kahl. Die Weiber machen sich

einige Zöpfchen und rasiren die nächste Umgebung davon ebenfalls aus. Als besonderen Schmuck der Bangelas-Weiber muss
ich eines dünnen Messingstreifens erwähnen, welchen sie um
die Stirne tragen.

In der Kleidung und Nahrung sind sie ebenso genügsam
wie die ahderen uncivilisirten Negervölker und salben auch desgleichen ihren Körper mit Ricinus- oder Palmöl.

Auf meiner ganzen Reise sah ich „ausserhalb" der Sansala
nie ein schwangeres Weib. In diesem Zustande müssen die
Weiber von einem bestimmten Zeitpunkte an streng zu Hause
bleiben. Desgleichen sah ich auch keine Kinder im ersten Säug-
lingsalter, dafür aber hatte ich sehr oft den Anblick von Kindern
im Alter von 3 bis 4 Jahren, welche, nebstdem sie die ihrem
Alter entsprechende Kost verzehrten, dennoch einige kräftige
Züge von der Mutterbrust nicht verschmähten. Auch Cambolo,
das hoffnungsvolle Söhnchen unseres Koches auf der Reise
nach Kimbundu, dessen ich bereits erwähnte, gehörte unter
diese Jungen.

Auch die Maschinschis und Bangelas sind Fetischdiener.

Nachdem ich beide Wege, welche von Malange, respective
Sanza, nach Kimbundu führen, zurückgelegt habe, fühle ich
mich gezwungen, im Interesse nachfolgender Reisenden, welche
den Vorstoss von der Westküste gegen das Innere unternehmen
wollen, ganz besonders auf die über Catenia und N'Bungu
führende Route durch die Bangelas- und Maschinschiländer
hinzuweisen. Sie ist bedeutend kürzer als jene durch das Songogebiet und die Eingebornen sind nicht böserer Natur als die
Massongos.

Von Catenia kann man auch auf einer Nebenlinie directe
nach der „Feira" gelangen, wozu mir Carvalho das Itinerar
seiner Reise abschrieb. Demzufolge wären von Catenia aus
folgende Sansalas zu passiren, respective dort die Nachtlager zu
errichten, wenn man mit einer „grösseren" Karawane reist:
Kinsaschi, Caschinga, Kimboa, Cucumulombe, Can-
dungo, worauf man am sechsten Tage nach der Feira käme.
Reist man allein, so macht man diese Tour auch in drei
Tagen. Es empfiehlt sich aber, von „N'Bungu" aus jedenfalls
den Besuch der Feira zu unternehmen.

Während meines Aufenthaltes in Malange war die Regenzeit bereits stark vorgeschritten, so dass ich mich glücklich
schätzen konnte, wieder in einem halbwegs gut gebauten Lehm-
hause untergebracht zu sein, denn bei der Vehemenz des
Tropenregens bleibt eine Hütte doch nur ein problematischer
Schutz.

Ich blieb übrigens nicht lange in Malange. Meine Cargadores kamen bereits im Laufe des 11. October an und nachdem ich nun einmal den Entschluss zur Rückkehr nach Europa
gefasst hatte, so blieb ich in Malange nur so lange, als ich
Zeit bedurfte, meine Notizen zu ergänzen und die gemachten
Sammlungen zu ordnen.

Tom und Manu, welche ich wegen der Desertion und
des Diebstahles nur sehr gelinde mit der „Chicota" bestraft
hatte, erhielten von mir ihre Freiheit, und nachdem ich meine
wenigen Leute, deren ich zur Rückkehr nach Dondo benöthigte,
beisammen hatte, verliess ich am 14. October Malange auf
dem schon einmal zurückgelegten Wege in der Richtung gegen
die Küste, blieb am 16. und 17. .in Pungo N'Dongo und
kam am 20. October wieder bei Serodio Gomez in Dondo in
bedauernswerthem Zustande an.

Ich hätte gerne auch dieses Fiebernest schleunigst verlassen; dies ging aber nicht, ausser ich hätte mich dazu entschlossen, auch die letzte Strecke Weges, welche mich noch
von Loanda trennte, zu Fuss zurückzulegen, was ich nicht
mehr im Stande war. Der Dampfer nach Loanda war nämlich
Tags vorher von Dondo abgegangen und konnte erst in 8 bis
10 Tagen zurückkommen, nachdem alle anderen Schiffe der
Quanza-Dampfschifffahrts-Gesellschaft in Reparatur waren, der
„Oliveira" daher den Verkehr allein vermitteln musste.

Der Dampfer kam am 28. und am 30. October schiffte
ich mich zur Reise nach Loanda ein. Begünstigt durch den
hohen Wasserstand des Quanza erreichten wir bereits am
2. November um 2 Uhr 30 Minuten Nachmittags unser Endziel
und hätten schon Tags vorher um dieselbe Zeit an Ort und
Stelle sein können, wenn nicht das Passiren der Flussbarre,
sowie ein heftiger Sturm, als wir bereits in See waren, unsere
Fahrt verzögert hätten.

Bei meiner Ankunft in Loanda lud mich Herr Wilhelm Heinrich Pasteur, königl. niederländischer Consulats - Stellvertreter und Chef der „Casa hollandeza", ein, in seinem Hause zu wohnen, was ich in Anbetracht dessen, dass ich im Hôtel nicht eine solche Pflege haben konnte, wie bei ihm, dankbarst annahm.

Ich war physisch so herabgekommen und geschwächt, dass der dortige Militärarzt mir unumwunden mittheilte, dass mein Zustand ein sehr besorgnisserregender sei und ich mir jede mögliche Sorgfalt angedeihen lassen müsse, um wieder gesund zu werden.

Auch Se. Excellenz der Herr Gouverneur bemerkte, gelegentlich seines Besuches, ich hätte gerade den richtigen Zeitpunkt zur Umkehr getroffen, er glaube nicht, dass ich bei längerem Aufenthalte im Inneren am Leben geblieben wäre; dies war auch meine persönliche Ueberzeugung.

Die portugiesischen Schiffe verkehren auf der Route von Loanda, respective Benguella und Mossamedes nach Europa blos einmal im Monat; da ich auf den nächsten dieser Dampfer zu lange hätte warten müssen, so entschloss ich mich, den nächsten englischen Steamer zu benützen.

Die Dauer meines Aufenthaltes in Loanda war zwar kurz (der englische Dampfer nach Europa kam schon am 4. November des Abends an und sollte am 6. Früh schon wieder abgehen), aber von allen Seiten bemühte man sich, mich durch rasch inscenirte Unterhaltungen die Unbilden der Reise vergessen zu lassen. Dass ich von allen diesen Festlichkeiten meines körperlichen Zustandes wegen nicht den entsprechenden Genuss hatte, bedarf wohl keiner weiteren Erläuterung.

Ausser Herrn Pasteur bin ich auch noch dem seiner Gastfreundlichkeit wegen allseits bekannten englischen General-Consul Mr. Hopkins, sowie dem bereits erwähnten Oesterreicher Herrn Alfred Koch, welcher sich wieder zu bleibendem Aufenthalte in Wien befindet, für ihre besondere Freundlichkeit und thatkräftige Unterstützung dankbar verpflichtet.

Einige Tage, nachdem ich in Loanda ankam, traf der berühmte Afrika - Reisende Lovett Cameron in Benguella ein (7. November 1875).

Am 5. November Abends schiffte ich mich auf der „Monrovia" ein. Dieser Dampfer (1019 Tonnen) gehört der „African Steam Ship Company", und ist das sechstgrösste Schiff der Gesellschaft, die im Ganzen neun, durchgehends schön eingerichtete, Dampfer besitzt, welche zwischen Loanda und Liverpool verkehren. Sie berühren zahlreiche Häfen und Rheden der Guinea-, Pfeffer- und Goldküste, von Sierra Leone, Senegambien und Madeira.

So bekam ich Gelegenheit, mit der „Monrovia" folgende Küstenplätze und Inseln zu besuchen und kennen zu lernen: Ambriz, Kinsembo, Ambrizette, Banana, Cabinda, Landana, Punta negra, Gaboon, Baraca, Isla Fernando Po, Bonny, Opobo, Calabar, Whyda, Gran Pobo, Porto segura, Jelloh Coffee, Addah, Winebah, Apam, Salt point, Anamobee, Cap Coast Castle, Elmina, Secondee, Bassam, Cap Palmas, Gran Bassa, Monrovia, Freetown und Palmas auf Gran Canaria.

Noch in der Nacht um 12 Uhr lichteten wir die Anker und die Reise begann.

Am 6. November Früh erreichten wir Ambriz, am 7. nach Mitternacht Kinsembo, am 8. ebenfalls nach Mitternacht Ambrizette und am 8. Früh die auf dem sogenannten Banana Creek, einer an der Congomündung befindlichen kleinen Landzunge, errichtete Hauptfactorei der „Africaanschen 'Handelsvereeniging in Rotterdam": Banana. Ausser den Wohngebäuden der hier Angestellten der Gesellschaft ist eine Reihe von Häusern und Baracken errichtet, in welchen theils grossartige Waarenvorräthe aufgehäuft, theils die Landesproducte exportfähig gemacht werden. Ganz besonders betrifft dies die Oelgewinnung, zu welchem Zwecke auch grössere Maschinen aufgestellt sind.

Im Dienste der Factorei steht begreiflicherweise auch eine grosse Zahl Schwarzer, für deren Unterkunft ebenfalls gesorgt ist. Unter diesen Leuten finden sich auch alle Professionen vertreten, was wohl Alles der Ansiedlung der Weissen zu danken ist. Wenn auch der Nutzen dieser Civilisations-Versuche vorerst der Factorei zugute kommt, was nur recht und billig ist, so muss ich dennoch zugleich bemerken, dass die Holländer von den Eingebornen nicht nur gelitten, sondern auch allen anderen

Nationen vorgezogen und ob ihres wahrhaft humanen Benehmens auch geliebt werden.

In Cabinda, dem Sitze des bereits früher erwähnten Manu Puna, kamen wir am 10. November um 5 Uhr Nachmittags an, dampften jedoch, wegen Mangel an einzuladenden Waaren, schon um 7 Uhr wieder weiter. Am 11. ankerten wir nur für einige Stunden in Landana, wo sich der königl. preussische Major v. Mechov, welcher vorher der ersten deutsohen Expedition von Tschintschoscho angehörte, ebenfalls auf der „Monrovia" zur Rückreise nach Europa einschiffte. Die nächsten Tage vergingen, nachdem wir noch am 11. Abends Punta negra berührten, mit der Reise an den Gaboon, wo wir am 15. um 9 Uhr Vormittags eintrafen. Die ganze Küste von der Mündung des Ogowé bis zum Gaboon ist in französischem Besitz und der Wohnort des Gouverneurs ist in Baraca (Libreville), welche Niederlassung weiter in der Bucht liegt.

Die Lage des Commandanten-Gebäudes ist reizend. Auf einer kleinen Anhöhe erbaut und rings umgeben von schattigen Hainen und herrlichen Mimosen, gleicht es einem Eldorado. Doch ist das Klima für die Europäer sehr ungesund, so dass die dort stationirten Officiere und Soldaten um die herrlichen Landschaften wohl nicht zu beneiden sind. Am Gaboon wohnen auch die als Menschenfresser bekannten Fan-Neger, deren Zahl jedoch unverhältnissmässig schnell im Abnehmen begriffen ist.

Am Morgen des 16. ankerten wir, nach einer äusserst stürmischen Nachtfahrt durch die Bai von Biafra, vor Clarencetown, dem Hauptorte der Insel Fernando Po. Diese in spanischem Besitze stehende durchaus gebirgige Insel bietet an landschaftlichen Reizen noch weit mehr, als die bereits früher erwähnte Insel São Thomé. Dabei ist überdies nicht der geringste Mangel an gutem Trinkwasser, welches von einigen klaren Gebirgsbächen, welche nie versiegen, geliefert wird.

An Fruchtbarkeit steht die Insel jedoch São Thomé nach. Clarencetown ist der Sitz des Gouverneurs über die beiden Guinea-Inseln Fernando Po und Anabom.

Des Abends setzten wir die Reise wieder fort, erreichten am 17. um 3 Uhr Nachmitags Bonny, am gleichnamigen Flusse, einem Mündungsarme des Niger, gelegen, von wo wir am nächsten Tage um 4 Uhr Früh abgingen, um schon Mittags wieder vor. Opobo, an der Bai von Camerun zu ankern.

Hier wird meistens sehr viel Oel nach Europa verschifft und es liegt der Handel mit diesem Exportartikel ausschliesslich in den Händen der Engländer.

Opobo ist ein kleines Königreich, welches aber wohl nicht höher zu schätzen ist, als alle übrigen afrikanischen Negerreiche und nur einem grösseren Stamme gleichgehalten werden kann.

Der häufige Verkehr mit den Engländern brachte dem König von Opobo auch eine englische Uniform ein, welche er gelegentlich gerne zur Schau trägt.

Der König verfügte (1876) über 13 Frauen, von denen eine, seine Lieblingsgattin, die Regierung über die anderen ausübte. Sie schien diese Bevorzugung ihrer besonderen Hässlichkeit zu verdanken.

Unser Aufenthalt vor Opobo war leider sehr kurz, nachdem ausnahmsweise beinahe gar kein Oel zu verladen war. Ursache davon war ein zwischen Opobo und einem Nachbarstamme ausgebrochener Krieg.

Am 19. November Früh 6 Uhr 20 Minuten verliessen wir daher Opobo, um nach Calabar zu gehen und am 20. spät Abends erreichten wir nach einer sehr langweiligen Fahrt, während welcher wir wegen Kohlenmangel nur mit Segeln fuhren, die Mündung des Flusses Le oder Male (Calabarfluss). Old Calabar liegt in der Mündung dieses Flusses, wir konnten jedoch in derselben Nacht unser Ziel nicht mehr erreichen, da die Einfahrt, wie der Capitän sagte, sehr schwierig sei. Wir blieben daher die Nacht über vor der Mündung. Am 21. langten wir nach zweistündiger Fahrt um 8 Uhr Früh vor Old Calabar an. Der Ort ist klein, die Lage ungesund für den Europäer; dazu kommt noch, dass die Eingebornen sehr diebisch sind und gerne die Waarenlager der Weissen berauben. Um nun gegen das letztere, sowie wenigstens theilweise gegen die Unbilden der klimatischen Verhältnisse gesichert zu sein, haben die Kauf-

leute am Lande keine Factoreien, sondern es sind die Waaren-
lager auf grossen, eigens zu diesem Zwecke eingerichteten, im
Flusse gut verankerten Schiffen untergebracht. Man nennt sie
„Hulks", und es sind ältere, nicht mehr seetüchtige Fahrzeuge,
von welchen die für den gegenwärtigen Zweck unnöthige
Takelung abgenommen ist. Auf den Hulks sind natürlich auch
die Wohnungen der Kaufleute und hier werden auch alle
Geschäfte abgewickelt.

Einer der Hulks enthält ein grosses Kohlendepôt, wo auch
die „Monrovia" vor Allem ihren Bedarf für die Weiterreise deckte.

Selbst auf den Hulks muss stets die grösste Wachsamkeit
gegenüber den Schwarzen geübt werden, denn manchmal kommt
es sogar vor, dass besonders während der Nacht die Eingebornen
in Kähnen heranschleichen und unbemerkt an Bord zu kommen
suchen, um zu stehlen.

Was ich bezüglich des Königs von Opobo erwähnte, gilt
auch beim „King of Old Calabar".

Von der Cultur und Civilisation beleckt, genügen begreiflicherweise auch diesem Fürsten nicht mehr die sich ihm
bietenden Genüsse seines Landes und so sieht man den „King"
bei feierlichen Anlässen in seine Prachtgewänder, die von
(falschen) Juwelen strotzen, gehüllt und stets von dem Attri-
bute afrikanischer Herrscherwürde — dem Stocke — begleitet,
mit einem auf europäische Lachmuskeln sehr anregend wirkenden
Selbstbewustsein. Natürlich ist er weit davon entfernt, auch
seinem Volke etwas von den Segnungen europäischer Civilisation zukommen zu lassen; desto mehr thut er aber für sich
und seine Familie.

Der „King of Old Calabar" besitzt auch eine — Stehuhr;
ein bereits innerlich zerrüttetes Vehikel, welches eben nur zur
Ausschmückung seines Gemaches beizutragen hat. Für das
letztere thut er übrigens sehr viel und hat sogar Tapeten an
den Wänden.

Am 22. November um 1 Uhr Mittags verliess die „Monrovia" die Mündung des Le zur Weiterreise längs den Küsten
von Ober-Guinea.

Nachdem wir die Mündungen des Niger passirt hatten,
durchkreuzten wir die Bai von Benin, indem wir vorerst gegen

Whyda steuerten, wo am 24. um Mittag die Anker fielen. Mit dieser Station, welche in englischem Besitze ist, hatten wir die Küste des Negerreiches von Dahomé, auch Sklavenküste genannt, erreicht.

Nach Whyda kommen die meisten Handelsartikel aus dem Inneren.

Leider war auch hier unser Aufenthalt sehr kurz, so dass ich nicht an die Küste kam.

In den nächsten Tagen der Reise passirten wir in schneller Aufeinanderfolge die noch an der Küste von Dahomé gelegenen Orte: Gran Pobo, Porto segura, Jelloh Coffee, sodann jene der Goldküste: Addah, Winebah, Apam, Salt point, Anamobee, Cap Coast Castle, Elmina, Secondee, umschifften das Cap der drei Spitzen (tres puntas), erreichten Bassam an der Zahnküste am 3o. November und Cap Palmas am 1. December um Mittag, wo wir vor Harpers ankerten.

Die Aufenthalte vor diesen Orten waren jedesmal sehr kurz; die Orte selbst sind mit Ausnahme von Cap Coast Castle und des Forts Elmina durchwegs klein und von wenig Bedeutung. Auch die Küste, welche wir im Verlaufe der Fahrt immer in Sicht hatten, bietet keine Abwechslung. Die flach ansteigenden Ufer sind weit hinauf mit Sand bedeckt und die üppige Tropenvegetation findet ihren Ausdruck meistens nur in den hohen Campinen. Zudem ist die Bevölkerung der Küste sehr gering und die Thierwelt wie ausgestorben. Auch der in weiter Ferne von West nach Ost ziehende Kong (Gebirge), welcher der ganzen Küste von Ober-Guinea bis Cap Palmas zum Hintergrunde dient, trägt nur wenig zur Staffage- des Bildes bei.

Um so erfreulicher und anziehender ist jedoch die Partie um Cap Palmas. Die reiche Vegetation tritt da bis unmittelbar an die Küste heran und am eigentlichen Cap hebt sich ein circa 100 Meter hoher Hügel, auf welchem inmitten eines prächtigen Palmenhaines ein niedliches Häuschen, der Wohnsitz eines Kaufmanns, welcher in der Nähe eine kleine Factorei besitzt, erbaut ist. Auch der Gebirgszug nähert sich hier mehr dem Strande.

Kurz vor Ankunft bei dem Cap hatten wir einen traurigen Anblick — das Wrack des gestrandeten Dampfers „Nigritia", von welchem ich bereits zu Anfang dieser Zeilen Erwähnung that.

Cap Palmas und damit auch Harpers gehört bereits zu der im Jahre 1822 gegründeten und 1847 selbstständig erklärten Neger-Republik „Liberia", jener Schöpfung amerikanischer Philanthropen, welche gegenwärtig nichts Anderes ist, als ein Zerrbild eines staatlichen Gebildes. Die Hoffnungen, welche man in sie setzte, nämlich durch Ansiedlung halbcivilisirter Neger die anwohnenden „Wilden" ebenfalls der Gesittung zuzuführen, schlugen fehl; ja sogar die Ansiedler gingen in ihrem Bildungsgrade zurück und gegenwärtig kann man mit Recht sagen, dass mancher sich selbst überlassene und von uns Europäern als uncivilisirt betrachtete Staat in Afrika mehr civilisirt und geordnet ist, als die mit Hilfe von Weissen zusammengeschraubte Republik „Liberia".

Dieser Staat nimmt nicht allein die ganze Pfefferküste ein, sondern geht noch über Cap Palmas nach Osten beiläufig 20 Meilen weit und hat einen Flächeninhalt von 450 geogr. Quadrat-Meilen oder 24.228 Quadrat-Kilometer mit 300.000 Bewohnern. Er zerfällt in zwei Districte, jenen von Liberia und jenen von Maryland. Während Harpers der Hauptort des letzteren ist, ist Monrovia, nördlich des Cap Messurado, der Hauptort des ersteren und gleichzeitig der ganzen Republik.

Die Bewohner der Küste sind grösstentheils Neger. Der vorzüglichste Stamm ist jener der Croo-Neger, gewöhnlich Crooboys genannt. Wie ich bereits gelegentlich erwähnte, fahren diese fleissigen Leute in grösseren Abtheilungen an die Westküste nach Loanda, Benguella u. s. f., um dort in Dienst zu treten, worauf sie nach 1- bis 1·5jähriger Abwesenheit mit ihren geringen Ersparnissen wieder in die Heimat zurückkehren. Nachdem diese Leute sich bei den Fahrten stets der Schiffe der African Steam Ship Company bedienen, so hatte auch unser Schiff, die „Monrovia", eine bedeutende Zahl Crooboys an Bord, welche theils bei Cap Palmas, theils bei der Hauptstadt ausgeschifft zu werden wünschten.

Einige Monate vor unserer Ankunft bei Cap Palmas erhoben sich einige Negerstämme der Republik, darunter insbesondere die Crooboys, gegen die Regierung. Die letztere war zu schwach, den Stämmen erfolgreichen Widerstand zu leisten und am 10. October 1875 wurden die Regierungstruppen bei Harpers auf's Haupt geschlagen.

Seit diesem Tage lag das einzige Kriegsschiff der Republik, eine mit einer Kanone armirte Brigg, vor Cap Palmas, respective Harpers, und wurde bei unserer Ankunft an diesen Orten, also am 1. December, von uns noch dort angetroffen. Kaum waren unsere Anker gefallen, so stiessen circa 20 bis 30 kleine, aus ausgehöhlten Baumstämmen bestehende Boote vom Lande ab, um ihre in die Heimat rückkehrenden Landsleute von unserem Schiffe abzuholen. Sie blieben während der Fahrt fortwährend gegenüber dem Kriegsschiffe hinter' der „Monrovia" gedeckt, so dass ihnen das erstere nichts anhaben konnte, ohne Gefahr zu laufen, auch uns anzuschiessen. Die Insassen der Boote waren durchaus mit Flinten versehen. Nachdem sie an Bord der „Monrovia" angelangt waren, verständigten sie kurz ihre Freunde von den Vorfallenheiten der letzten Monate, worauf Alle in stürmisches Gejauchze ausbrachen.

Jedoch bald legte sich der Tumult und die Crooboys verfügten sich in ihre Boote, um an die Küste zu gelangen. Kurz darauf stiessen die Boote ab und suchten circa 100 Schritte vor dem Kriegsschiffe vorüberfahrend den Strand zu gewinnen.

Diese Unternehmung schien uns Beobachtern auf der „Monrovia" tollkühn; die Crooboys aber rechneten mit sicheren Factoren und kannten offenbar ihre Gegner genau. Im Vorüberfahren an dem Schiffe gaben sie etliche 20 Schüsse auf dasselbe ab, ohne natürlich im geringsten ein Unglück anzurichten. Die Schüsse wurden in doppelter Zahl vom Schiffe aus mit demselben günstigen Erfolge erwidert, worauf die Kanone mit einigen Vollkugelschüssen das „Gefecht" beendete. Mittlerweile hatten die Crooboys den Strand erreicht und verschwanden schleunigst im Gehölze.

Wahrscheinlich wurde dieser in den Annalen der Republik denkwürdige Tag in der einzigen in „Monrovia" erscheinenden Zeitung, dem „Liberia - Herold", als „grosser Sieg" verzeichnet.

11*

Von unserem Schiffe, als neutralem Boden, konnte man, mit der grössten Seelenruhe eine Cigarrette rauchend, ganz bequem den Anblick dieses mörderischen Seegefechtes geniessen, obwohl ich die gerechtfertigte Vermuthung hege, dass sich dabei selbst der Bemannung des Kriegsschiffes keine besondere Erregung bemächtigt haben dürfte.

Bereits um 5 Uhr Abends unseres Ankunftstages verliessen wir Cap Palmas und dampften nun in nordwestlicher Richtung die „Pfefferküste" entlang.

Wir berührten am 2. December Gran Bassa und Edina, am nächsten Tage Monrovia, wo wir jedoch nur blieben, um den Rest der heimkehrenden Crooboys auszuschiffen, und langten bald an der Sierra Leone-Küste an, an welcher wir am 5. December vor Freetown ankamen.

Diese Stadt hat 12.000 Einwohner, ist der Hauptort der, circa 22 geogr. Quadrat-Meilen oder 1211 Quadrat-Kilometer mit etwa 40.000 Bewohnern umfassenden, britischen Besitzungen an der Küste des Löwengebirges (Sierra Leone) und daher Sitz der Gouverneurs. Sie ist zwar klein, jedoch sehr hübsch erbaut und erhebt sich amphitheatralisch auf den Lehnen des Gebirges. Das Klima ist ungesund.

Auch hier war unser Aufenthalt nicht lang. Am Nachmittage bereits verliessen wir die Rhede.

Nach beinahe siebentägiger Reise, während welcher ich den Aufenthalt auf der „Monrovia" herzlich satt bekam, erreichten wir die politisch zu Europa gehörigen canarischen Inseln, welche spanische Besitzungen sind, und ankerten vor Palmas auf Gran Canaria.

Im Nu war unser Schiff von 6 bis 8 Barken umzingelt, deren Insassen die Aufgabe hatten, zu verhindern, dass irgend Jemand von der Equipage der „Monrovia" sich an's Land begebe, oder auch nur mit den Inselbewohnern verkehre.

Der Commandant der Insel hatte uns nämlich, nachdem wir aus Fieberhäfen kamen und trotzdem wir keinen einzigen Krankheitsfall an Bord hatten, das Betreten des Landes untersagt und wir mussten somit die gelbe Flagge hissen.

Unsere Verhandlungen mit der Sanitäts-Commission waren erfolglos und wir mussten uns daher mit dem Anblicke

der Stadt aus der Ferne begnügen; die Uebergabe der Brief-
schaften und Schriften geschah mit Hilfe langer Stangen, an
deren einem Ende die Papiere befestigt und so dem Uebernehmer
hingereicht wurden.

Palmas hat 9000 Einwohner und ist der Hauptort von
Gran Canaria, zugleich der Sitz des Bischofs für die ganze
Inselgruppe; Hauptort der Canaren überhaupt ist jedoch
Santa Cruz de Teneriffa mit 11.000 Einwohnern auf der den
letzten Namen führenden Inseln. Hier ist auch der Sitz des
Gouverneurs.

Die ganze Gruppe ist überaus gesund und die grösseren
Inseln auch sehr fruchtbar. Der Handel mit dem Mutterlande,
zu welchem, wie erwähnt, politisch auch die Canaren gezählt
werden, ist bedeutend.

Die grösste Insel (Teneriffa) ist gekrönt von dem 3715
Meter hohen Pico de Teyde, oder, wie er oft genannt wird,
dem Pic von Teneriffa.

Der grösste Ort dieser Insel, wenngleich nicht der Hauptort, ist Orotava mit 11.400 Einwohnern, in dessen Nähe ausserordentlich grosse Exemplare von Drachenbäumen vorkommen.
Diese Bäume zeichnen sich übrigens weniger durch ihre himmel-
anstrebende Höhe, als durch die unverhältnissmässige Dicke aus.
Ganz besonders ragte in der Gruppe ein Baum hervor, welcher
19 Meter (bis zur Krone) Höhe und dabei 24 Meter im Umfange hatte. Bereits im Jahre 1402 wurde dieses Exemplar
bewundert und im Jahre 1876 erlag es einem Sturmwinde.

Das Missverhältniss des Wuchses der Drachenbäume tritt
besonders deutlich bei einer Vergleichung mit den Riesen unter
den Bäumen, den in Californien heimischen Mammuthbäumen
(Wellingtonia gigantea), hervor, welche bei gleicher Dicke wie
das oben citirte Exemplar (24 Meter Umfang am Fusse) eine
Höhe von 110—112 Meter und darüber erreichen.

Ich möchte hier auch gleich einer mir zugekommenen
Mittheilung erwähnen, welche ich einem Freunde in Australien
verdanke.

Circa 25 Meilen nordwestlich von Melbourne in Süd-
Australien stehen auf den „Dandenay Ranges" einige Pracht-
Exemplare von Whitegum tree (Weissgummi-Baum, Eucalyptus

-globulus), unter denen ein Baum bis zur Krone 34 Meter und im Umfange 43 Meter misst. Obwohl es bekannt ist, dass die Gummibäume (weisse und rothe) in Australien ganz besonders hervorragende Dimensionen erreichen, so dürfte doch obiges Beispiel noch nirgends Erwähnung gefunden haben.

Vor Palmas blieben wir blos einige Stunden, denn bereits am Nachmittage verliessen wir die Rhede und dampften gegen Madeira weiter.

Als wir sodann am 14. December vor Funchal ankamen, verliess ich das Schiff, da dasselbe von hier directe nach Liverpool ging, ich aber wieder nach Lissabon wollte, um sodann zu Lande in die Heimat zurückzukehren.

Was den Aufenthalt auf der „Monrovia" betrifft, so war ich herzlich froh, als wir vor Madeira Anker warfen. Abgesehen von der langen Fahrt (39 Tage) war das Leben auf diesem englischen Schiffe fürchterlich. Die Kost war schlecht und ohne Abwechslung, die Manieren der Equipage roh und es schien fast, als hätte man auf diesem kleinen Stück englischen Bodens Alles zusammengebracht, nur nicht Sitte und Nüchternheit; oft, sehr oft sehnte ich mich nach dem „Don Pedro", auf welchem ich die Reise nach Afrika machte und auf welchem Einer den Anderen an Zuvorkommenheit und guter Sitte zu übertreffen suchte.

· Ich schätzte mich glücklich, als sich vor Landana Major v. Mechov einschiffte, und nachdem auch er meine Ansicht über das Leben an Bord theilte, schlossen wir uns um so enger an einander an.

Ich constatire übrigens gleichzeitig, dass, wie ich längere Zeit nach meiner Rückkunft in Erfahrung brachte, dieses Schiff damals unter den sämmtlichen Fahrzeugen der „African Steam Ship Company" eine grosse Ausnahme war und dass bis nun die Verhältnisse an Bord desselben vollkommen zum Vortheile der Passagiere geregelt wurden.

Ich verblieb in Funchal (Hôtel Read) zur Erholung meiner Gesundheit bis zum Abgehen des nächsten Dampfers nach Lissabon und verlebte, namentlich durch die grosse Freundlichkeit des k. k. Consuls Carlo v. Bianchi, auch manche fröhliche Tage.

Dabei benützte ich die Zeit, um kleinere Ausflüge in die Umgebung zu machen und andererseits Funchal näher kennen zu lernen.

Als Transportmittel bedient man sich ausser der Reitpferde noch der bereits mehrmals erwähnten Tipoia, welche aber natürlich mehr oder weniger elegant ausgestattet ist und statt der Wagen dienen Schlitten, welche von Ochsen gezogen werden, zur Beförderung von Menschen und Gepäck. Die Thiere gehen angespornt durch ihre, mit einem spitzen Stocke versehenen Lenker, sehr häufig im Trab und der Schlitten gleitet mit Leichtigkeit über das beinahe polirte Pflaster der Strassen.

Eine ausschliesslich den Madeiriensern eigenthümliche Kopfbedeckung ist die „carapuça", eine in eine lange Spitze auslaufende, innen roth gefütterte Mütze aus schwarzem Tuche oder Flanell, welche besonders gerne von den Wasserträgern und Handwerkern getragen wird.

Die Madeirienserinnen sind sehr geschickt in Anfertigung von kleineren Schmuckgegenständen, als da sind: Ringe, Uhrketten, Colliers und Ohrringe aus verschiedenfarbigem Rosshaar, und in Zusammenstellung von äusserst zierlichen Blumensträusschen aus Vogelfedern.

Am 25. December verliess ich auf dem kleinen, ausschliesslich nur zwischen Lissabon und Funchal verkehrenden Dampfer „Neptun" der „Empreza Insulana" die Insel Madeira (Ticket kostet 6·5 £) und erreichte nach ziemlich bewegter Fahrt am 27. December 11 Uhr Nachts Lissabon.

Am 4. Januar 1876 begann ich von hier die Landreise über Madrid, Barcelona, Gerona — Perpignan (mit der Post), Cette, Marseille, Toulon, Nizza, Monaco, Mentone, San Remo, Genua, Mailand, Verona und traf im Februar 1876 nach einjähriger Abwesenheit wieder in Tirol ein. —

Es sei mir nun noch gestattet, meine Ansicht über die Eignung der Westküste als Basis für die Erforschung des aequatorialen Theiles Central - Afrikas darzulegen.

Diese Ansicht ist das Ergebniss meiner persönlichen Erfahrungen im Vereine mit der Schlussfolgerung aus vielen mir gemachten Mittheilungen, welche ich Leuten zu verdanken habe, die mit den Reiseverhältnissen dieser Küste genau vertraut sind.

Wiederholt reisen portugiesische Kaufleute ziemlich weit in's Innere des Continentes, um Waaren gegen Erzeugnisse des Landes umzutauschen und einige Beispiele hievon sind auch in geographischen Kreisen bekannt, die Mehrzahl dieser Fälle aber leider nicht, und es erfährt nur Derjenige etwas Näheres hierüber, welcher sich an der Westküste selbst darnach erkundigt.

Vielleicht und zwar sehr wahrscheinlich veröffentlichen die Kaufleute deshalb nichts Näheres über ihre Touren, um in ihrem Interesse nicht durch Andere geschädigt zu werden, was in wissenschaftlicher Hinsicht wohl sehr zu bedauern ist.

Auf denselben Wegen, wie diese Kaufleute, vielleicht auch im Anschlusse an sie, könnten auch wissenschaftlich gebildete Reisende gegen das Innere vorgehen, ohne dass sich ihnen unüberwindliche Hindernisse entgegenstellen würden, wenn es ihnen gelungen ist, sich die Gesundheit zu erhalten.

Was nun diesen letzteren Umstand betrifft, so dürften sich die sanitären Verhältnisse der West- und der Ostküste Afrikas so ziemlich die Wagschale halten, wenigstens sind zu wenige Daten bekannt, aus welchen man auf die besondere Ungunst einer der beiden Küsten einen stichhältigen Schluss ziehen könnte. Es braucht daher diese Frage hier nicht weiter in Erwägung gezogen zu werden.

Nach Allem, was man über die Reisen an der Ostküste Afrikas liest — und ich muss mich in Ermanglung persönlicher Erfahrung hierin nach diesen Angaben richten —, ist dort die Art des Reisens nicht minder beschwerlich als an der Westküste und wenn das Vordringen von der Ostküste gegen das Innere Erfolge aufzuweisen hat, so stellt sich doch auch der Weg von Westen vorderhand ebenso vortheilhaft dar.

Wie weit war Graça inmitten des Continents? Saturnino, Lopez de Carvalho, Magyar und Andere waren schon in früheren Jahren ganz leicht zu Muata Yanvo vorgedrungen und und auch Dr. Pogge, von welchem ich mich im Innern trennte und welcher gegenwärtig ebenfalls wieder in Europa weilt, ist es gelungen, diesen mächtigen Herrscher zu besuchen.

Dies sind Erfolge welche nicht zu unterschätzen sind, denn sie bahnten den Handelsverkehr mit dem Inneren an und vergrösserten ihn thatsächlich. Und könnte man auf irgend eine Weise die mit dem Inneren Handel treibenden Europäer von Angola und Benguella dazu bewegen, ihre Erfahrungen und Kenntnisse des Nachbarlandes sowie die Itinerarien der von ihnen eingeschlagenen Wege wahrheitsgetreu und halbwegs geordnet zu veröffentlichen, so würde sicher die geographische Wissenschaft manche schätzenswerthe Bereicherung erhalten.

Ich glaube daher, dass der Weg von der Westküste in das Innere vorzudringen weit günstiger ist, als jener von Osten — und spreche hier wiederholt den Wunsch aus, es mögen noch recht viele Reisende die Route von Loanda über Malange, Bansa Cassandsche nach Kimbundu einhalten. Die Dienste, welche sie der Wissenschaft leisten werden, werden gross sein und das geheimnissvolle Innere Afrikas wird uns in verhältnissmässig kurzer Zeit entrollt werden.

Gestützt auf meine Angaben beschloss die „Afrikanische Gesellschaft in Berlin" nach meiner Rückkehr, den durch seine Forschungen am Zambesi bereits rühmlichst bekannten Afrika-Reisenden Herrn Eduard Mohr auf dem von mir betretenen Wege neuerdings gegen das Innere des Continentes auszusenden und mit Recht konnte man sich den schönsten Erwartungen hingeben. Leider kam er blos bis Malange, wo er wenige Tage vor der beabsichtigten Weiterreise gegen Kimbundu eines plötzlichen Todes starb.

Nach diesem herben Verluste sandte die Gesellschaft in ihrer rastlosen Thätigkeit den Ingenieur Herrn Schütte nach Angola. Ihm folgte bald Dr. Buchner, bekannt besonders durch seine Reisen im Stillen Ocean; er befindet sich bereits längere Zeit unter den Bangellas und wird zweifelsohne der Wissenschaft wesentliche Dienste leisten. Herr Schütte ist nach längerer Abwesenheit im August dieses Jahres wieder in Europa angelangt.

Obwohl meine Reise nicht von langer Dauer war — ich legte eine Strecke von 190 geographischen Meilen (876 englische Meilen) zurück —, so gelang es mir dennoch, zahlreiche barometrische Höhenmessungen, sodann astronomische Ortsbestimmungen auszuführen und anderweite Notizen in sprachlicher, ethnographischer und entomologischer Hinsicht zu sammeln, welche der wissenschaftlichen Benützung zugeführt wurden.

Das Bewusstsein, selbst unter den schwierigsten Verhältnissen, krank und allein und überbürdet mit Arbeiten der verschiedensten Arten stets das Möglichste geleistet zu haben, um dem geographischen Wissen einigen Nutzen zu bringen und die Kenntnisse über den tückischen Continent „Afrika" zu mehren, entschädigt mich für alle Mühen und Gefahren, die ich erlebte und in deren Vollbewusstsein ich die Reise unternahm.

ANHANG.

A. Träger-Liste

für die Reise von Malange nach Kimbundu.

Cargo Nr.	Inhalt des Cargo		Name des Trägers	Sobas
1	Maria segunda . . . . . . 106·5 Pfd.*)		Candeia.	
2	Missanga branca 99	„	Ganga.	
3	dto. 99	„	Carienza.	Kissualéle.
4	dto. 99	„	Cusua.	
5	dto. 99	„	Curia.	
6	dto. 99	„	Minango.	
7	dto. 99	„	João.	Cutéta,
8	Rosca (Zwieback), ein Fass 57	„	Caïssongo.	
9	dto. 57	„	Cansuela.	
10	dto. 57	„	Francisco Manuel.	
11	dto. 57	„	Luiz Diogo.	
12	Reis, ein Sack 99	„	Mubongo.	
13	dto. 99	„	Canzalla.	
14	Zucker, 8 Blechbüchsen		Bernardo.	
15	dto.		Nhúa.	
16	Kaffee, ein Sack . . . . 106 Pfd.		Pedro.	Samba.
17	Salz, ein Sack 96	„	João Domingo.	
18	dto. 96	„	Pedro Manuel.	
19	Rothwein, 2 grosse Flaschen		Domingos.	
20	dto.		Carambo.	Pedro a Samba.
21	Maria segunda . . . . . . 106·5 Pfd.		João Francisco.	
22	dto. . . . . . 106·5	„	Simão.	
23	Blechkoffer mit Diversen		José.	
24	Kiste mit Butter und Fleischextract .		Manuel Luiz.	
25	Aguardente, 2 grosse Flaschen . . .		Rangel.	
26	dto. .		Caudeia.	

*) Die Gewichts-Angabe ist in englischen Pfunden. 1 engl. Pfund = 0·45 Kilogramm.

Cargo Nr.	Inhalt des Cargo	Name des Trägers	Sobas
27	Aguardente, 2 grosse Flaschen . .	N'Dengue.	
28	dto. . .	Lemba.	
29	Aguardente, eine Flasche und 12 Krüge Gin	Muhongo Luiz.	
30	Gin, 30 Krüge	Soäo.	
31	Blechkoffer mit Diversen von Dr. Pogge und 7 Krüge Gin . . .	Curienza.	
32	Blechkoffer mit Munition und 5 Krüge Gin	Joäo.	
33	Blechkoffer mit Diversen von Dr. Pogge und 5 Krüge Gin	Cambuta.	Cazundo.
34	Cognac, 27 Flaschen	Cassulle.	
35	Rum und Essig, 2 Flaschen	Hebo.	
36	Kiste mit Schweinfleisch und Bolaxas (Zwieback)	Canari.	
37	Tonne Bolaxas und 12 Flasch. Portwein	Muhongo Joäo.	
38	Stockfisch in einer Kiste, 64 Pfd., und 12 Flaschen Portwein	Vunge.	
39	Riscado, 30 Stück	Canbambi.	
40	Algodäo, 10 Stück, und missanga branca	Bumba.	
41	Riscado, 30 Stück	Kisembe.	
42	Arame (Messingdraht) . . 102 Pfd.	Goncalo.	
43	Colli mit diversen Perlen	Mussema.	
44	Kiste (Conserven, Fleischextract und Geschenke)	Miguel Bento.	Carima.
45	Kiste mit Diversen	Hebo José.	
46	Riscado, 30 Stück	Humba.	
47	dto.	Caxito.	
48	Algodäo und rother Flanell . . .	Francisco Antäo.	
49	Rother und blauer Flanell, 4 Stück	Joäo Diogo.	
50	Rosca und 12 Flaschen Cognac . . .	Joäo Manuel.	
51	Pulver 16 kleine Fässchen . à 4 Pfd.	Manuel Domingo.	
52	Pulver, in 12 kleineren Fässchen à 4 Pfd. und 3 grösseren à 6 Pfd.	Malenço.	Cuia Muxita.
53	Pulver in einer Tonne . . . 90 „	Lourenço.	
54	Pulver in Fässchen . . . . 78 „	Carima.	
55	Bolaxas, ein Fass	Sebastiäo.	
56	Bleibarren . . . . 80 Pfd.	Amaro Vunge.	
57	Steinschlossgewehre, 15 Stück	Domingo.	
58	dto.	Hebo Domingo.	
59	Schrot in 2 Kisten	Toba.	Cunga.
60	Kiste mit Proviant	Manuel Hebo.	

Cargo Nr.	Inhalt des Cargo	Name des Trägers	Sobas
61	Kiste mit Proviant	Antaõ Domingo.	
62	Colli mit diverser Fazenda	Christosaõ.	
63	2000 Stück Tabak für die Neger . .	Diogo.	
64	Kiste mit dem Destillir-Apparat und Papier	Gaspar Domingo.	
65	Kiste mit Diversen (Carbolsäure, Kampher, Alkohol) und Packet mit 24 Pfd. Pulver	Amaro.	
66	Kiste mit 12 Flaschen Cognac nebst Gewehrkasten Herrn Pogge's . .	Nenancio.	Cunga.
67	Blechkoffer mit Handwerkzeug, Fleisch-extract, Kerzen, Thee, Seife und Nähzeug	Cambutu.	
68	Blechkoffer mit Munition	Hebo Amaro.	
69	Blechkoffer mit Thee, Oel, Butter, Chinin, Pfeffer, Senf und 18 canecas	Huari a bambi.	
70	Blechkoffer mit Medicamenten . . .	Chico.	
71	Blechkoffer des Herrn Pogge	Hebo.	Mihongo.
72	Blechkoffer, meine Personal-Ausrüstung	Lemba.	
73	Blechkoffer wie vorher und Gewehr-kasten von mir	Antonio.	
74	Elephanten-Gewehre	Fuxi.	
75	Blechkoffer mit Zeichnenmateriale, Jagdtasche und Tisch	Padre Domingos.	Hembe.

B. Preis-Angabe
einiger Artikel loco Malange.

Stockfisch, 1 Pfd. *)	312	Reis
Zucker, 1 Pfd.	500	„
Kaffee, 1 Pfd.	300	„
Salz, 1 Pfd.	200	„
Reis, 1 Pfd.	150	„
Rosca (Zwieback), 1 Pfd.	500	„
Gewürze, 1/2 Pfd.	800	„
Fisch (eine Büchse zu 2 Pfd.)	1.600	„
Butter (eine Büchse zu 5 Pfd.)	1.600	„
Cognac, eine Flasche	2.500	„
Portwein, eine Flasche	1.700	„

*) Die Gewichts-Angabe ist in englischen Pfunden. 1 engl. Pfund = 0·45 Kilogramm.

Gin, 1 Krug	1.600	Reis
Rothwein, 1 Liter	750	"
Essig, 1 Liter	600	"
Kampher, 1 Pfd.	3.000	"
Cigarren, 100 Stück	6.000	"
Pulver (grob), 1 Pfd.	1.000	"
Maria segunda, ein Packet zu 10 Pfd.	6.500	"
Missanga branca, ein Packet zu 10 Pfd.	3.100	"
Ein Stück von 8 Sacktüchern	4.250	"
Fazenda, 10 Yard	7.600	"
Ein blechernes Waschbecken	2.000	"
Ein rindslederner Sattel	6.000	"
Ein Reitstier (Durchschnittspreis)	30.000	"

u. s. f.

C. Itinerarien

für die Reise von Kimbundu zu Muata Yanvo.

Südliche Route:	Nördliche Route:
Tschicapa (Fluss).	Luéla (Fluss).
Muisa.	Cailomba.
Luaschimo (Fluss).	Kicapa (Fluss).
Luél (Fluss).	Mudila.
Mohambo (Fluss).	Tete.
Chá Cassanga.	N'Gumbo.
Kihumbue (Fluss).	Cagica sala.
Luasche (Fluss).	Cabango.
Lufige (Fluss).	Kihumbue (Fluss).
Luémbe (Fluss).	Mateto.
Camuémo.	Luána (Fluss).
Carimbula. -	Luémbe (Fluss).
Massessa.	Im Walde.
Chá Nama oder Mulemba.	Luia (Fluss).
Cassabi oder Zaíre (Fluss).	Cassai oder Zaíre (Fluss).
Munéme.	Luila (Fluss).
Mudila tambo.	Lunansega (Fluss).
Caíbinda.	Im Walde.
Kiana.	Cahuguis (Fluss).
Cahuguis (Fluss).	Cafuísche.
Cailombo.	Lúlúa (Fluss).
Muéne matamba.	Muéne muschinda.
Muéne Carimga.	Muéne canega.

Südliche Route:	Nördliche Route:
Lúlúa (Fluss).	Fulungo Lusége.
Maculo.	Luisa.
Himbo mupaschi.	Cauhénda.
Huana mutombo.	Mussumbe.
Muéne Capapa.	
Muéne Mutemba.	
Kisembe.	
Casangalala.	
Muéne pépe.	
Chá muana.	
Cabebe.	
Mussumbe.	

D. Träger-Liste

für die Reise von Kimbundu nach Malange.

Name des Trägers	Inhalt des Cargo
Bernardo Francisco.	Aguardente, 2 Flaschen.
Manuel Pedro.	Fass mit Bolaxas.
João Domingo.	Salz, Reis und ein Blechkoffer mit Ausrüstungs-Sorten.
Francisco Pedro.	Koffer mit Diversen.
Matheus Francisco.	Blechkoffer mit Diversen.
Gonzales Sebastião.	Blechkoffer mit Tauschartikeln und 5 Krüge Gin.
Domingo Manuel.	Blechkoffer mit Tauschartikeln und Tisch.
Antão José.	Kiste mit Proviant.
Simão Bapt. José.	Desgleichen.
Antão Domingo.	Gewehre.
Manuel Luiz.	Kotzen und Decken.

Anmerkung. Hier kommen noch hinzuzurechnen: 6 Tipoia-Träger und 7 Negersklaven, welche die Cargos meiner Träger beförderten, sowie 2 Sklaven von mir (Tom und Manu), im Ganzen 26 Leute.

E. Astronomische Ortsbestimmungen.

Punkte	Südliche Breite	Oestliche Länge von Greenwich
Dondo	9⁰ 37·5′	14⁰ 44·6′
Pungo n'Dongo	9⁰ 40·6′	15⁰ 26·1′
Malange	9⁰ 37′	16⁰ 14·7′
Sanza	9⁰ 36·7′	16⁰ 59′
Porto de mussessa . . .	10⁰ 47·1′	18⁰ 25·7′
Kimbundu	10⁰ 13·6′	19⁰ 37·1′
Quango - Uebergang bei Bansa Cassandsche .	9⁰ 48 6′	18⁰ 28·6′
N'Bungu	9⁰ 44·9′	18⁰ 7 8′
Feira	9⁰ 37·9′	18⁰ 3·5′

F. Absolute Höhen.

Ort	Höhe in Metern	Ort	Höhe in Metern
Bansa Cassandsche . . .	1061	Luenha	325
Caboco	1054	Lutete do Malange . . .	1149
Caïongo	1211	„ „ mato	1066
Calundo	1164	Macanga	1438
Camba Lomingo . . .	1999	Malange	1261
Camungo	417	Mona Balla	1719
Cansumende	390	Museca	997
Candumbo	1373·5	Muzengue	855
Capanda	1102·5	N'Bungu	1180
Carima	1140	Nhanga	885
Cula muxita	1170	N'Gio	1096
Dalasamba	1252·5	Pafu	1106
Dondo	110	Pate	1426
Gundo scha Pungo . .	1335	Pungo n'Dongo	1191·96
Kiluandsche	1390	Quipacata	664
Kimbundu	2055	Quissole	1147·5
Kimuelele	1299	Sansaue	1502
Kissamba	1013	Sanza	1171·5
Kissango	1712	Uari a bambi	950·5
Lhombi	1171·4	Wuanga	1240

G. Meteorologische Beobachtungen.

I. In Loanda.

Datum	Zeit	Therm. C°	Quecksilber-Barometer Fortin.	Bewöl-kung	Anmerkung
1875	U. M.				
3. Mai	8 30 V.	27·4	764·3	2	
	10 — „	28·4	764·3		
	11 — „	28·8	763 9		
	12 — „	29·5	762·5		
	1 30 N.	29·8	761·82		
	4 — „	30·0	760·85		
	5 30 „	28·8	760		
	11 30 „	26·8	762·15		
4. „	7 — V.	26·0	762·7	0	
	9 — „	27·8	764·45		
	12 — „	29·5	762·5		
	2 — N.	30·4	761·2		
	4 — „	30·0	760·75		
5. „	7 30 V.	25·8	764	1	
	11 — „	27·0	764·5		
	1 — N.	27·8	762·3		
	4 30 „	28·6	760·8		
6. „	9 30 V.	27·8	763·75	0	
	2 — N.	30·0	759·95		
	4 — „	30·2	759·2		
	10 — „	28·0	762		
7. „	7 — V.	26·8	761·4		
	12 — „	30·5	760·9		
	3 — N.	31·3	759·3		
	8 — „	29·0	760·75		
	10 — „	28·5	761 8		
8. „	1 — N.	32·2	760·85		
	8 — „	29·7	760·5		
9. „	8 — V.	26·5	762		
	1 30 N.	30·6	760·7		
	5 — „	29·7	760·15		
	11 — „	28·2	761 5		
10. „	7 — V.	27·5	761·6	3	
	5 30 N.	27·3	759		
	8 — „	28·8	· 760·4		

Anmerkung: Die Instrumente waren in meinem Wohnzimmer stets im Schatten aufgestellt, die Fenster immer offen; kein Luftzug

Lux: Von Loanda nach Kimbundu.

12

II. In Dondo.

Datum	Zeit	Therm. C°	Quecksilber-Barometer Fortin.	Bewöl-kung	Anmerkung
1875	U. M.				
17. Mai	7 — V.	23·1	759·75	6	Instrumente wie in Loanda postirt.
	12 — „	28·7	759·25	4	
	9 — N.	27·7	760·35		
18. „	9 — V.	27·8	762·3	1	
	8 — N.	27·7	760·5		
20. „	7 30 V.	26·4	760·3	0	
	11 — „	29·4	761·75		
	8 — N.	27·7	760·5		
21. „	9 30 V.	28·6	762·2		
	4 30 N.	31·0	757·55		
	8 — „	27·1	760·85		

III. Während der Reise von Dondo nach Malange.

Datum	Ort	Zelt	Therm. C° [1]	Barometer-stand Mill. [2]
1875		U. M.		
6. Juni	Abmarsch von Dondo	1 48 N.	33·2	757·2
	Bivouak unter einem Affenbrodbaum	6 — „	27·3	740·2
7. „	Abmarsch	5 30 V.	17·5	740·8
		6 30 „	19·5	736·8
	Luenha passirt	7 30 „	21·7	738·7
		8 30 „	25·5	739·8
	Cansumende passirt	9 — „	27·3	733·3
		9 30 „	30·0	729·8
	Patrulha Camungo erreicht . .	10 — „	30·4	731·1
	Mittagsrast und weiter um	12 — „	33·1	729·2
		1 30 N.	32·0	725·6
		3 — „	31·5	717·2
	Patrulha Quipacata	4 30 „	25·9	709·3

[1] Diese Beobachtungen wurden mit Schleuder-Thermometer von Greiner & Geissler in Berlin durchgeführt.
[2] Diese Beobachtungen wurden mit einem Aneroid Naudet'scher Construction durchgeführt. Die Angaben sind bereits corrigirt.

Datum	Ort	Zeit	Therm. t°	Barometer-stand Mill.
1875		U. M.		
8. Juni	Abmarsch	5 30 V.	17·6	710·6
		6 30 „	18·5	708·4
		7 30 „	22·4	702·3
		8 30 „	26·1	703·8
		9 30 „	22·0	702
		10 30 „	28·5	699·5
		11 30 „	29·0	697·2
	Nhanga	12 — „	23·8	695·3
9. „	Abmarsch	5 30 V.	13·0	695
		6 — „	12·0	691·8
		7 — „	16·0	693·4
		8 — „	21·0	692·7
		9 — „	24·0	689·9
	Muzengue passirt	9 30 „	25·1	693·3
	Patrulha Muzengue erreicht . .	10 30 „	19·5	684·9
	Mittagsrast und weiter um	12 — „	29·7	683
		1 — N.	29·0	682·2
		2 30 „	28·5	677·5
	Patrulha Capanda erreicht . . .	4 — „	27·5	672·1
	Rast und weiter um . . .	5 30 „	19·5	674·4
		6 30 „	14·0	674
		7 30 „	13·0	674
	Beginn des Anstieges auf die Pedras negras	8 30 „	15·0	669·8
	Pungo n'Dongo erreicht . . .	9 15 „	19·0	665
11. „	Abmarsch von Pungo n'Dongo .	7 15 V.	19·0	660·4
		8 15 „	22·0	665·6
		9 15 „	26·5	668·4
		10 15 „	28·0	666·7
	Patrulha Carima passirt . . .	11 — „	30·5	665·4
		12 — „	29·0	667·15
		1 — N.	29·8	671·7
	Patrulha Lutete do mato erreicht	1 15 „	29·8	670·96
	Mittagsrast und weiter um	2 45 „	30·2	670·3
		3 45 „	28·5	667
	Patrulha Calundo	4 45 „	20·0	662·9
12. „	Abmarsch	6 — V.	9·8	667·4
		7 — „	12·0	666·8
		8 — „	18·1	668·46

12*

Datum	Ort	Zeit	Therm. C°	Barometer-stand Mill.
1875		U. M.		
12. Juni	Lutete do Malange	8 15 V.	18·2	668·5
	Rast und weiter um . . .	9 — „	25·1	666·6
		10 — „	26·3	662·3
		11 — „	27·8	658·98
	Dalasamba erreicht	11 15 „	26·2	658·8
	Mittagsrast und weiter um	1 45 N.	26·2	657·8
		2 45 „	27·6	658·4
		3 45 „	26·0	657·14
		4 45 „	21·2	660
	Patrulha Lhombi	5 15 „	21·2	664
13. Juni	Abmarsch	6 10 V.	12·5	666·1
		7 10 „	15 0	656·9
	Patrulha Cula muxita	8 10 „	19·0	661·3
	Rast und weiter um . .	8 30 „	19·1	661·29
		9 10 „	22·0	659·7
		10 10 „	25 0	660·1
	Ankunft in Malange	10 35 „	25·0	659·1

IV. In Malange.

Datum	Stunde	Therm. C°	Barometer-stand Mill. [1]	Psychrometer trocken 115	Psychrometer nass 119	Bewöl-kung	Anmerkung
1875	U. M.						
29. Juni	6 30 V.	16·1	660·2	16·1	13·2	0	Die Instrumente waren im Freien und vor Luftzug geschützt, stets im Schatten aufgestellt.
	8 — „	17·5	661·2	17·5	14·5		
	12 — „	23·2	660·5	23·2	17·2		
	3 — N.	23 6	658·4	23·6	15·2		
	5 — „	23·6	658·6	23·6	15·2		
30. „	6 30 V.	13·7	661·1	·			
	9 — „	19·6	661·9	·			
	12 — „	19·5	659 7	22·9	14·8		
	5 — N.	23·4	658·9	23·2	10·2		
1. Juli	8 — V.	17·6	660·6	·			
	12 — „	18·4	658·9	·	·		
	5 — N.	22·5	658·8	·	·		

[1] Die Messungen wurden mit einem Aneroid Naudet'scher Construction durchgeführt. Die Angaben sind bereits corrigirt.

Datum	Stunde	Therm. C°	Barometer-stand Mill.	Psychrometer trocken 115	Psychrometer nass 119	Bewölkung	Anmerkung
1875	U. M.						
2. Juli	9 — V.	18·8	660·4			0	
	10 30 „	21·1	660·4				
	1 30 N.	24·0	658·7				
	4 — „	24·2	658·1				
	5 — „	23·5	658·4				Die Instrumente waren im Freien und vor Luftzug geschützt, stets im Schatten aufgestellt.
3. „	8 — V.	19·4	660·4				
	9 — „	19·7	660·5				
	11 — „	23·0	660·2				
	1 — N.	24·5	659·1				
	4 — „	24·8	657·6				
	5 — „	24·2	657·7				
4. „	7 — V.	16·2	660·4				
	9 — „	18·2	660·8				
	11 — „	21·0	661				
	1 — N.	21·0	659·9	24·0	12·2	6	
	5 — „	23·3	658·8	23·3	10·3		
5. „	7 — V.	17·0	660·3	17·0	12·3	0	
	9 — „	19·9	660·7	20·6	15·0		
	10 — „	21·8	661	21·8	16·3		
	12 — ;	28·6	660·7	28·6	19·2	4	
	5 — N.	24·0	658·3	24·0	15·2		

V. Während der Reise von Malange nach Kimbundu.

Datum	Ort	Zeit	Therm C°[1]	Barometer-stand Mill.[2]
1875		U. M.		
14. Juli	Abmarsch von Malange	8 — V.	19·4	659·4
		9 — „	21·5	660·8
		10 — „	24·7	665·96
	Quissole erreicht	10 45 „	25·5	668·1
	Grosse Rast und weiter um . .	5 30 N.	22·2	664·7
	Am linken Ufer des Cuiji . . .	7 5 „	17·0	669
	N'Gio	8 31 „	17·2	668·7

[1] Diese Beobachtungen wurden mit Schleuder-Thermometer von Greiner & Geissler in Berlin durchgeführt.
[2] Diese Beobachtungen wurden mit einem Aneroid Naudet'scher Construction durchgeführt. Die Angaben sind bereits corrigirt.

Datum	Ort	Zeit	Therm. C°	Barometer- stand Mill.
1875		U. M.		
15. Juli	Abmarsch	11 45 V.	24·4	666·9
		12 45 N.	26·0	661·7
		2 15 „	27·5	660·25
		3 30 „	26·1	657·15
	Sanza erreicht	4 30 „	24·5	661·2
18. „	Abmarsch von Sanza . .	2 30 N.	27·8	659·5
		3 30 „	27·5	659·85
		4 30 „	26·5	659·45
	Bivouak auf den Höhen von Camalenda	5 30 „	21·4	658·1
19. „	Abmarsch	7 — V.	12·0	661·8
		8 — „	15·0	663·6
		8 30 „	20·1	663·8
		9 30 „	23·3	662·2
	Rio Caïongo passirt	10 30 „	24·7	659·7
	Caiongo	10 52 „	27·0	660·3
		8 — V.	16·0	659·8
		9 — „	23·0	659·5
		10 — „	23·5	659·2
		11 — „	24·7	658·4
		12 — „	25·8	656·7
		2 — N.	27·8	655·6
20. „	In Caiongo geblieben . . .	3 — „	26·7	654·3
		4 — „	25·8	655·3
		5 — „	22·2	656·7
		6 — „	16·4	656·5
		7 — „	15·2	656·2
		8 — „	13·0	655·9
		9 — „	12·4	657·4
21. „	Abmarsch	7 — V.	10·5	661·8
		8 — „	17·6	662·99
		9 — „	23·2	661·5
	Gundo scha Pungo	10 — „	24·4	655·8
22. „	Abmarsch	7 — V.	15·5	654·3
		8 — „	19·0	655·2
	Kimuelele passirt	9 — „	23·4	653·7
	Cacunga	10 — „	24·7	654·5
23. „	Abmarsch	6 30 V.	12·8	658·3
		8 — „	17·5	661·5
		9 — „	20·6	656·4
	N'Donga	10 — „	23·4	655·7

Datum	Ort	Zeit	Therm. C°	Barometer-stand Mill.
1875		U. M.		
24. Juli	Abmarsch	7 — V.	12·4	654·9
	Rio Kibanso passirt	8 — „	16 2	660·9
		9 — „	18·9	659·8
	Candumbo	10 — „	23·0	655·3
25. „	Abmarsch	6 45 V.	13·8	654·1
		7 45 „	15·5	651·5
		8 45 „	19·5	651
	Mutu uangenge	9 45 „	22·6	652·7
		7 — V.	12·5	655·3
		7 50 „	13·0	655·5
		8 — „	15·6	656·5
		9 — „	18·1	656·2
		10 — „	21·6	655·4
		11 — „	23·6	654·7
26. „	In Mutu uangenge geblieben .	12 — „	26·2	653 3
		1 — N.	25·8	651·7
		2 — „	27·7	651
		3 — „	28·1	650·34
		4 — „	26·7	649·8
		5 — „	23·6	650·8
		6 — „	21·5	652
27. „	Abmarsch	6 45 V.	11·2	654·7
		7 45 „	14·5	656·6
		8 5 „	17·7	659
	Cambundschi-Catembo	8 45 „	20·2	658·9
28. „	Abmarsch	7 — V.	9·0	658·4
	Pate passirt	8 15 „	14·5	652·3
	Macanga erreicht	9 45 „	23·7	651·4
	Rast, dann weiter um	10 55 „	27·0	651·9
	Mihongo	12 15 N.	28·9	645 6
31. „	Abmarsch	7 15 V.	12·0	649 8
		8 15 „	15·0	650·3
		9 15 „	19·0	646·6
		10 15 „	23·5	644·2
	Capembe	10 30 „	24·0	641·9
2. August	Abmarsch	6 50 V.	16·6	643·7
		7 50 „	21·0	645·7
	Bivouak noch im Gebiete Capembe	8 25 „	23·5	648·9

Datum	Ort	Zeit	Therm. C°	Barometer-stand Mill.
1876		U. M.		
3. August	Abmarsch	7 30 V.	19·8	648·9
	Am Luhiflusse	8 — „	20·5	659·2
		9 — „	27·0	656·4
		10 — „	27·0	650·6
	Scha-mu-Cabuca	10 15 „	26·0	644·4
4. „	Abmarsch	6 30 V.	15·1	646·2
	Rio Kipaupau	7 30 „	17·9	646·3
		7 40 „	17·9	639·8
		8 30 „	21·1	636·8
	Rio Kenge	8 50 „	19·0	642·8
		9 — „	24·5	640·3
	Mona Balla	9 5 „	23·8	640·2
5. „	Abmarsch	7 — V.	15·0	640
		8 — „	18·5	633·4
		9 — „	24·5	636·5
	Mona Kissaco	10 — „	24·1	633·6
6. „	Abmarsch	6 30 V.	14·7	637·6
		7 30 „	17·0	649·5
		8 15 „	19·0	649·6
		9 15 „	21·5	652·5
	Rast	9 30 „	24·0	654·5
	Weiter um	9 40 „	24·0	654·5
	Mona Gange	10 40 „	25·4	649·7
7. „	Abmarsch	7 — V.	13·5	650
		8 — „	13·4	650·3
		9 — „	20·0	658·9
		10 — „	23·2	657·8
	Mona Poco	10 19 „	26·4	659·9
8. „	Abmarsch	7 30 V.	12·5	663·99
		8 30 „	18·7	656·6
	Carima	9 10 „	21·6	653·1
10. „	Abmarsch	6 45 V.	16·8	655·4
		7 45 „	19·5	660·3
	Rio Micunge passirt	8 30 „	22·5	665·3
		9 30 „	23·8	664·4
		10 30 „	26·4	662·9
	Am linken Quango-Ufer . .	10 45 „	27·0	665·4
	Uebergang, sodann weiter um .	2 45 N.	31·0	660·4
	Porto de Mussessa	2 55 „	31·5	659·7

Datum	Ort	Zeit	Therm. C°	Barometerstand Mill.
1875		U. M.		
11. August	Abmarsch	6 45 V.	12·3	667·8
		7 45 „	16·8	663·2
		8 25 „	15·6	666·3
	Moxe a milundo	9 — „	20·0	658·8
12. „	Abmarsch	6 30 V.	14·0	657·8
		7 — „	13·3	649
		8 — „	16·0	646·3
	Caiala camoxi	9 — „	19·3	646·6
13. „	Abmarsch	6 30 V.	9·5	647·1
		7 30 „	14·3	648·2
	Kikenge	8 30 „	18·7	648·5
14. „	Abmarsch	6 30 V.	12·0	649·7
		7 30 „	14·4	655·6
		8 30 „	20·6	648·5
		9 30 „	23·3	649·1
	Kigimbo	10 — „	27·7	649·2
15. „	Abmarsch	6 30 V.	10·2	652
		7 30 „	19·9	653
		8 30 „	23·0	656·7
		9 30 „	25·2	655·3
	Camissamba	9 50 „	26·0	656·2
16. „	Abmarsch	6 40 V.	11·0	657·9
		7 40 „	14·2	661·6
		8 40 „	22·7	667·4
		9 40 „	24·5	655·1
	Kissango	10 5 „	26·0	656·1
18. „	Abmarsch	6 30 V.	8·8	659·8
		7 30 „	18·6	654·2
		8 — „	21·0	653·8
		8 50 „	25·7	652·4
		9 50 „	30·0	666·8
	Den Cucumbifluss erreicht . .	10 — „	30·2	667·8
	Uebergang, weiter um	1 — N.	32·5	662·63
	Bivouak am rechten Ufer . . .	1 12 „	32·4	662·62
19. „	Abmarsch	6 30 V.	7·1	671·45
		7 30 „	19·1	666·6
		8 — „	23·0	653·2
	Mona Cuanga	8 45 „	25·4	651·1

Datum	Ort	Zeit	Therm C°	Barometer-stand Mill.
1875		U. M.		
20, August	Abmarsch	7 — V.	18·0	651
		8 — „	21·0	649
		9 — „	24·3	648·5
		10 — „	26·0	647·4
		11 — „	27·7	645·97
	Cacollo	11 15 „	27·9	644
21. „	Abmarsch	6 45 V.	11·7	645·7
		7 45 „	19·6	643·4
	Kicundo	8 45 „	23·7	644·8
22. „	Abmarsch	6 30 V.	18·4	645·9
		7 30 „	19·1	645·3
		8 30 „	24·0	644·8
	Camba Lomingo	9 5 „	25·2	644
23. „	Abmarsch	6 45 V.	17·2	645·8
		7 45 „	18·1	647·2
	Rio Cuilo passirt	8 45 „	18·4	656·2
		9 45 „	21·7	646·6
		10 45 „	23·8	645
	Catangala	11 10 „	24·9	645·1
24. „	Abmarsch	6 30 V.	11·0	649·7
		7 30 „	20·6	650
		8 30 „	23·0	650·3
	Rio Luansche erreicht	9 15 „	23·8	652·2
	Uebergang, dann weiter um . .	9 45 „	26·0	653·2
		10 45 „	28·0	648
	Bivouak im Walde Cauila . . .	11 — „	28·6	648·9
25. „	Abmarsch	6 30 V.	12·7	652·7
		7 30 „	21·0	653·6
	Rio Peso erreicht	8 30 „	25·0	656
	Uebergang, dann weiter um .	9 20 „	27·4	655·1
		10 20 „	30·1	649·7
	Mutu am Bau	11 — „	30·4	649·8
26. „	Abmarsch	6 30 V.	12·5	653·6
		7 30 „	21·7	654
		8 30 „	25·4	652·6
	Kimbundu	9 — „	27·6	654·2

VI. In Kimbundu.

Datum	Zeit	Therm. C°	Barometer- stand Mill. [1]	Psychrometer trocken 115	Psychrometer nass 119	Bewöl- kung	Anmerkung
1875 27. August	U. M. 6 30 V.	9·0	657·5	.	.	0	Die Instrumente waren im Freien und vollkommen vor Luftzug geschützt, stets im Schatten aufgestellt.
	7 — „	12·8	656·7	.	.		
	8 — „	20·2	657·1	.	.		
	9 -- „	26·1	656·6		.		
	10 — „	28·5	655·1		.		
	11 — „	31·1	654·2	.	.		
	1 — N.	32·1	650·2	·'	.		
	3 — „	30·4	649·5	.	.		
	5 — „	26·6	650·6	.	.		
	7 — „	27·2	655·3	·.	.		
28. „	8 — V.	19·8	657·3	.	.	5	
	2 — N.	30·3	649·2	.	.		
	6 — „	22·7	653·3	.	.		
29. „	9 — V.	23·7	658·3		.	10	
	12 — „	25·8	655·9		.		
	6 — N.	20·6	654·7		.		
30. „	7 — V.	17·3	652·6	.	.		
	12 — „	17·8	660·1	.	.		
	3 — N.	21·1	657·9	21·1	18·2		
	6 — „	18·6	658·5	18·6	18·0		
31. „	7 — V.	17·5	658·5	17·5	16·88		
	12 — „	32·2	655·3	32·2	21·65		
	3 — N.	29·2	652·2	29·2	19·85	6	
	6 — „	21·3	654·7	21·3	18·0		
1. Sept.	7 — V.	17·6	657·3	17·6	15·65		
	12 — „	34·3	666·3	34·3	20·25	8	
	8 — N.	31·5	654·4	31·5	18·6		
	6 — „	24·1	653·3	24·1	19·1		
2. „	7 — V.	18·9	657·3	18·9	17·0		
	12 — „	32·1	652·6	32·1	20·61		
	6 — N.	20·0	653	20·0	17·6		
3. „	7 — V.	17·9	655·6	17·9	16·2	10	
	12 — „	29·0	653·1	29·0	21·1		
	6 — N.	24·0	652·5	24·0	18·6	8	

[1] Die Messungen wurden mit einem Aneroid Naudet'scher Construction durchgeführt. Die Angaben sind bereits corrigirt.

Datum	Zeit	Therm. C°	Barometer- stand Mill.	Psychrometer trocken 115	nass 119	Bewöl- kung	Anmerkung
1875 5. Sept.	U. M. .	.	.		.		Starker Regen und Gewitter
6. „		.	.	.	.		
7. „	7 — V.	16·7	656·5	16·7	16·0		
	12 — „	28·4	651	28·4	20·8		
	3 — N.	29·5	648·4	29·5	20·4		
	6 — „	20·0	655·7	20·0	18·8		
8. „	7 — V.	17·3	657·3	17·3	16·4	10	
	12 — „	29·0	652	29·0	19·2		
	3 — N.	32·0	646	32·0	21·6	7	
	6 — „	24·8	651·5	24·8	20·0		
9. „	7 — V.	18·1	655·3	18·1	17·2	9	
	12 — „	31·3	652·4	31·3	21·8		

VII. Während der Reise von Kimbundu nach Sanza.

Datum	Ort	Zeit	Therm. (C° [1])	Barometer- stand Mill. [2]
1875 14. Sept.	Abmarsch von Kimbundu	U. M. 9 — V.	25·1	653·6
		10 — „	27·7	649·2
		11 — „	29·5	647·4
		12 — „	31·5	647·2
	Mutu am Bau	12 15 N.	31·6	647·1
15. „	Abmarsch	6 30 V.	16·7	651·3
	Rio Peso erreicht	7 30 „	19·8	651·7
	passirt, weiter um	8 — „	21·5	652·1
		9 — „	24·2	649·1
		10 — „	25·9	648·2
	Cauila	10 20 „	26·3	648·2
16. „	Abmarsch	7 — V.	17·8	648·8
		8 — „	19·8	647·99
	Rio Luansche passirt	8 30 „	20·0	649·9
		9 30 „	23·0	646·3
		10 30 „	23·5	645·3
	Catangala	11 30 „	26·7	644·8

[1] Diese Beobachtungen wurden mit Schleuder-Thermometer von Greiner & Geissler in Berlin durchgeführt.

[2] Diese Beobachtungen wurden mit einem Aneroid Naudet'scher Construction durchgeführt. Die Angaben sind bereits corrigirt.

Datum	Ort	Zeit	Therm. C°	Barometer- stand Mill.
1875		U. M.		
18. Sept.	Abmarsch	6 15 V.	16·4	646·8
		7 15 „	20·0	645·3
		8 15 „	22·2	647·7
	Rio Cuilo erreicht	8 30 „	23·9	655·4
	passirt und weiter um	8 50 „	24·6	655·25
		9 50 „	26·0	647·4
	Rio Cawembe	10 5 „	26·8	651·8
		11 — „	28·4	648·1
	Camiênge	11 35 „	27·8	645·2
19. „	Abmarsch	6 30 V.	19·5	648·8
		7 30 „	21·7	643·2
		8 30 „	22·4	647
		9 30 „	24·3	649
		10 30 „	23·6	645·1
	Camissamba	11 5 „	25·5	643·3
20. „	Abmarsch	6 — V.	11·9	646·2
		7 — „	17·7	643·3
		8 — „	19·7	640·3
		9 — „	23·3	641·97
		10 — „	25·6	637·8
		11 — „	27·9	637·3
	Bivouak am Fusse des Gebirges	12 — „	30·0	652·9
21. „	Abmarsch	5 50 V.	16·0	657·4
		6 50 „	20·2	658·9
		7 50 „	23·4	660·4
	Munene	8 40 „	25·1	661·6
22. „	Abmarsch	6 — V.	16·5	664·8
		7 — „	18·0	663·4
		8 — „	19·6	660·2
		9 — „	21·4	661·8
		10 — „	20·8	660
	Camansamba	11 — „	22·5	660·8
23. „	Abmarsch	6 — V.	17·0	662·2
		7 — „	20·0	658·4
		7 30 „	20·6	656
	Sansaue, Rast und weiter um	8 — „	22·8	657·1
		9 — „	25·0	660·6
		10 — „	29·0	680·05
	Bivouak noch im Schinschigebiet	10 15 „	28·0	680·01

Datum	Ort	Zeit	Therm. C°	Barometer-stand Mill.
1875		U. M.		
24. Sept.	Abmarsch	6 — V.	18·0	674·7
		7 — „	19·3	674·4
	Cucumbifluss erreicht	8 — „	21·1	675·2
	Uebergang, dann weiter um . .	10 35 „	24·5	674·7
	Cassandsche	11 5 „	24·5	671·6
25. „	Abmarsch	7 — V.	18·0	674·9
	Quangofluss erreicht	8 — „	20·2	676·7
	Uebergang, dann weiter um . .	10 10 „	22·7	673·3
		11 10 „	24·0	671·5
	Terra de Muhica ·	11 25 „	23·5	671
26. „	Abmarsch	6 — V.	17·3	675·9
		7 — „	20·4	679·4
		8 — „	23·9	678·1
		9 — „	26·7	678·2
		10 — „	26·1	675·9
	Terra de Caschimba	10 15 „	27·0	676·1
27. „	Abmarsch	7 — V.	18·8	676·7
		8 — „	22·5	674·96
		9 — „	26·0	674·5
		10 — „	28·5	674·9
		11 — „	29·0	673·1
		12 — „	29·2	671·4
	Pafu	12 10 N.	29·5	671·5
29. „	Abmarsch	5 — V.	17·0	674·5
	Cansambe, Rast und weiter um	6 — „	18·0	673·9
		7 — „	22·5	670
		8 — „	24·9	668·6
		9 — „	27·0	667·9
		10 — „	27·7	667·2
		11 — „	30·1	664·8
	N'Bungu	11 30 „	31·5	664·99
30. „	Marsch nach der Feira und zurück nach N'Bungu	.	.	.
1. October	Abmarsch	6 30 V.	19·4	668·8
		7 30 „	21·8	668·9
		8 30 „	23·7	665·4
	Wuanga	9 30 „	27·5	668·7
	Rast und weiter um	11 — „	29·5	661·4
		12 — „	31·2	653·6
	Bivouak im Walde	1 — N.	30·0	669·9

Datum	Ort	Zeit	Therm. C°	Barometer- stand Mill.
1875		U. M.		
2. October	Abmarsch	6 — V.	16·4	664·3
		7 — „	20·8	664·9
	Caboco	8 — „	24·2	668·5
		9 — „	25·2	674
		10 — „	29·0	674·2
		11 — „	28·4	676·2
	Den Luhifluss passirt	12 — „	29·1	676·97
	Bivouak am linken Ufer . . .	12 20 N.	29·3	678·5
3. „	Abmarsch	6 15 V.	18·0	683·6
		7 15 „	20·0	682·9
		8 15 „	21·6	683·5
		9 15 „	23·6	681·2
		10 15 „	26 0	678·7
	Kissamba	11 — „	25·4	676
4. „	Abmarsch	6 — V.	18·8	681·4
		7 — „	20·3	686·2
	Loarifluss { am Wasserspiegel .	7 30 „	24·0	689·2
	{ oberer Rand d. Bettes	7 30 „	24·8	687·9
	Museca passirt	8 15 „	26·6	682·8
		9 15 „	27·2	686·6
		10 15 „	28·8	686·5
	Uari a M'Bambi	10 38 „	28·6	685·1
5. „	Abmarsch	6 — V.	18·6	687
	Beginn des steilen Anstieges .	7 — „	20·7	685
		8 — „	24·5	688·5
		9 — „	24·1	669·3
	Höchster Uebergangspunkt über die Talamongonga	9 10 „	23·2	657·96
	Cunga	10 — „	23·5	652·1
		11 — „	23·8	652
	Kiluandsche	12 — „	24·2	655·6
	Grosse Rast	12 15 N.	24·7	654·4
	Weiter um	4 — „	22·2	652·4
		5 — „	23·0	650·4
	Gundo scha Pungo	5 30 „	22·0	651·3
6. „	Abmarsch	7 15 V.	18·1	657·3
		8 15 „	21·1	659·9
		9 15 „	22·4	660·2
		10 15 „	22·8	658·3
		11 15 „	24·7	658·7

Datum	Ort	Zeit	Therm. C°	Barometer- stand Mill.
		U. M.		
6. October	Abmarsch	12 15 N.	26·0	656·1
		1 15 „	25·5	657·6
		2 15 „	28·7	654·1
		3 15 „	28·3	655·6
		4 15 „	28·8	656·9
	Ankunft in Sanza	5 15 „	24·3	657·4

H. Linguistik.

Wörterbuch der Sprachen der Bunda-, Massongo- und Bailundo-Neger.

Deutsch	Bunda	Massongo	Bailundo
aber	masch	—	—
acht	naki	naque	equilala
Acht geben	—	gunewu	daïeba
Ader	—	benanabindi	bisipa
Aerger	—	unabindama	huamomolamba
Affe	macaco	kipombo	hima
alt	riaalu	sioculu	kiale
alte Frau	dschora riaalu	caculasi	hulunda
alter Mann	dschor riaalu	muculu	hulume
Ameise	schikikinja	—	—
Amulet	kiteca	fetisso, kiteca	huanga
Ananas	nanaaschi	nanaschi	lonanaschi
anbeten	cubesa	—	cubelesa
anblasen	—	cutema	cupoperela
Andacht	ocusamba	—	—
anderer, andere	cuomuca	utro	—
angenehm	—	kiandiuahela	kiandipossokella
anklagen	—	unagetange	huandisapula
Antilope	—	corsa	ongulungu
Apfelsine	malaranscha	laranscha	—
Arbeit	ocucalacalo	—	—
arbeiten	cucalacala	cucalacala	bicalacala
Arm	macu, lucaco	cuboco	quoco

Deutsch	Bunda	Massongo	Bailundo
arm	ngaliama	pulungu	hucuin
Armring	—	erienge	lobolota
Arsch	ritaca	sinjo	ataco
Arznei	milongo	—	bihemba
Arzt	nganga	muloschi	nganga
Asche	—	bimawu	etoqua
athmen	cufua	—	—
auf	bu	ia	—
aufblasen	cudschimbe	temaha	temondalu
aufheben	cusangula	songala	jerulla
aufhören	cudschiba	gunasoba	damana
aufmachen	cudschiucula	schecula	ilula
Aufmerksamkeit	kilundschi	—	—
aufstehen	acunguca	gunahinduga	cotullo
aufwachen	—	nabula	dapasoca
Auge	rissu(plur. messu)	bimesso (plur. messo)	basso
Augenbrauen	—	bindemba ia messo	bissocobia
Ausführung	oculibesa	—	—
ausgiessen	—	naschi	embilaschi
auslöschen	—	schima	ima
auspeitschen	cubeta	cusubula	dantabula
ausruhen	cuseca	cunioca	cupuiuiuca
Axt	maschado	etemo, nianga	ngimbo, etemo
backen	cususa	cuiossa	ocudinga
baden	—	curiowa	ocuiua
Banane	mahonsio	maconde	ahondio
Bank	kialu	—	mangu
Bart	muesa	bimuesu	longele
Bauch	mala, rivumu	rimo	rimo
bauen	tungu	cussimbega	cuschinda
Baum	kissaca	—	bisapa
Baumwolle	—	musinja	utele
Becken	rilonga	bia	calelán
beendigen	cudschiba	gunasoba	damana
befehlen	—	—	birikiia
befestigter Ort	fortesa	fortesa	ombonge
begatten	kimitisa	curitimba	ocussera
begegnen	cutacana	tuatacana	tuatokello
Begegnung	ocutacana	—	—
begleiten	cubatesa	—	—

13

Deutsch	Bunda	Massongo	Ballundo
Begleiter	mutafumu	—	uquafumu
begraben	cufundila	—	—
Begräbniss	—	cuhinda	cuhinda
Begräbnissplatz	—	kimbiri	peiaia
Beil	maschado	etemo, nianga	ngimbu, etemo
Bein	kindama, kifuba	kihipa	ekepa
Beischläferin	ndumba	—	—
beissen	—	uongute	culumaua
beleidigen	culebula	—	—
beleuchten	cumica	cuica	cuschacana
bemerken	cubasela	—	—
berathen	cuanbela	—	—
Berathung	ocuanbela	palawer	curitungidira
berauschendes			
Getränk	—	ualla	—
Berg	mulundo `	sumulundu	mundo
bergabsteigen	—	—	oculoca
bergaufsteigen	—	—	oculonda
beschimpfen	culefubula	--	—
Beschwörung der			
Geister	—	schinsumbo	londele
Besprechung	palawra, milonga	palawer	curitungidira
besser	caubote		—
betrübt	—	unalubala	uaiumaua
betrügen	—	macutuabe	uandikemba
betrunken	—	unacolo	huanjo
Bett	hama	muanza, hama	ulla
Bettdecke	cobeletolo	stera	—
Beute	—	—	cupunda
bewaffnen	utaletele	—	—
bewohnen	cuicaba	gunácara	dicaschi
bezahlen	cuffuta	—	ocufeta
Biene	—	sinjoki	lonhihi
billig	—	kiafica	—
binden	cuicuta	cupandeca	ocucuta
bis	te	—	—
Bitte	obinga	—	—
bitten	bingala	guhe	—
bitter	lulu, gilula	salula	cakipepi
blasen	cudschimbe	temaha	temondalu
Blatt	kissasse	kissasse	difa
blau	asulo	asul	—

214

Deutsch	Bunda	Massongo	Bailundo
Blei	—	kicaha	lofellu
bleiben	cutschala	—	—
blind	—	uafamesso	okifofo
Blume	itulu	—	—
Blut	—	bimanjiga	sonde
Boden	—	bimawu	hebe
Bogen	lohonda	—	—
Bogen (Waffe)	uta lohonda	hondschi	uamissongu
Bohne	feschoon	feschoon	—
bohren	—	—	ocutubula
Boot	—	—	elanscha
borgen	—	ricongo	foca
Bote `	punga	punga	mungo
Branntwein	dschin	dschin	—
braten	cususa	cuiossa	ocuiossa
breit	—	sinasanza	sinacullu
brennen	cususa	—	cupia
bringen	pecar	niha, pecar	—
Brod (v. Maniok)	bolu	bicuanga	bolo
Brücke	—	ulalu	ekiawu
Bruder	panki	pangiami	manschange
Brust	—	nete	nulo
Brust des Weibes	mele	bimele	abellelo
Cacaobaum	—	coco	utiecoco
Centner	culumba	—	—
Citrone	rimón	—	—
Cocosnuss	coco	dicoco	ecoco
Dach	—	mundombe	assoca
Dank	—	binschola	cuiola
dankbar	—	dasambua	depandura
Degen	jispada	—	—
denken	cubansa	cubansa	ocusoca
dick	—	—	unene
Dieb	mui	muii	kimuno
Diener	kibundschi	—	—
dieser, diese, dieses	jo	—	—
Doctor	nganga	muloschi	nganga
Dorf	sansala	sansala, sibundo	sansala, balaiosoma
Dorn	muinja	—	—

18*

Deutsch	Bunda	Massongo	Ballundo
dort	cuna	—	—
drehen	kitúcuta	cussina	ocupiluca
drei	tatu	tatu	tatu
dreissig	macunji-tatu	macunjiatatu	acuiatatu
dreizehn	cunji-tatu	cunji-tatu	latatu
dreschen	cubatakiula	cusubula	ocubeta
du	eié	—	—
dumm	—	sioba	kitende
dunkel	bundu	cunanwundu	cotecama
Durst	—	—	enhona
dürr	kiamucuta	siacucuta	kiacucuta
eben (flach)	—	nasanza	esensche
Edelmann	muana-muene	—	—
Ehemann	munumi	—	—
Ehrerbietung	ocusamba	—	—
ehrgeizig	—	urinolumbi	kipululu
Ehrlosigkeit	oculefubula	—	—
Ei	—	eīaki	eīaki
Eidechse	—	icalanga	ricalanga
Eifer	kiaselo	—	—
eilf	cunji-maschi	cunji-moschi	lamossi
einfach	—	senabiha	cakihua
Eingang	—	muelo	—
Eingeborner	—	mombundu	uquafeca
Eingeweide	midia	—	—
eingiessen	—	gutelle	dicapere
einholen	cutambula	—	—
eins	moschi	moschi	mossi
eintreten	cubaúla	—	—
Eisen	kitari	bitari	ibella
Elephant	zamba	samba	dschamba
Elfenbein	—	maso binsamba	lombinga bio dschamba
Ellbogen	—	sipumuna	ngolo
empfangen	cutambula	ocutambola	ocutambola
Enkel, Enkelin	malanlu	—	—
entfernt	calebo	unalubala	cupalla
entmannen	cucapala	—	—
entschuldigen	curitata	—	—
Erde	oschi, ischi	ischi	feca
Erdnuss	schinguba	schinguba	schinguba
erdreisten	cubucumuica	dicobela	dingina

Deutsch	Bunda	Massongo	Ballundo
erhalten	cutambula	ocutambola	ocutambola
erklären	cutatulula	—	—
erlassen	cubana	—	—
erlauben	cubucumuica	dicobela	dingina
erleuchten	cumica	—	—
ermorden	culosa	uasiha, cussia	kipa
ernsthaft	—	unalubela	uaiumaua
erproben	cutesa	cufikissa	ocuseteca
erreichen	cutambula	—	—
erwachen	—	nabula	dapasoca
erweitern	cusansumuna	—	—
erzeugen (Kinder)	kimitisa	curitimba	ocussera
Esel	burro	burro	burru
essen	curia	—	—
etwas	—	mbamba	—
Europäer	—	sinsungu	uquaputu, uiela
Fabrik	ocutungu	—	—
Fahne	ribandela	bandela	—
fallen	—	ocupuca	culoca
falsch	cafulusu	—	—
Familie	—	disitue	emoriange
fangen	—	—	cuquata
Fass	barril	barril	barril
faul	—	inabolo	kiabola
Faust	—	muile	noucu
Feder	—	losala	losala
fehlen	cuiambi	—	cassungamischa
Feind	—	icambarani	—
Feld	ricanca	—	—
Fell	okiba	ohiba	—
Fenster	schanela	epungo	ndunga
fertig	—	—	bandeca
fest	—	talama	talama
Fett	—	masi	ulela
fett	maschi	uanete	uanene
Feuer	tubia	tubia	ndalu
Feuer anmachen	—	cuica	cuschacana
Feuer bringen	peca tubia	peca tubia	—
Feuerstein	—	ritari riauti	—
Feuerstelle	—	riwula	kihuo
Fieber	febre	febre	olombambi
Figur	kiteca	kiteca	kiteca

Deutsch	Bunda	Massongo	Bailundo
finden	—	tucariuana	tucatokella
Finger	milembu	bicoto	bisanda
Fisch	bisch	bisi	loschi
Fischer	oculoa	mucatembisi	uquacutamba
flach	—	nasanza	esensche
Flagge	ribandela	bandela	—
Flamme	—	milengo	jatama
flechten	—	curinga	cutunga
Fleisch	schitu	bisch, bunda	belela
Fleischfarbe	ocuibimita	—	
Fliege	indschi	sinsi	schinge
fliegen	cupuluca	ocutuca	cupalara
fliehen	culenga	bati, bupeschi	ioloki
Flinte	uta	uta	uta
Flöte	—	—	lombendu
Flügel	—	—	mababa
Fluss	nschinschi	mulonga	lui
Flusspferd	—	ngunwu	ongebu
folgen	cubatuesa	—	—
folgern	cudschimbula	—	—
Fort	—	ombonge	—
fragen	cuibula	—	—
Frau	dschöra	—	hulunda
Frau des Haupt-lings	—	—	inacullu
frei	cucula	cucula	—
freier Mann	—	—	muamale
Freiheit	ocucula	. —	—
fremd	—	sinso	—
Fremder	—	ngensi	ucombe
fressen	binjama	binhama, biata-funa	—
Freude	—	kiaposoca	kipepa
Freund	—	cambarani	uquocamba
Friede	muanja	—	—
Frosch	—	—	disote
Frucht	ifuluta	—	—
früh	—	usiki	omene
frühstücken	culumalsar	culmosar	—
führen	cuisa	—	—
führen (weg-weisen)	cumutambala	—	—

Deutsch	Bunda	Massongo	Ballundo
Führer	gia	culecanschila	culondokischa
fünf	tanu, kitanu	tanu	etanu
Furcht	—	uoma	—
für	pala	pala	bu
Fuss	kinama, pé	pé	manji
Fussring	—	erlenge	lobolota
Gabel	galfo	—	galafu
Galle	—	sebe	dululu
ganz	—	sinacoma	kiasoca
Gebäude	ocutunga	—	—
geben	cubana	guheni	nena
geben, Acht	—	gunewu	daieba
geboren werden	cusabuca	—	—
Geburt	—	cuwala	cukita
Geduld	—	dikele	corisaca
Gefahr	—	nabindama	cupindama
gefahrlos	—	cuhindama	sapindamene
Gefangener	mikica	amukica	bopandeca
gehen	cuenda, cuia	ocuenda	ocuenda
Gehölz	mato	—	—
Geister-Be-			
schwörung	—	schinsumbo	londele
geizig	—	sinsense	kegia
Geld	schibungo	—	—
Geld (aus Kupfer)	kitari zimbu	—	—
Gepäck	—	binbamba	bitele
gerade	—	—	esonga
gerecht	akiri	kinatena	kiasoca
Gericht aus			
Maniok	nfunda	infunda	—
Gesandter	ngana, cutu-		
	minissa	—	—
geschickt	—	mussonde	badiu
Geschlechtstheil			
(männlich)	—	menjo	belebingonia
Geschlechtstheil			
(weiblich)	—	sundi	neffe, sonji
Gesicht	ipolu	mbombo	kipala
Gespinnst	ofialo	—	—
gesponnen	fialo	—	—
gestern	masa	masa	eteke ria era
gesund	—	unarisanze	huacaia

Deutsch	Bunda	Massongo	Bailundo
Gesundheit	—	ueleca	cucaia
Getränk	—	ualla	kimbombo, bingundo
Getreide	—	simbundu	holomema
Gewehr	uta	uta	uta
Gift	nganga	umbanda	oanga
glänzend	cutanja	—	—
Glas	—	—	hopo
glatt	—	—	kiasselena
glauben	caschigina	—	—
Glied (männlich)	—	menjo	belebingonia
Glück	—	unatena	ecope
Gnade	opembela	—	—
Gold	—	—	bitari
Gott	ngana zambi	nganna	—
Götze	kiteca	kiteca	kiteca
Grab	kimbiri	situau	ombila
graben	—	—	ocucanda
Gras	riffu	campine	mafa
grausam	kiabangula	—	—
gross	kinene	seculu, unene	uculu
Grösse	riacota	unatundo	uatubulla
grossmüthig	—	ucahenda	uquakiari
grüssen	kiumenekene	gunahindula	toapassura
Grund	oculibessa	—	—
Gummi elast.	—	ocanana	ekedschu
Gunst	favōl	—	—
gut	ambot	sauaba	kihua
Haare	—	bindemba	bingonja
Haare schneiden	—	basitete bindemba	cuteta bingonja
haben	—	ahēr	—
habgierig	—	—	sipombo
Hacke	maschado	etemo, nianga	etemo, ngimbu
Hahn	corumbula	cassumbi	ecodombolo
halb	—	bimassu	obassu
Hals	—	basicate	singo
halten	—	gurinassio	dicuete
Hammer	—	sibabelu	sundo
Hand	lucaco, macu	maco	—
Handel	negosio	—	uensi
Handelsmann	negosiante	simbari	ngende
Handlänge	palmo	—	—

Deutsch	Bunda	Massongo	Bailundo
Handschlägel zur Züchtigung	balamatoria	balmatoria	—
hängen	⫠	—	ocunienga
bart	kiacalacoto	—	ocola
Hass	nguma, luma	kibi	kiabiha
hassen	—	cutala	cubanscha
hässlich	—	sumauiwi	uabiha
Häuptling	sowa	soba, seculu, muata	muangana
Haus	monso	subo, cubata	ondscho
Haut	okiba	mutimba	ecoba
heben	—	songola	jerulla
Heerde	—	—	biombudi
heilen	culuca	ocubonteca	ocutumba
heiss	caluma	siatema	kiassanja
hell	—	cunásele	muenschi
Henne	santschi	galina	—
herablassen	cutuluca	—	—
herabsteigen	culumuca	—	—
Herd	—	riwula	kihuo
Herr	dschor	—	—
Herrin	dschöra	—	—
Herz	mudschima	—	maloschela
Heuschrecke	—	binbambale	kiholo
heute	—	lelo	—
Himmel	—	—	sizala
hinauswerfen	cutedschi	—	—
hinlegen	—	tula	capa
Hintertheil	ritaca	sinjo	ataco
Hirse	mossacunji	—	—
Hirt	—	cuendesso	uquacucombola
Hitze	ocaluma	lusa	huia
hoch	gisanca	sumasaleba	usobi
Hof	—	kitari	lumbo
hoffen	cuginca	gecukinga	talamena
holen	—	cobini	cupiriha
Holz	mutschi	mischi, sikinji	mungo
Honig	giki	gigi	—
hören	—	dakebelela	daleba
Hüfte	—	hopa	—
Huhn	—	susola	sandschi
Hund	caïmbua	iimbua	ombua

Deutsch	Bunda	Massongo	Bailundo
Hülfe	jula	—	—
hundert	hama	hama	oquita
Hundslaus	mawata, bischo	—	—
Hunger	sala	onsala	onsala
huren	culindaca	—	—
Hurerei	oculindaca	—	—
hurtig	—	—	—
husten	—	—	ocucohonja
Hut	schapé	—	—
hüten	—	—	cucariischa
Hütte	—	situngo, fondo	schinge
ich	emme	—	—
ihr	enu	—	—
immer	cumbiosu	—	—
in	mu, cu, bu	cu	—
Insect	bischo	bischo	bischo
Insel	mulunda	—	—
inwendig	inso	—	—
irren	—	unasange	ocunjora
ja	—	nomo	—
jagen	—	colosa	oculoia
Jäger	—	—	eniangu
Jahr	mufu	gonde	uniamo
jedesmal	cala vesch	—	—
jetzt	ke	—	—
jucken	—	cudiasa	cudiania
Jungfrau	kilumba	—	—
Käfer	capiluca	bischo	—
Kahn	—	—	uato
kalt	bambi	atalala	atalala
Kälte	—	schitembo	fcla
Kampf	—	turiculoso	tucaschi
kämpfen	—	tunarisubula	tuaritipula
Kanone	ritenda	—	—
Kartoffel	—	batata	ecapa
Kater	ngatu	—	gatto
Katze	gatto	—	gatta
kaufen	cussumba	ocussumba	oculanda
Kaufmann	ocussumbala	simbari	ngende
Kehle	schingu	cacuescho	cacuescho
kennen	cudschir	—	—
Kessel	imbia	bia ia foia (Blech)	calelán

Deutsch	Bunda	Massongo	Bailundo
Kette	—	lubambu	eringe
Kind	—	cawuti ·	umalehi
Kinn	—	—	bigenso
Kirche	ngalescha	—	—
Klage	—	culaha	kipala
klagen	cutanca	—	—
Klagegesang	—	issunjo ia culaha	issungo i kipala
kleiden	casuata	—	—
klein	—	cawuti	umalehi
Klima	talalu	—	—
klug	—	—	boteculakihua
Knabe	muleke	—	ukenge
Knie	—	sipumuna	ngonlo
Knochen	kifuba	kihipa	ekepa
kochen	culamba	ocuteleca	oculamba
Köcher	—	—	patalonia
Koffer	baúl	—	—
Kohle	macala	sisimina	ecala
kommen	—	toaia	hendschu
König	ngana, muata, rei, seculu, soba	muata	mueneputo
Königin	soma	soma	inacula, soma
können	cutena	gusihassa	dikitena
Kopf	mutue	mutu	utué
Körper	mutu	corpo	—
kosten	cuffula	—	—
köstlich	calebekete	—	—
Koth	mutotu	—	—
kräftig	—	unalelema	etimbarienene
krank	—	cubinsa	ucassiocubella
Krankheit	unhaschi	—	—
kriechen	—	cuawula	cuendela
Krieg	ocubanga	bite	bita
Krokodil	ngandu	ngandu	ngandu
Krone	ocoloa	coloa	—
krönen	cubaca, coloa	—	—
Kröte	—	—	disundu
Krug ·	—	muringa	kitao
krumm	—	inacondalala	penga
Küche	—	riwula	kihuo
Kugel	bumbu	solo, balla	—
Kuh	ngombi	ngombe	manjangombe

Deutsch	Bunda	Massongo	Bailundo
Kummer	—	lunarikessi	uaiumana
Kupfer	—	sinjoca	onjoha
Kürbiss	calabassa	calabassa	—
kurz	—	unasita	umbumbulu
Kuss	mukino	—	—
küssen	cumakina	—	—
lachen	cuelela	huekelela	ocuiola
Landsmann (Ein-geborne)	—	ukimborito	uquafecajangi
lang	—	dicanga	okipana
langsam	—	lupissi	lenga
Lärm	—	cusoca	cuiaca
Last	mutete	binbamba	bitele
Laster	—	—	mopischi
Laub	kisasse	kisasse	—
laufen	cussampulu, cu-lenga	tulenge	ocutira
läugnen	—	guami	sitawa
leben	—	muenjo	uacolo
Leber	ngundu	mischima	—
lecken	—	—	oculessa
Leder	okiba	—	—
leer	kitáu	situtu	kihuala
legen	cubaca	tula	capa
Leib	—	etimba	mocoti
Leiche	mutu guafo	moitonafi	kibimbi
Leichenbegäng-niss	—	cuhinda	ocukenda
Leichnam	mutu guafo	moitonafi	kibimbi
leicht	balato	—	—
leihen	cussoba	—	—
Leinwand	rilenzo	lenso	—
lernen	cubanuca, cu-longa	cuischia	ocucudiha
lesen	cutanga	cutanga	—
Licht	ocutanja	—	—
Liebe	henda	—	—
lieben	gusola	huangisola	undisole
liegen	—	cucossa	ocupekela
links	—	kiasso	kepiri
Lippe	ricanu	mussumbo	—
loben	cutonda	cobesa	cupeia

Deutsch	Bunda	Maasongo	Ballondo
Loch	ricungu	—	—
Loch bohren	—	—	ocutubula
Lohn	—	—	kipacalo
Löffel	—	kita	luto
Löwe	hodschi	ndumba	honsi
Lüge	—	macutoabe	uakemba
Lügner	—	—	uquacukemba
Lunge	—	` —	bitima
lustig	urimuca	hunarisanza	binjola
machen	cubanga	—	—
Mädchen	muleca	mukena	hucanji
Magd	mubica	—	—
mager	kiabele	uabele	huacopa
mahlen	—	ocutua	ocussula
Mais	—	marissa	epungo
mal	vesch	—	—
Maniok	manioca	biringu	tombo
Maniokmehl	fuba	fuba	fuba
Mann	riala	diiala	hulume
Mark	—	huléla	olonga
Markt	kitanda	pofela	pokitanda
Matte	stera	sissanda	essisa
Mauer	—	—	olumbo
Medicin	—	milongo	bihemba
Mehl	farina	mocusucussu	farinja
mehr	ringi	—	—
Meister	ndongischi	—	—
Melone	—	—	balassío (Wasser)
Mensch	riala	—	—
Messer	pocu	poco, faca	moco
Metall	—	lomboli	losolu
Milch	muamua	bilete	abelle
misshandeln	cubuila	—	—
mit	cu, ni	—	—
Mitternacht	—	geschi ia usiki	mucati ca uteke
möglich	kicalewo	—	—
Monat	bedschi	beschi	loschan
Mond '	riedschi	beschi	cunáselle
Mörder	—	hucacusiha	huquokipa
morgen	mungu	mongomen e	hera
Mücke	indschi	sinsi	lohamue
müde	—	huabuila	huacaba

Deutsch	Bunda	Massongo	Bailundo
Mund	riçanu	canu	mela
musiciren	cuschica	—	—
Musik	muimbo	—	—
Musikinstrument aus hohlen Kürbissen	marimba	marimba	marimba
Mutter	—	ugena	maii
Mütze	nbanda	—	—
Mützchen	calapuscha	—	—
Nabel	—	simboco	hopa
nach	uke, pala	pala	bu
nachahmen	cutekescha	—	—
nachher	uke	—	—
Nacht	—	usiki	uteke
nackt	—	tutii	hualula
Nadel	ntumba, gia	finete	ongia
Nagel am Finger	—	bingala	loschala
Nagel an der Wand	—	olopapa	lopeleco
nahe	—	unerimakio	kipepi
nähen	—	cunjica	ocutungo
Nase	risunu	risulo	anbulu
nass	cusula	siasulu	jaiulla
Nebel	caschimbo	caschimbo	caschimbo
Neger	preto	mombundu, preto	ueafeca, undongo
nehmen	cucuata	lata	njanguna
Neid	—	essinga	—
nein	ne, cana, nada	lo	—
Nest	—	—	kitululu
neu	—	siaube	kiocarie
neun	iwua	uwa	equila
niedrig	—	aassita	hubumbulo
niessen	—	—	hesi
Nothdurft verrichten	cunena	cunena	—
Nothwendigkeit	ocumessena	—	—
Ochs	gombe	gombe	gombe
offen	udschicula	—	—
offenbaren	cutuculala	—	—
öffnen	cudschiucula	schecula	ilula
Ohr	ritui (plur. metui)	matu, cuti	batuim
Ohrring	—	tumbinda	

Deutsch	Bunda	Massongo	Ballundo
Oel (der Palme)	omaschi	maschi	ulela
opfern	culambila	—	—
Orange	laranscha	laranscha	laranscha
Osten	banda luanja	—	—
Palme	rié	maie	bitiondende
Papagei	capagaio	capagaio	capagaio
Papier	mucanda, papél	papél	—
peitschen	cubete	cusubula	dantabula
Pfand	—	cubacaricunschi	kiie
Pfeife zum Rauchen	caschimba	caschimba	—
Pfeil	musoroncu	uta mussongu	uta mussongu
Pferd	cawalo	caballo	—
pflanzen	cucunja	—	—
Preis	—	suilbo	loschongo
Prügel erhalten	—	bancusubula	dantabula o kietu
prügeln	cubeta	cusubula	dantabula
Pulver	fundanga	fundanga	fundanga
Quelle	schima	ginschi	—
Rabe	kilombe-lombe	—	—
Rathsversamm-lung	kicuto	—	—
rasend	kiatemenana	—	—
Ratte	dibengu	dibengu	epenge
rauchen (Tabak)	—	cubola	cusepa
Raupe	—	bischo	oritende
Recht	lazōn	—	—
rechts	—	cusonga	colondio
Regen	nwula	wulla	bella
Regenzeit	tempo nwula	wulla unesa	kёuhe
regnen	cunoca	— '	—
reiben	—	cariasa	curischuia
reich	kiafua	urinasimbongo	uquabipaco
reif	—	uabi	iapia
rein	kiaselo	sinásele	kiaiela
reinigen	cuculsalla	secomba	sisila
Reise	—	okenda	ungende
Reiter	—	—	uamondala
retten	cuabar	—	—
riechen	—	sinohe	culeha
Riegel	—	ricumba	erimi
Rinde	—	—	kitutu

Deutsch	Banda	Massongo	Ballundo
Ring	nela	anēl	—
Rippe	—	kimbansi	lomati
Rock	—	sicobelo	kikuta
roh	—	—	kianisso
roth	kiacussuca	hussu	kiecussuca
Rost	—	eringu	eringu
rösten	—	—	ocucanga
rufen	—	toaiacuno	cucobonga
Ruder	—	—	ombengo
Rum	—	meba aputu	ualende
rund	caricundo	—	—
Sack	isaccu	saccu	saccu
säen	cucuna	—	—
Säge	—	—	osela
Saiteninstrument	viola	viola	—
Salz	—	mongua	hongua
salzig	—	sialulu	honguohualua
Same	—	schimbuta	lobutu
sauber	kiaselo	sinásele	kiaiela
säubern	cuculsalla	—	—
sauer	—	siabiha	cakihua
säugen	curisa	cuamua	cunjamisa
Säugling	—	caniki	—
Schaf	nburi	hombe	lohombo
Schakal	—	ombulu	bulamboa
Scham (weiblich)	—	sundi	sonji, neffe
Schatten	kilembieketa	—	—
schützen	cusula	—	—
Scheere	—	—	eiola
Schenkel {Ober-	—	binama	bollu
{Unter-	—	simocota	epindi
schenken	—	usito	uiito
Schienbein	—	simbonsogolo	ekepa
schiessen	—	culosa	oculoia
Schild	ngabu	—	—
Schildkröte	—	—	mondo
schlachten	culosa	cusiha, uasiha	ocuipa, kipa
Schlaf	—	silo	tullo
Schlafstelle	hama	muanza, hama	ulla
schlafen	cuseca	cucossa	culalla
schlagen	cubeta	cusubula	ocubeta
Schlange	bischo	singoca	njoha

Deutsch	Bunda	Massongo	Bailundo
schlecht	cahiba	kiabiha	kibi
schleifen	—	cusuica	culebica
Schleuderstock	purrinjo	—	—
Schloss (Thür)	—	mosale	—
schlucken	—	cuminhua	ocuina
Schlüssel	schabe	ricumba	ossapi
schmecken	—	kihue	kiandipossogela
Schmerz	—	mugimbaucata	etimbaribala
schmerzen	—	siecusisama	kimbala
Schmetterling	—	—	kimbiambia
Schmied	ngangula	—	—
schmutzig	—	sinabollo	kiollo
schnarchen	—	cussuma	ocuonla
schneiden	cubatula	cubatula	cuteta
schnell	—	dingambiri	iaiula
schön	—	ulelema	huhua
Schönheit	—	lema	—
schreiben	cussoneca	ocussoneha	ocutana
Schuld	—	—	ecandu
Schulter	—	suschi	bitenji
schwach	kiamucamba	—	—
Schwäche	—	unacaba	—
schwanger	—	urinemo	huemina
schwarz	bundu	cunawundu	cotecama
Schwarzer	preto	mombundu, preto	undongo, ueafeca
Schweif	mukila	—	—
schweigen	—	disibe	unja
Schwein	ngulu	gulu	ongulu
Schweiss	—	gunasuabala	uia
Schwester	—	pangiami	manschange
schwimmen	cucoa	cusowa	ocuiua
schwitzen	cussuala	—	—
schwören	—	—	laschambulu
sechs	samanu	samanu	epandu
Seele	muanja	—	—
segnen	—	—	cupeia
sehen	cumona	dotala	domoha
Seil	—	—	ucolo
sein (verb.)	cugala	—	—
Seite	banda	banda	—
setzen	cubaca	—	—
sieben	sambuari	sambadi	epanduari

Deutsch	Bunda	Massongo	Ballundo
siegen	culunca	—	—
Silber	—	sirindo	elonga
singen	—	cuimbani	cuira
Sitz	kiando	—	—
sitzen	—	cusicana	ocutamana
Skelett	—	necurisula	hecuriuba
Sklave	kibundschi	muhica	upica
Sklavin	mubica	—	—
Skorpion	—	dinge	balangansa
Sohn	mona	muana	mona
Sohn der Königin	mona ria soma	muana ia soma	mona o lo soma
Soldat	solari plur.jisolari	solari	—
Sommer	tempo onwula	tempo wulla	këuhe
Sonne	luanja	cumbi	muanja, cumbi
Spanne	palmo	—	—
Spazierengehen	—	cusunga	ocumgualagala
spähen	—	gunewu	cuieba
spät	—	gesi	gonlossi
Speise	—	biria	cuiandala
Spiel	ocutonoca	—	—
spielen	cutonoca	ocuhema	ocupapara
Spinne	mandandu	—	hihuandanda
spinnen	—	—	ocupota
spotten	—	cubatula	cuteta
Sprache	ririmi, milonga	—	—
sprechen	cunambela	cuienela	cupopia
springen	—	cutuca	ocupalara
Stachel	—	—	mossungu
Stall	—	inso	kimanga
Stamm der Palme	bordón	bordón	bordón
stark	kicolota	—	—
Stärke	—	sicono	—
Statthalter	nguwulu	—	—
Staub	toto	—	toto
stechen	cuhoca	—	—
stehen	—	cuiamana	ocutalama
Stein	ritari	ritari	etari, ehué
stellen	cubaca	—	—
sterben	—	ocufa	olofa
Stern	tetembuca	—	bongululu
Stier	—	capalo	sobbe
Stimme	risui	risu	ondaca

Deutsch	Bunda	Massongo	Bailundo
Stirne	—	—	kipala
Stock	bangala	mauti	mbueti
stottern	kicuma	—	—
Strafe	ocubeta	—	—
strafen	—	huagibokia	cubokia
Strasse	ngilla	onjira	ondschira
Streit	buia	—	—
streiten	cusoca	—	—
Stroh	kianco	—	—
Stuhl	kialu	sialu	okialu
stumm	—	—	dibubu
stumpf	—	—	caiteti
Stunde	cumbi	—	—
Stück	pessa	—	—
suchen	cusota	sotenu	ocussanda
Sünde	kisumu	kissile	lopecalu
Suppe	usongi	—	—
süss	—	sinatobala	kiapepa
Tabak	macanja	macanja	acaja
Tabak rauchen	cunua macanja	—	—
tadeln	—	—	etebo .
Tafel	ribaria	—	—
Tag	kihua	sizua	eteke
tanzen	cukina	ocukina	ocupiruca
tättowiren	—	cuta	curinga
Tattowirung	—	jisumu	schimbumbe
taub	—	uafamati	muschilo
Taube	—	—	lopomba
tauschen	cutolocala	cutolocarischa	ocusulohana
tausend	hulucaschi	midi	ohulucanji
Teufel	cariapemba	—	—
theilen	cucuana	—	—
theuer	calo	kitine	—
Thier	—	siama	kinhama
Thräne	madschossi	massoschi	assonena
Thür	riwitu	muelo	ubello
tief	—	fuschi	boondui
Tiger	inco	—	—
Tisch	ribaaria	dibito	ebaja
Tochter	monana	muanana	monana
todt	gumafo, guafo	nafi	—
tödten	culosa	cussia, uasiha	kipa, ocuipa

14*

Deutsch	Bunda	Massongo	Bailundo
Todtengräber	ocucanda	—	uquacucanda
Topf	imbia	schombia	ombia
tragen	pecar	cabeke	catuale
träumen	—	gandesogi	culota
treffen	cusonjeca	ocunona	ocubonga
treten	—	—	ocuriata
trinken	cunua	—	—
trocken	kiamucuta	siacucuta	kicucuta
Trommel	kipuita	gomojaputa	ritambolo
trommeln	—	—	ocussica
Trompete	corneta	corneta	etiamera
Tuch	mulili	lenso	—
über	bu	bu	bu
unangenehm	—	sibi	cakiatenene
unfruchtbar	kinbanda	—	—
ungerecht	—	cakiacomene	kiandibihana
unglaublich	cucambe	—	—
Unglück	—	unasenguluca	huncui
Vater	—	papa	tate
verbessern	culonga	—	—
verbieten	—	bulaco	cucakiringe
verbrauchen	cungasola	—	—
verbrechen	kituschi	—	—
verdienen	—	—	kiacussesama
Verdruss	uiadschi	—	—
verfault	kiabolu	kiabolu	—
verfertigen	cutunga	—	—
verbrennen	—	cuiossa	cuioca
vergessen	—	cusimbacu	debala
vergiften	—	—	ocuipa
verhöhnen	—	cubatula	cuteta
verkaufen	cussumbisa	cossumbissa	culandissa
verkünden	cufumanja	—	—
verlieren	—	cusimbala	cunjerella
Verlust	—	dapessela	danaschi
Verpflichtung	okitunu	—	—
Versammlung	—	mundu	hunji
verschliessen	—	icaco	iira
verschlingen	cuminja	—	—
verschwenden	—	ocusocola	cutetulula
Verstand	lason	—	—
versuchen	cutesa	cufikissa	ocuseteca

Deutsch	Bunda	Massougo	Ballundo
vertheidigen	—	uangupepa	uandibalula
vertrauen	cubucumuica	—	—
verwahren	cubaca, culunda	—	—
verweigern	—	sitaba	cotoco
verzeihen	culoloca	huabulamo	huoupamo
Verzeihung	oculoloca	—	—
viel	kiawolo	kinaloba	kialoa
vier	uana	uana	cuana
vierzehn	cunji-uana	cunji-uana	lacuana
Viper	njoca	—	—
Vogel	indschila	ondschila	ondschila
Vogelfeder	kisala	—	—
Vogelschwanz	—	—	otucu
Volk	attu	attu	hunji
voll	—	inesuca	keiuca
von	ria	ia	ia, o
von der andern Seite	ria kiamuca banda	—	—
vor	cu, pala	—	bu
vorhanden sein	cugala	—	—
vorübergehen	cubita	—	—
wachen	—	—	huakia
Wachs	sela	sera	sera
wachsen	—	hunaculu	—
Wachskerze	vele ria sela	—	—
Wade	—	bundu molu	calungi
Waffe	uta	uta	uta
wagen	cubucumuica	—	—
Wahrheit	cuiri	sungariendi	kiri
Wald	mato, muschito	muschito	mossenge
Wand	—	simbaca	olumbo
Wange	—	matafu	atama
warum	né, suaco	—	—
was	ke	—	—
waschen	cussucula	ocosucula	ocuioa
was für	ke	—	—
Wasser	menja	meba, menja	baba
Wasserbecher	bissanga	—	—
Weg	ngilla	onjira	ondschira
wegen	pala	—	—
Weib	mugatu	mukeno	ucanji
Weiche	—	hopa	sibebelle

Deutsch	Bunda	Massongo	Bailundo
Wein	maluwu	winjo	—
weinen	—	unecudila	ocudila
weiss	mundele	—	—
Weisser	—	sinsungu	uiela, uquaputu
weit (entfernt)	calebo	cunalaha	cupalla
welcher, welche, welches	nahi	—	—
Welt	—	—	feca
wenig	—	pueho	—
werfen	—	tacula	imbá
Werk	mitunu	—	—
weshalb	né, suacu	—	suaca
Wetter	tempo	—	—
Widder	—	—	hombo i ombudi
Widerstand	ocumakila	—	—
Wind	kitempo	kitembo	—
Winter	tempo caschimbo	tempo caschimbo	huambelo
wissen	—	gesía	—
wo	cuewi	—	—
Woche	—	matanga	—
wohin	cuewi	—	—
wohlthätig	—	—	uaringa
Wohnort	kiriri, kilembo, sansala	sansala, kilombo	kilombo
wohnen	cuicaba	gunacara	dicaschi
Wolf	kibungu	simbungu	ongundi
wollen	cuhandalu	gandala	candala
Wort	milonga	—	—
Wunde	—	sibusu	epute
wünschen	cuhandalu	gandala	daiongola
Wurzel	ndansi (plur. jindansi)	—	—
zahlen	cuffuta	—	ocufeta
zählen	—	—	ocutanga
Zahn	madchu	maso	maio
Zauberer	nganga	mukischi	nganga
zehn	cunji	cunji	quicui
zeigen	—	culondokesa	culekischa
Zeit	tempo	tempo	—
zerreissen	—	ocutaola	ocutola
zerstampfen	—	—	ocubuha
zerstören	cucuakisa	—	—

Deutsch	Bunda	Massongo	Balfundo
zerstossen	—	—	ocuhuha
Zeug	mulili	lenso	—
Zeuge	nbanki	—	—
Ziege	hombo	pembe	hombo
Ziegenbock	—	meme	—
ziehen	cucatala	—	ocussunga
zielen (mit Ge-			
wehr)	cusonjeca	sungamissa	pondala
Zimmer	inso	—	—
zittern	—	—	ocululuma
Zorn	—	sisinda	njango
Zucht	mudschinga	—	—
Zucker	—	sukiri	sukiri
Zuckerrohr	muenki	cana	muenge
zudecken	cuwingina	schirau	sitira
zumachen	—	—	indeleca
Zunge	—	dimi, elaca	erimi
zürnen	—	—	siricuete
zusammenfügen	cubongolola	—	—
zwanzig	macunji-wari	macunjiaiadi	acuiabali
zwei	wari	iadi	waari
zweifeln	—	cucatamana	lonamanama
zwölf	cunji-wari	cunji-iadi	lawaari

Einige Sätze aus der Sprache der Massongos.

Bringe Wasser, peca menja.

Bringe Feuer, peca tubia.

Nimm die Hacke (Beil), latálu nianga.

Laufe auf den Berg hinauf, tulenge gusumulundu.

Der Häuptling kommt, seculu toaiala.

Manú schlug den Tom, Manú cusubulasa Tom.

Tom wurde von Manú geschlagen, Tom bancusubulasa Manu.

Ich will schlafen, egandala cucossa.

Der Weisse ist krank, o sinsungo n'cubinsa.

Der Weisse will schlafen, o sinsungo gandala cucossa.

Der Todte liegt (schläft) im Grabe, o cussialo cucossa n'kimbiri (Begräbnissplatz).

Kimbundu ist weit von hier, Kimbundu bicunalaha.

Hör' auf zu weinen, gunasoba binecudila.

Haare schneiden, basitete bindemba.

Die Banane ist faul, o maconde binabolo.

Das Gewehr ist gut und schön, uta bisauaba n'gulelema.

Ah! Ah!, ai! ai!

Der grosse Kopf, o mutu unene.

u. s. f.

.

J.

NAMENS-REGISTER.

K.
ORTS-REGISTER.

Druckfehler.

Seite 30, Zeile 3 von oben soll heissen João, statt Joa.

„	61,	„	16	„ unten „	„	Kiocos, statt Kiokos.
„	65,	„	11	„ oben „	„	. . . der Fetischdienst, der . . ., statt der Fetischdienst der
„	65,	„	11	„ „ „	„	Fetische, statt Fetischer.
„	65,	„	12	„ „ „	„	Palaver statt Palave.
„	79,	„	7	„ unten „	„	scha, statt ja.
„	80,	„	14	„ oben „	„	scha, statt ja.
„	85,	„	14	„ „ „	„	Kipépe, statt Kipepe.
„	92,	„	4	„ „ „	„	Mucana, statt Mukana.
„	97,	„	4	„ „ „	„	N'Dumbo, statt N'Dumba.
„	9,	„	8	„ „ „	„	Pacassa, statt Pakassa.
„	117,	„	1	„ „ „	„	Bivouac, statt Bivouak.
„	157,	„	9	„ unten „	„	Bivouac, statt Bivouak.

K. k. Hofbuchdruckerei Carl Fromme in Wien

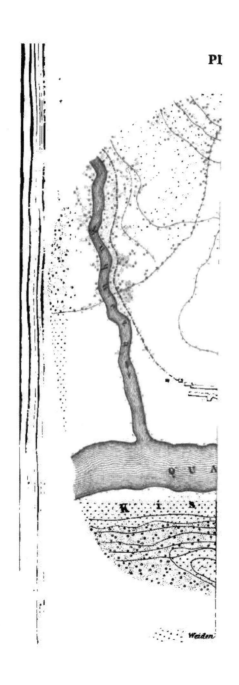

Google:

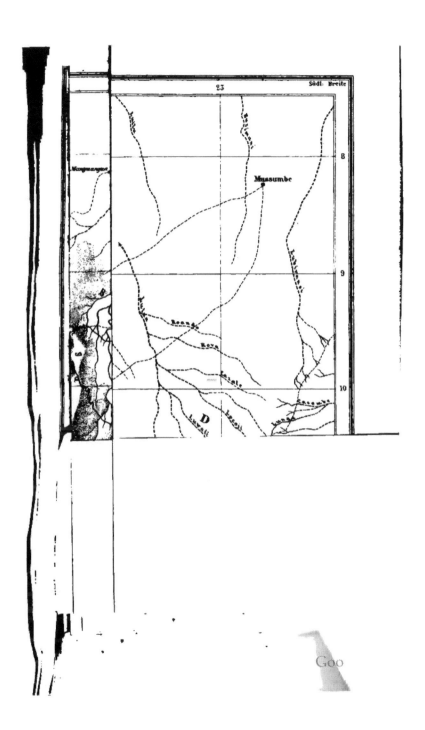

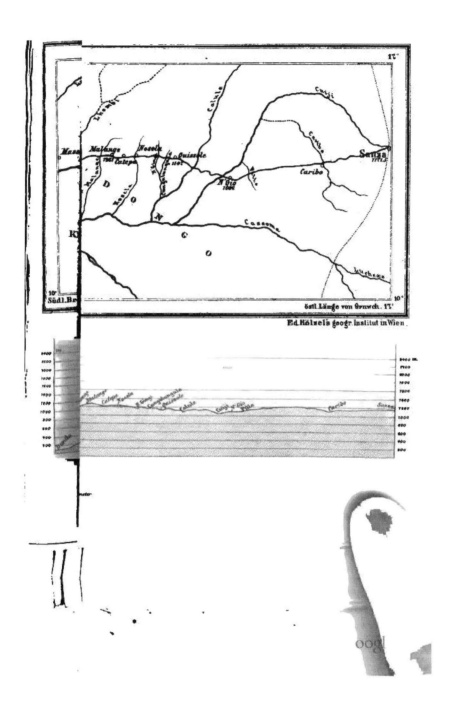

Süll Ber.

Druck:
Customized Business Services GmbH
im Auftrag der KNV-Gruppe
Ferdinand-Jühlke-Str. 7
99095 Erfurt